918

Über das Buch:
Trotz guter Horoskope: Die Geschäfte des Privatermittlers und leidenschaftlichen Bluesfans Georg Dengler gehen schlecht. Mit kleinen Aufträgen muss der ehemalige Superbulle vom BKA sich über Wasser halten: untreue Ehefrauen überwachen, Vorzeige-Bodyguard auf einer Milliardärsparty spielen, Sozialhilfeempfänger kontrollieren.

Die Ermittlungen in einer scheinbar harmlosen Erbschaftssache führen Dengler in einen kleinen Ort in Süddeutschland – und an den Rand der Verzweiflung. Ein rätselhafter Vertrag dokumentiert: 1947 hat das Schlosshotel seinen Besitzer gewechselt, die Enkel des ehemaligen Eigentümers wollen wissen, was es mit dieser Transaktion auf sich hat. Dengler stößt auf einen Familienkonflikt aus den Tagen der dunkelsten deutschen Vergangenheit und droht an einer Mauer des Schweigens zu scheitern.

Frustriert nimmt er eine Auszeit, lässt einen alten Traum wahr werden und fliegt nach Chicago, um seinen Blueshelden Junior Wells im legendären Bluesclub *Theresa's Lounge* live spielen zu sehen. Mitten im Getto der Chicago South Side erhält Dengler einen neuen Auftrag – der ihn wieder in den kleinen Ort nach Süddeutschland führen wird. Und wieder in die Zeit des Kriegsendes. Dengler macht eine furchtbare Entdeckung – und gerät in einen Hinterhalt ...

Nach dem großen Erfolg des ersten Dengler-Falls »Die Blaue Liste« wendet sich Wolfgang Schorlau erneut einem ungelösten Kapitel deutscher Geschichte zu – und wieder verwebt er Fiktion und Wahrheit zu einer atemberaubenden und mitreißenden Story.

Über den Autor:
Wolfgang Schorlau lebt und arbeitet als freier Autor in Stuttgart.

Weitere Titel:
»Die blaue Liste. Denglers erster Fall«, 2003, KiWi 870, 2005. »Sommer am Bosporus. Ein Istanbul-Roman«, KiWi 844, 2005.

Wolfgang Schorlau

DAS DUNKLE
SCHWEIGEN

Denglers
zweiter Fall

Kiepenheuer & Witsch

Informationen zu diesem Buch:
www.schorlau.com

1. Auflage: 2005

Umschlaggestaltung: Barbara Thoben, Köln, nach einer Vorlage von Philipp
Starke, Hamburg
Umschlagfoto: © photonica / Henry Horenstein
Gesetzt aus der Dante Regular
Satz: Pinkuin Satz und Datentechnik, Berlin
Druck und Bindung: Clausen & Bosse, Leck
ISBN 3-462-03614-9

Für Gabriele

Wurzeln werfen keine Schatten.

Die Hartherzigkeit der Reichen berechtigt
die Armen zu ihrer Schlechtigkeit.

John Lee Hooker for president!

Dritter Teil

Prolog: Bruchsal, 1. März 1945

Die Granate schlägt unmittelbar hinter dem großen Propeller in den Rumpf der P-51 Mustang und explodiert sofort. Ihr Mantel zerlegt sich in 1500 scharfkantige Splitter, so, wie ihre Konstrukteure es berechnet haben.

Eine Hitzewelle schießt durch die Maschine, und Steven Blackmore fühlt sich inmitten einer weißen, blendenden Hölle. Der plötzliche Luftdruck wirft die Mustang wie einen Ball zur Seite. Steven Blackmores Kopf schlägt gegen die Verstrebung des Kabinendachs.

Dann wird sein Gesicht gegen die Armaturen gepresst.

Er denkt, die Gurte brechen seine Schulterblätter. Er wird in den Sitz zurückgeschleudert, und es ist, als halte eine riesige Faust das Flugzeug plötzlich fest und als stehe es in der Luft still. Vor ihm verformt sich einer der vier großen Propellerflügel zu einer bizarren Skulptur, bevor er aus seinem Gesichtsfeld verschwindet.

Blackmore stemmt sich in seinem Sitz nach vorne.

Ist die Maschine noch steuerbar?

Tankanzeige? Normal.

Bordwaffen testen.

Blick nach rechts.

Aus dem Tragflügel sind alle drei Maschinengewehre herausgerissen, ihre Rohre spreizen sich in grotesken Winkeln gegen den Himmel. Die Waffen in der linken Tragfläche scheinen intakt. Sein Zeigefinger tastet zum Auslöser am Steuerknüppel. Er feuert eine Salve aus den drei MGs der linken Tragfläche. Sie funktionieren einwandfrei.

Seine Augen tasten die primären Fluginstrumente im gelben Sektor ab.

Kurskreisel normal, Künstlicher Horizont normal, Wendezeiger hängt.

Die Maschine befindet sich nicht mehr auf der Flugachse.

Ladedruck gefallen, Climb Variometer: Die Maschine sinkt schnell.

Er steuert dagegen. Die Maschine reagiert nicht.

Höhensteuerung ausgefallen. Wahrscheinlich Hauptholm getroffen.

Die Mustang ist nicht mehr steuerbar.

Ich muss raus.

Seine rechte Hand zieht den roten Hebel auf der rechten Seite.

Klemmt.

Er reißt an dem Hebel.

Zieht mit beiden Händen.

Dann ist das Kabinendach verschwunden.

Er löst die Gurte.

Auf die linke Tragfläche klettern.

Der Tank in der rechten Tragfläche explodiert, ehe er sich aus dem Sitz ziehen kann.

Steve Blackmore wird wie eine menschliche Kanonenkugel in den kalten Märzhimmel katapultiert. Himmelwärts. Die Beine voran. Eine eiserne Faust presst seinen Kopf an den Magen, drückt ihn zusammen, als wolle sie ihn in eine winzige Büchse stecken.

Die tödlich getroffene Mustang rast ohne ihn weiter.

So ist das also, wenn man stirbt, denkt er.

Dann verliert er das Bewusstsein.

★★★

Bald kann ich nach Chicago zurück, hatte Steven Blackmore noch am Morgen gedacht. Der Krieg ist gewonnen.

Er verstand die Deutschen nicht.

Warum geben sie nicht auf?

Die amerikanischen Bodentruppen hatten die Grenzen des Deutschen Reiches in der Eifel und im Saarland überschritten, standen im Elsass und bereiteten den Vorstoß durch die Pfalz bis zum Rhein vor. Die Russen würden Berlin einnehmen. Tag und Nacht warfen die alliierten Fliegerströme Tausende von Tonnen Spreng- und Brandbomben auf die deutschen Städte und töteten mehr Zivilisten als in den vorhergehenden Kriegsjahren zusammen. Und trotzdem, Blackmore schüttelte wieder den Kopf, die Deutschen waren dumm: Sie machten in einer aussichtslosen Lage einfach weiter.

Vor zwei Wochen hatte er mit seiner Staffel die Schienen eines Güterbahnhofs einer kleinen Stadt am Rhein gesprengt, deren Namen er längst vergessen hatte. Noch in der Nacht reparierten die Verrückten auf dem Boden die Gleise. Die Aufklärer brachten bereits mittags Fotos von zwei dampfenden Zügen, die Nachschub an die Front im Westen transportierten. Major Waters zeigte ihnen die Bilder und übersetzte auch den Satz, den die Deutschen mit großen weißen Lettern auf eine der beiden Lokomotiven geschrieben hatten: »Räder müssen rollen für den Sieg.« Am nächsten Tag legten zwanzig Flying Fortress einen Bombenteppich über Güterbahnhof und Stadt und verwandelten alles unter sich in ein Gemisch aus Stein und Stahl und Blut und Knochen.

Leutnant Steven Blackmore hatte nach seiner Ausbildung in Tuskegee/Alabama die meiste Zeit des Krieges in Italien gekämpft. Die 332nd Fighter Group, erkennbar an dem rot bemalten Heckleitwerk, gab den Bombern der 12. und 15. Air Forces Geleitschutz, wenn sie von Italien aus Stellungen der Wehrmacht oder Städte im Süden Deutschlands angriffen. Nun waren einige Mustangs nach Toul-Ochey verlegt worden, um den Vormarsch an den Rhein zu unterstützen.

Der 1. März sollte ursprünglich ein Erholungstag sein. Doch frühmorgens kam der Einsatzbefehl. Die Jäger der 352nd Fighter Group vom Flugplatz Chievres in Belgien, die einen großen Bomberstrom aus East Anglia und Kimbolton im Süden Englands ab Straßburg schützen sollten, konnten wegen Nebels nicht starten, und so mussten die Mustangs aus Toul-Ochey einspringen.

Die Besprechung am Morgen war kurz gewesen. Major Waters hatte den Piloten auf der Landkarte die Lage dargestellt, mit dem Zeigestock zog er Kreislinien auf dem aufgehängten Ausschnitt.

»Unsere Truppen stehen unmittelbar vor Saarbrücken und im Elsass. Die Krauts stehen in der Pfalz und werden sich bei unserem nächsten Angriff zurückziehen. Die Air Force will das Gefechtsfeld abriegeln, sodass dem Feind weder ein geordneter Rückzug noch der Aufbau einer neuen Verteidigungslinie möglich ist. Insbesondere werden wir die Zuführung von Truppen und Material auf dem Bahnweg unterbinden. Die Nazis haben kein Benzin mehr und müssen jeden Schuss Munition mit der Bahn an die Front bringen. Sie reparieren in der Nacht und transportieren in der Nacht. Deshalb schalten wir die Bahnverkehrsknoten aus.«

Sein Stock deutete auf einen kleinen Ort östlich des Rheins. Dann nahm er ein Fernschreiben vom Tisch und schwenkte es vor den Piloten.

»Befehl 1679. Legt die Ziele des Einsatzes Nr. 857 von heute Mittag fest. Das ist der Rangierbahnhof Bruchsal, die Rangier- und Güterbahnhöfe Neckarsulm, Heilbronn, Reutlingen, Göppingen und Ulm sowie die Messerschmitt-Teilefertigungen in Baumenheim und Schwabmünchen, das Klöckner-Humboldt-Deutz Panzer-Werk Ulm und das Munitionsdepot Ulm. Ihr Rendezvouspunkt mit dem Bomberstrom liegt acht Kilometer südwestlich von Straßburg. Hier Ihre Flugwegkarten. Irgendwelche Fragen?«

Es gab keine Fragen.

★★★

Südlich von Straßburg traf er pünktlich auf den riesigen Bomberstrom, der durch das flakfreie Loch zwischen Karlsruhe und Mannheim nach Deutschland einflog. Das Bild der anfliegenden Bomber beeindruckte ihn jedes Mal aufs Neue. Diesmal waren es über 1000 »Fliegende Festungen«, die ihm

»dreistöckig«, das heißt auf drei unterschiedlichen Flughöhen, und in einer Länge von 300 Kilometern entgegenkamen. Der Strom wandte sich ostwärts, und nach 40 Kilometern löste sich der riesige Verband in die einzelnen Combat Wings auf, die ihren vorgegebenen Zielen entgegenflogen.

Blackmore begleitete drei Verbände, die sich von dem riesigen Bomberstrom getrennt hatten: die 379th, die 303rd und die 384th Bomb Group. Zusammen waren es 117 schwere B-17-Bomber, die auf Bruchsal zuflogen.

Mit deutscher Gegenwehr rechnete er nicht. Die feindlichen Piloten verloren seit einigen Monaten jeden Luftkampf gegen die Mustangs. Die Krauts litten unter Treibstoffmangel, und wegen des Treibstoffmangels konnten sie ihre Piloten nicht mehr ausbilden. Hitler schickte sie mit nur wenigen Flugstunden in den sicheren Tod.

Sie bemerken uns zu spät. Wenn wir von hinten kommen, sehen sie uns gar nicht.

Blackmore hatte in diesem Jahr bereits drei Messerschmidt abgeschossen, und sie waren leichte Beute gewesen.

Auch die einstmals gefürchtete Flak war stumm geworden. Die deutschen Städte lagen wehrlos unter ihnen. Nur selten standen noch die kleinen weißen Wölkchen am Himmel, die entstanden, wenn eine Flakgranate explodierte und sich in ihre gefährlichen Splitter zerlegte. Die gefürchteten Granatteppiche, die die Piloten der B-17-Bomber früher in Panik versetzten, gab es schon lange nicht mehr. Wenn jetzt Flakfeuer eröffnet wurde, dann schossen die Krauts planlos und ungenau. Waters hatte ihnen erklärt, die Deutschen hätten die Flakbesatzungen komplett an die Ostfront verlegt. Im Westen würden nun Kinder und Jugendliche die Flugabwehrkanonen bedienen. Die Piloten hatten stumm dagesessen, und nicht alle glaubten Waters.

Die drei amerikanischen Bombergruppen, die Blackmore mit seiner Fighter Group zu schützen hatte, flogen gestaffelt hintereinander, zuerst die 379th, dann die 303rd und schließlich die 384th Bomb Group. Jede der drei Gruppen bestand wiederum aus drei Schwadronen, die unterschiedlich hoch flogen. Zunächst kam auf einer mittleren Höhe die Lead Squadron mit 12 Bombern. Hinter ihr, nach links versetzt und tiefer fliegend, folgte die Low Squadron mit 13 Maschinen. Dahinter rechts versetzt und am höchsten flog die High Squadron mit 14 Maschinen. Dann folgte die nächste Bomb Group mit wiederum drei Squadrons. Die drei Bomb Groups hielten fünfzehn Kilometer Abstand, nicht mehr als drei Flugminuten Distanz.

Blackmore zog seine Mustang an die Spitze des ersten Verbandes. Um 13.41 Uhr bog er mit der Lead Squadron der 379th Bomb Group, die die erste Angriffswelle bildete, über Pfalzgrafenweiher im Schwarzwald in eine Nordkurve und nahm Kurs auf Bruchsal. Blackmore hielt sich jetzt links des Verbandes. Vier bis sechs Zehntel Bewölkung, registrierte er. Dann rissen die Wolken auf, und er sah plötzlich Häuser. Er überflog sie, und hinter ihm regneten Bomben auf die Stadt.

Als die zweite Angriffswelle nahte, bemerkte er, dass die High Squadron zu nahe an den vor ihnen fliegenden Bombern klebte. Deshalb scherte der Verband jetzt aus, flog eine weite 360-Grad-Kurve und setzte sich hinter die B-17-Bomber der dritten Angriffswelle. Blackmore zog seine Maschine ebenfalls in eine weite Rechtskurve.

Da sah er fünf Kilometer vor sich zwei weiße Wölkchen auf 5500 Meter Höhe.

Flakfeuer!

Er korrigierte den Kurs der Mustang und entsicherte die Bordwaffen.

★★★

Als er auf die deutsche Stellung zurast, dorthin, wo er sie vermutet, erfasst ihn eine maßlose Wut.

Vor zwei Tagen hatte es im Casino eine Schlägerei gegeben.

An diesem Abend spielte eine weiße Combo, und natürlich spielten sie wieder schwarze Musik. Der Saxophonist war ein kleiner, rothaariger Mann mit dickem Bauch und unzähligen feinen blauen Äderchen um die Nase. Bestimmt ein Ire, dachte Blackmore. Der Mann blies die Backen auf wie ein Ochsenfrosch aus dem Mississippi-Delta. Er versuchte, Charlie Parkers Stil zu imitieren, dessen halsbrecherisch schnelle Tonkaskaden zu spielen, aber es gelang ihm nicht. Er schwitzte, seine Finger kamen nicht mit, er überging einzelne Töne – alle schwarzen Soldaten bemerkten es mit Genugtuung: Parker war zu schnell für ihn.

Den weißen Jungs auf der Tanzfläche machte das nichts aus. Sie tanzten, lachten und schwangen die französischen Mädchen im Kreis, die gerne zu der Einladung auf den Luftwaffenstützpunkt gekommen waren, getrieben halb von Zuneigung zu den Befreiern, halb von ihrer Neugier auf den American Way of Life.

Als die Combo sich an »Groovin' High« wagte, stand plötzlich Sergeant Sonny Cotton, Blackmores schwarzer Bordmechaniker, mit seinem Saxophon vor der Bühne. Der Sänger der Band, der mit seinem dunklen, nach hinten gekämmten Haar wohl italienischer Abstammung war, sah ihn, reichte ihm die Hand und zog ihn auf die Bühne. Der kleine Ire trat sofort zur Seite und räumte den Platz vor dem Mikrophon.

Blackmore kneift die Augen zusammen und starrt durch das Glas des Cockpits. Die Sonne steht hell am Himmel. Er sieht die Flakstellung nicht. Wo stecken die Krauts?

Sobald Sonny vor dem Mikrophon stand, war er der Star auf der Bühne. Er hielt das Instrument eigentümlich abgewinkelt von seinem Körper, und er spielte wirklich Charlie Parker. Er beatmete mit seinem Saxophon die Combo. Die Töne kamen nun schnell und stoßweise. Der Schlagzeuger erwachte aus seiner Routine, konzentrierte sich, schlug schneller und härter. Der Trompeter wandte sich Sonny zu, suchte den musikalischen Dialog mit ihm, und mit einem kleinen Schwenk seines Instruments machte Sonny ihm den Weg frei für ein Solo. Der schwarze Saxophonist in der Ausgehuniform, die beige Krawatte lässig hinter dem zweiten Knopf im Uniformhemd versteckt, war der Mittelpunkt auf der Bühne. Instinktiv rückten die anderen Musiker näher zu ihm auf. Die Musik bekam den Swing, den sie brauchte, um nicht nur die Beine, sondern auch die Seelen der Tanzenden zu erreichen.

Blackmore bemerkte, wie der Tanzstil der Paare auf der Bühne sich änderte. Sie tanzten nun freier. Und schneller.

Die Soldaten an den Tischen waren aufgesprungen und klatschten. Die Paare wirbelten auf der Tanzfläche. Die Kellner kamen nicht mehr durch das Gewühl. Blackmore erinnerte sich an seine besten Stunden in der Green Mill in Chicago, dem Lokal, das er manchmal aufsuchte, obwohl es im Norden der Stadt lag. Dort gab es keine Rassentrennung wie in der Army. Wenn dort die Musik diesen bestimmten Hitzegrad erreichte, dann fiel das unsichtbare Seil in der Mitte der Tanzfläche, das schwarze und weiße Besucher voneinander trennte, und die Paare und die Hautfarben mischten sich zu einem freien Durcheinander.

So war die Stimmung im Casino an diesem Abend vor zwei Tagen. Sie näherte sich dem Siedepunkt, und daher achtete niemand auf die vier weißen Soldaten, die im Hintergrund tuschelten, ohne den Blick von der Bühne zu wenden, sich besprachen und dann weitere Weiße zu sich riefen. Wie eine drohende Masse standen sie eine halbe Stunde später neben der Eingangstür und starrten zur Bühne, zu Sonny, der erneut Charlie Parker mit einem Solo huldigte. Weitere weiße Soldaten mit finsteren Gesichtern sammelten sich an der Tür, und als es zwanzig waren, die sich stark und betrunken genug fühlten, marschierten sie los, stießen die Tanzenden zur Seite, bahnten sich einen Weg zur Bühne. Ein paar Jungs auf der Tanzfläche und einige der französischen Mädchen protestierten, als sie von ihnen angerempelt wurden, aber sie tanzten weiter, als der Trupp an ihnen vorbei war.

Vor der Bühne griffen zwei nach Sonnys Hosenbeinen. Der blies immer noch sein Solo und bemerkte es nicht. Er schüttelte ein Bein, ohne hinzusehen, als könne er so einen lästigen kleinen Köter abwehren. Dann rissen sie an seinen beiden Beinen gleichzeitig, und Sonny ging zu Boden. Er versuchte, mit der ausgestreckten Rechten sein Saxophon in der Luft zu halten, um es beim Sturz zu schützen. Doch kaum lag er auf dem Bretterboden, den rechten Arm mit dem blitzenden Instrument in die Luft gereckt, zogen sie ihn an den Füßen von der Bühne, und sein Kopf schlug hart auf den Boden. Die zwanzig bildeten einen Kreis um ihn, und jeder trat zu. Einer sprang mit beiden Füßen auf das Saxophon, auf Sonnys geliebtes Saxophon, seine Braut, wie er es nannte, und die Klappendeckel und andere Metallteile sprangen ab, als wollten sie flüchten. Der weiße Soldat, ein dünner, schmal bebrillter Kerl, den Blackmore schon einmal bei der Treibstoffversorgung gesehen hatte, sprang noch einmal, und unter seinen Stiefeln verformte sich der Trichter des Instruments zu sinnlosem Metall.

Ganz hinten, an der Wand, dort wo die schwarzen Soldaten saßen, fielen etliche Stühle um. Die schwarzen GIs waren aufgesprungen und rannten nach vorne, um dem Bruder zu helfen. Die Paare vor der Bühne tanzten nicht mehr; die französischen Mädchen kreischten oder redeten auf ihren Tanzpartner ein, sie sollen dem schwarzen Musiker helfen, der dort zu Tode getreten und geschlagen wurde.

Keiner der weißen Soldaten auf der Tanzfläche rührte auch nur eine Hand. Sie hatten den Kopf gesenkt und schwiegen, und die französischen Mädchen verstanden nicht, warum. Eines von ihnen warf sich von hinten auf einen der tretenden Soldaten, aber der schüttelte sie ab. Sie fiel zu Boden.

Die schwarzen Soldaten erreichten den Kreis; einer hob die Frau auf, die anderen zogen die ersten Weißen von Sonny weg. Da flog die Tür auf, und vier Militärpolizisten rannten in den Saal. Mit gezückten Schlagstöcken. Der Sänger der Band gab den Musikern ein Zeichen, unsicher spielten sie einen schnellen Swing, dessen fröhliche Melodik die brutale Szene grotesk steigerte. Drei schwarze GIs hoben den übel zugerichteten Sonny hoch. Blackmore sah für einen Augenblick die dunkle, blutende Masse, die einmal sein Gesicht gewesen war. Irgendjemand gab dem Rest seines Saxophones einen Tritt, und es schlidderte unter die Bühne.

Und nun geschah etwas, was Blackmore immer noch wie ein Wunder vorkam: Die französischen Mädchen lösten sich von ihren bisherigen Tanzpartnern. Sie wollten nicht mehr tanzen. Nicht mit den weißen Ärschen. Zuerst kam die junge Frau in dem grünen Chiffonkleid, die vorher versucht hatte, Sonny beizustehen, zu einem der schwarzen Soldaten. Ihre Freundin, die neben ihr stand und weinte, ein weißes Taschentuch gegen ihr rechtes Auge drückte, erriet ihre Absicht, reckte stolz den Kopf und ging ebenfalls auf einen der schwer atmenden schwarzen Soldaten zu: Would you dance with me, please? Dann begriff die nächste, dann noch eine – und schließlich gingen alle diese wunderbaren Frauen zu den schwarzen Soldaten, manche machten sogar einen Knicks, und baten sie um den nächsten Tanz.

Bis zum Morgen erzählten sich die schwarzen Soldaten diese Geschichte wieder und immer wieder.

Und nun diese verdammte deutsche Flak.

Da sieht er das Mündungsfeuer, und der gelbe Feuerball rast auf ihn zu.

Erster Teil

1. Es geht um eine Erbschaftssache

»Es geht um eine Erbschaftssache«, sagte der Mann.

Sie hatten sich im *Vinum* verabredet, einer modernen Trattoria im Stuttgarter Literaturhaus, direkt neben der Liederhalle. Es war 10 Uhr vormittags. Georg Dengler und sein Gegenüber waren die einzigen Gäste. Eine junge Frau war damit beschäftigt, schmale Glasvasen mit grün und blau gefärbtem Wasser und je einer Gerbera auf den Tischen zu verteilen. Der Mann schaute der Frau dabei zu.

Sie wandte ihnen den Rücken zu. Sie trug eng anliegende dunkelblaue Jeans. Dengler bemerkte, dass sie an den Oberschenkeln, den beiden Pohälften und im Schritt weiß gefärbt waren, als solle die Aufmerksamkeit auf diese Stellen gelenkt werden. Ihm fiel der Tierfilm ein, den er gestern Nachmittag im Fernsehen gesehen hatte. Die ranghöchsten Weibchen der Gorillas besitzen die markantesten Genitalien im Rudel und stellen sie gegenüber den anderen Weibchen zur Schau, um so ihre überlegene Stellung in der Horde geltend zu machen.

»Eine Erbschaftssache?«, fragte er dann.

Der Mann wandte den Kopf von der Frau ab und sah Dengler an.

»Eine merkwürdige Erbschaftssache«, sagte er und starrte wieder zu der jungen Frau hinüber.

Dengler wartete.

Der Mann zog, ohne den Blick von der Frau zu wenden, eine Visitenkarte aus seinem Jackett und schob sie über den Tisch.

»Wir haben telefoniert«, sagte er.

Dengler nickte.

Vor ein paar Tagen hatte Georg Dengler eine Nachricht auf seinem Anrufbeantworter gefunden. Ohne seinen Namen zu nennen, hatte der Anrufer mit belegter Stimme mitgeteilt, dass er die Hilfe eines Privatdetektivs benötige, und seine Nummer hinterlassen. Als Dengler zurückrief, stellte der Mann sich als Robert Sternberg vor, und mit der gleichen belegten Stimme schilderte er nun hastig seinen Fall: In den Unterlagen seiner verstorbenen Mutter habe er einen Vertrag gefunden, einen Vertrag von 1947, in dem sein Großvater ein komplettes Hotel verschenkt habe. Die Familie habe beschlossen, einen Detektiv zu beauftragen, die Hintergründe dieser Transaktion zu ermitteln. Vielleicht könne man die Übertragung anfechten. Dengler hatte den Mann unterbrochen und mit ihm einen Termin verabredet. Robert Sternberg hatte das *Vinum* als Treffpunkt vorgeschlagen.

Und nun saß ihm der nervöse Sternberg gegenüber, der sich sichtlich unwohl fühlte und dessen unruhige braune Augen den Blickkontakt mit Dengler vermeiden wollten. Dengler musterte seinen neuen Klienten. Er mochte etwa vierzig Jahre alt sein. Feine Falten zeichneten sich auf seiner Stirn ab, und zwei große Furchen zogen sich rechts und links der Mundwinkel zum Kinn. Seine Haare waren dunkel und dünn. Sie hatten sich an den Schläfen deutlich zurückgezogen. Auch auf dem Hinterkopf sah Dengler eine kahle Stelle. Das Gesicht war massig, jedoch nicht von zu viel Fleisch: Der kantige Schädelbau verlieh Sternbergs Gesicht seine viereckige Form, und diese Physiognomie verstärkte einen Gesichtsausdruck, der missmutig und mit dem Leben unzufrieden wirkte.

Dengler räusperte sich und fragte: »Ihr Großvater hat also dieses Hotel, von dem Sie sprachen, verschenkt. 1947, sagten Sie? Haben Sie Ihren Großvater zu dieser Schenkung befragt?«

Sternberg sah Dengler irritiert an.

»Mein Großvater ist schon lange tot«, sagte er, »und letzte Woche starb auch meine Mutter. In ihren Unterlagen fanden wir den Vertrag.«

»Haben Sie ihn dabei?«

Robert Sternberg nickte und hob eine schweinslederne Aktenmappe auf seinen Schoß. Als er den Reißverschluss der Tasche aufzog, bemerkte Dengler, dass sich ein Schweißfilm auf seiner Handinnenseite gebildet hatte. Auch auf den beiden Nasenflügeln entdeckte er winzige Schweißperlen.

Mit einer schnellen Bewegung holte Sternberg eine Klarsichtfolie heraus und stellte die Tasche auf den Boden zurück. Aus dem durchsichtigen Umschlag zog er sorgfältig ein Schriftstück hervor und legte es vor sich auf den Tisch. Mit dem rechten Handrücken fuhr er zweimal über das Papier, als müsse er das Dokument glätten. Dengler bemerkte, wie der Handschweiß an zwei Stellen dunkle Flecken zurückließ.

Georg Dengler streckte die Hand aus. Der Mann zögerte einen Augenblick und schob ihm dann den Vertrag zu.

Die junge Frau hatte alle Vasen mit dem gefärbten Wasser verteilt. Sie kam an ihren Tisch und fragte nach ihrer Bestellung. Georg Dengler bestellte einen doppelten Espresso, Robert Sternberg einen Kaffee und einen Cognac.

Der Vertragstext war erstaunlich kurz. Es ging darin um eine Immobilie, um das »Schlosshotel« in einem Ort namens Gündlingen. Dengler kontrollierte das Datum: 24. Juni 1947. Das Hotel wurde von dem bisherigen Eigentümer Volker Sternberg an einen Herrn Kurt Roth übertragen. Aber nicht Kurt Roth, sondern ein gesetzlicher Vertreter, so entnahm Dengler auch dem Kopf der Urkunde, hatte das Dokument unterzeichnet. Ein Mann namens Albert Roth. Also ein Verwandter des Begünstigten. Ein Vormund? Dengler prüfte die Personalangaben im Kopf des Vertrages und stieß einen leisen Pfiff aus: Das Geburtsjahr von Kurt Roth, dem Begünstigten, lautete »18. Februar 1932«, demnach war er zum Zeitpunkt der Schenkung erst 15 Jahre alt, was die Einsetzung eines gesetzlichen Vertreters erklärte. Aber – Dengler studierte noch einmal die Personendaten – warum überträgt ein 36 Jahre alter Mann, Volker Sternberg, einem 15-Jährigen ein Hotel?

Er blätterte in den drei vergilbten Seiten. Ein Kaufpreis oder sonst eine Gegenleistung waren aus dem Vertrag nicht zu ersehen. Unter »Sonstige Vereinbarungen« las er: »Dieser Vertrag ist nur solange gültig, wie die in Zusatzvereinbarung 1 aufgenommenen Verpflichtungen von beiden Parteien eingehalten werden.«

»Wo ist diese Zusatzvereinbarung?«, fragte Dengler.

»Wissen wir nicht. Eine solche Vereinbarung haben wir nicht gefunden, und wir wissen auch nicht, was drinsteht.«

»Wir?«

»Meine Schwester und ich. Wir sind gemeinsam Ihre Auftraggeber.«

»Kennen Sie die Leute, denen das Hotel jetzt gehört?«, fragte Dengler.

Sternberg schüttelte den Kopf.

»Weder meine Schwester noch ich wussten, dass das Hotel einmal in unserem Familienbesitz war.«

Die Frau brachte den doppelten Espresso und stellte Kaffee und Cognac vor Sternberg hin. Der dankte mit einem kurzen Nicken und trank den Cognac in einem Zug aus. Den Kaffee schob er mit dem Handrücken beiseite.

»Gut«, sagte Dengler, »wann kann ich mit der Arbeit beginnen?«

»So schnell Sie können. Am besten gleich morgen.«

Georg Dengler zog aus der Innentasche seines Jacketts ein Papier hervor und reichte es Sternberg.

»Das ist der Ermittlungsauftrag«, sagte er, »er kostet Ihre Schwester und Sie 80 Euro pro Stunde, Spesen und Reisekosten extra. Vier Stunden müssen Sie bei Vertragsunterzeichnung anzahlen.«

Zu seinem Erstaunen unterschrieb Robert Sternberg den Auftrag, nachdem er ihn nur kurz überflogen hatte.

»Das wären dann 320 Euro«, sagte er und zog seine Briefta-sche hervor.

»Exakt«, sagte Georg Dengler und lehnte sich zurück.

Dann verabredeten sie sich für den nächsten Tag um 12 Uhr auf dem Gündlinger Bahnhof.

2. Nachdem Sternberg die Rechnung bezahlt hatte

Nachdem Sternberg die Rechnung bezahlt und das *Vinum* verlassen hatte, blieb Georg Dengler noch eine Weile sitzen. Schließlich stand er auf.

Er überquerte den Berliner Platz und schlenderte die Fritz-Elsaß-Straße hinab. Vor einem Kiosk blieb er stehen und las die Schlagzeilen. Die Arbeitslosigkeit hatte die 5-Millionen-Grenze überschritten. Der zuständige Minister erklärte, man dürfe dies nicht allzu tragisch nehmen. Die Bild-Zeitung titelte: »Herr Minister, wollen Sie uns verar…« Dengler ging weiter.

Als er in die Wagnerstraße einbog, klingelt sein Handy.

»Hier ist Jakob.«

Denglers Sohn Jakob lebte bei seiner Mutter in Stuttgart-Heslach. Seinetwegen war Dengler nach Stuttgart gezogen, und doch sah er Jakob nur selten. Hildegard, seine Exfrau, wachte über den Buben wie über einen Schatz, den sie für sich alleine behalten wollte. Nun war sie von ihrem Arbeitgeber, einer Bank, für ein halbes Jahr nach Rostock abgeordnet worden. Ihren gemeinsamen Sohn hatte sie mitgenommen.

»Ich hab Mamas Handy.«

Dengler bot sofort an, ihn zurückzurufen, aber der Junge erzählte ihm bereits von einer Bootsfahrt und von dem Sturm vor zwei Tagen. Plötzlich hörte er Hildegards Stimme im Hintergrund.

»Ich muss Schluss machen«, sagte der Junge und legte auf. Dengler wollte zurückrufen. Die Nummer wurde jedoch nicht angezeigt; Hildegard hatte die Ruferkennung gesperrt.

Georg vermisste seinen Sohn.

★★★

Zehn Minuten später stand er vor dem *Basta* im Bohnenviertel. Seine Wohnung und sein Büro lagen direkt über der Bar. Aber ihm war nicht nach Büroarbeit. Er betrat das Lokal.

Martin Klein, der ebenfalls eine Wohnung im Haus gemietet hatte, saß an dem kleinen Tisch am Fenster und winkte ihm zu. Er war wie immer schwarz gekleidet. Heute trug er zu einer schwarzen weiten Hose aus grobem Stoff ein ebenso schwarzes Sweatshirt. Die grauen Haare waren modisch kurz geschnitten, aus seinen Ohren lugte ein freches Büschel grauer Borsten. Vor ihm lag ein Stapel bedruckter Papiere und ein Füller.

»Ah, der Herr Privatdetektiv«, rief er laut. »Komm, Georg, setz dich zu mir. Ich lese dir dein Horoskop vor.«

»Das von heute?«

»Quatsch, das von heute steht doch schon in den Zeitungen. Ich bin der Einzige, der die Horoskope von morgen kennt.«

»Weil du sie selbst schreibst.«

Er setzte sich zu seinem Freund an den Tisch. Der kahlköpfige Kellner des *Basta* stellte einen doppelten Espresso vor ihn auf den Tisch. Dengler nickte dankbar.

»Widder, hier haben wir ihn. Wie findest du das: Morgen werden Sie eine interessante Begegnung haben. Seien Sie offen für Neues. Geldprobleme halten an.«

»Kannst du das mit den Geldproblemen nicht ändern? Ich verzichte dafür auch auf die interessante Begegnung. Wahrscheinlich stimmt das Horoskop auch gar nicht. Ich habe heute einen neuen Auftrag angenommen.«

»Wirst du damit reich?«

Dengler lachte.

»Ich bin froh, wenn ich über die Runden komme. Dazu brauche ich aber mindestens drei Aufträge. Ich habe nur einen.«

»Dann stimmt mein Horoskop also.«

Martin Klein schlug sich begeistert auf den Schenkel.

Georg Dengler sagte: »Na, vielleicht bekomme ich heute

Abend einen zweiten Auftrag.« Er beugte sich zu Martin Klein über den Tisch: »Ich gehe zum monatlichen Treffen der Stuttgarter Detektive. Die Detektei Nolte veranstaltet einmal im Monat einen Jour fixe. Bisher habe ich den Umgang mit anderen Detektiven immer vermieden, aber heute will ich mich dort mal sehen lassen. Und den großen Richard Nolte treffen. Er sucht Security-Personal.«

»Mein Horoskop stimmt aber bei zwei Aufträgen immer noch, oder?«

»Leider.«

Dengler rührte den Espresso um.

»Vielleicht kann ich dir ja den dritten Auftrag beschaffen«, sagte Martin Klein.

»Ich erledige keine Auftragsmorde.«

Martin Klein lachte.

Dann sagte er: »Ich habe die Horoskopschreiberei satt. Ich möchte mal wieder einen richtigen Kriminalroman schreiben.«

»Aber die letzten drei haben sich doch schon nicht verkauft. Was willst du mit einem vierten?«

»Mir fehlt nur ein richtiger Fall, ich brauche einfach einen guten Stoff.«

»Warum siehst du mich dabei an?«

»Ganz einfach«, sagte Martin Klein, »du schilderst mir deine Fälle. Daraus mache ich einen Roman. Du bekommst dafür ein Viertel meiner Horoskophonorare.«

»Mmh.«

»Was ist das für ein Fall, den du übernommen hast?«

»Eine Erbschaftssache.«

Martin Klein verzog das Gesicht.

»Eine Erbschaftssache! Das klingt wirklich hochspannend. Wie soll ich daraus einen Kriminalroman machen?«

»Sorry, ich würde auch lieber ein großes Wirtschaftsdelikt bearbeiten, viel Geld verdienen und dir nebenbei das Material für einen großen Krimi liefern.«

Dann wechselte er das Thema: »Wann kommt Olga zurück?«

Olga bewohnte die Wohnung im dritten Stock über dem *Basta*. Sie war letzte Woche in Zürich an der Hand operiert worden.

»Heute Abend, mein Lieber. Heute Abend ist sie wieder bei uns.«

Er hob die Kaffeetasse.

Und lachte.

Draußen begann es zu regnen.

3. Der Jour fixe fand abends statt

Der Jour fixe fand abends ab 19 Uhr in der Kantine der größten Detektei Stuttgarts statt. Die Geschäftsräume von *Security Services Nolte & Partners* befanden sich in der besten Lage der Stadt, in der Königstraße, nur wenige Minuten vom Bahnhof entfernt. Dengler ging zu Fuß. Vom Bohnenviertel aus brauchte er nur auf die andere Seite der Hauptstätterstraße zu wechseln, die die Stadt wie eine Machete durchschlug. Er hatte einen alten schwarzen Herrenschirm in einer der immer noch unausgepackten Umzugskisten gefunden. Eine der Ösen, die den Stoff mit dem Gerippe des Schirms verbanden, hatte sich gelöst, und ein Stoffzipfel flatterte vor ihm im Wind. Durch diese Lücke sprühte ihm winterkalte Feuchtigkeit ins Gesicht. Deshalb hielt er den Kopf gesenkt, beschleunigte seinen Schritt und stand kurz nach halb acht vor den beiden Glastüren im vierten Stock des großen Geschäftshauses.

Dengler nannte seinen Namen einem der beiden Männer am Eingang. Der sah in der Gästeliste nach, nickte, notierte etwas hinter seinem Namen und ließ ihn mit einem Wink des Kopfes ein. Dengler ging durch einen Flur auf die geöffneten Türen der Kantine zu, als ihm mit eiligen Schritten ein Mann entgegenkam, der den Jour fixe bereits verließ. Er schien ein Chinese zu sein oder ein Halbchinese, mit gelblicher Hautfarbe und schwer zu schätzendem Alter. Er zog an einer Leine einen kleinen, schweren Hund hinter sich her, eine Art Pinscher, der seinem Herrn nicht folgen wollte.

So ein hässlicher Köter, dachte Dengler.

Das Tier stemmte sich mit allen Pfoten gegen den Boden, doch es nutzte ihm nichts, denn der Chinese zog ihn über den polierten Steinflur und fluchte dabei mit österreichischem Akzent. Dengler sah dem merkwürdigen Paar nach.

Irgendwo habe ich die beiden schon einmal gesehen, fuhr es ihm durch den Kopf. Dann betrat er die Kantine.

Security Services Nolte & Partners schienen nicht an Auftragsmangel zu leiden. Die Kantine war ein großer, weiß getünchter Raum, dreimal so groß wie Denglers Wohnung samt Büro. An der linken Seite stand eine Bar aus schwarzem Holz. Eine Frau in weißem T-Shirt mit der Aufschrift »Für Ihre Sicherheit – Best Security Services: Nolte & Partners« zapfte eilig Bier. Eine zweite, etwas ältere Frau im gleichen T-Shirt schenkte Rotwein in bereitstehende Gläser. Im Raum verteilten sich zwölf kleine Tische, umsäumt von schwarzen Korbstühlen, an denen etwa dreißig Personen saßen. Hinter der Bar drängten sich sieben Männer im mittleren Alter. Vier trugen dunkle Blousons, drei schwarze Lederjacken. Alle mit Schnauzbart. Sie sehen aus wie Bullen im Urlaub, dachte Dengler. Kein Wunder, dass manche Ganoven Polizisten regelrecht riechen können.

Noch während seiner Zeit beim BKA hatte Georg Dengler seinen Kleidungsstil geändert. Er wollte nicht an der Jeans- und Lederjacken-Uniform sofort als Bulle in Zivil erkannt werden. Seiher trug er meist dunkelblaue Anzüge, Jeans nur mit Jacketts und einem hellen Hemd darunter oder einem dunklen T-Shirt. So war er auch auf dieser Veranstaltung ein Außenseiter. Er ging zur Bar, und sofort traten die Männer rechts und links von ihm zur Seite. Sie betrachteten ihn mit unverhohlenem Misstrauen.

Die Frau, die den Rotwein ausschenkte, sah ihn an, und er nickte ihr zu. Sie stellte ein Glas vor ihn. Dengler zahlte gleich.

Er trank einen Schluck.

»Hey, wir kennen uns doch …«

Eine Hand klopfte ihm auf den Rücken. Die Stimme klang hoch und unangenehm. Dengler drehte sich nicht um.

»Du bist doch der Zielfahnder vom BKA. Erinnerst du dich noch an mich?«

Ein kleiner Mann in gelber Lederjacke drängte sich neben ihn. Er trug einen dünnen Schnurrbart, und aus seinem Mund blinkte ein goldener Vorderzahn. Sein Gesicht hatte etwas von einem Wiesel. Dengler konnte sich nicht erinnern, den Mann schon einmal gesehen zu haben. Die anderen Männer an der Bar drehten sich nun erneut um und starrten ihn an.

Das Wiesel griff seine Hand und drückte sie lasch. Dengler spürte kalten Handschweiß und zog instinktiv die Hand zurück.

»Rümmlin. Gerd Rümmlin. Erinnerst du dich nicht? Ich war bei der Festnahme von Rolf Heisemann in Griechenland dabei. Ich habe einen Kiosk in Athen überwacht. Klasse Job damals.«

Der Fall Heisemann. Als Dengler im zweiten Jahr beim BKA als Zielfahnder arbeitete, jagte er den deutschen Terroristen Rolf Heisemann. Er wusste von dessen Freundin, dass Heisemann sich in Griechenland aufhielt. Und er wusste, dass Heisemann regelmäßig die »Süddeutsche Zeitung« las. Dengler organisierte daraufhin die Überwachung aller Verkaufsstellen des Blattes in Griechenland durch deutsche und griechische Kriminalbeamte. Am dritten Tag der Aktion wurde Rolf Heisemann an einem Kiosk in Saloniki verhaftet. Offensichtlich war der Mann in der gelben Lederjacke an der Aktion beteiligt gewesen.

Das Wiesel klopfte ihm erneut auf die Schulter.

»Damals war ich bei der Kripo Ludwigsburg. Die kommandierten mich zu der Aktion ab. Waren ein paar tolle Tage. Viel Ouzo.«

Wahrscheinlich waren die Ludwigsburger Kollegen heilfroh, diesen Kerl eine Weile los zu sein, dachte Dengler.

Das Wiesel orderte ein Bier.

Die Frau stellte sofort ein Glas vor ihm auf den Tresen. Rümmlin nahm einen tiefen Schluck und wandte sich wieder Georg Dengler zu.

»Jetzt bin ich in der freien Wirtschaft«, sagte er.

Dengler sah in das wieselartige Gesicht, dessen Schnurrbart vom Bierschaum fast verdeckt wurde. Ihm stiegen, nicht zum ersten Male, Zweifel auf, ob es richtig gewesen war, den Job beim Bundeskriminalamt zu kündigen.

»Und wie läuft es so«, fragte er lasch und sah sich in der vergeblichen Hoffnung um, jemand zu erkennen, den er kannte.

»Alles bestens«, sagte das Wiesel, »hab genug zu tun.«

Mit dem Handrücken wischte er sich den Bierschaum vom Mund.

Georg Dengler musterte den Mann, der jetzt zufrieden rülpste.

»Ich arbeite für die Stadt«, sagte er mit wichtiger Miene und trank noch einen Schluck Bier.

»Für die Stadt?«

Das Wiesel stellte vorsichtig das Glas zurück auf die Theke.

»Bei dir läuft's wohl nicht so gut?«, fragte er.

»Geht so«, sagte Dengler.

Er sah, wie es im Kopf des Wiesels rumorte.

»Komm mal mit.«

Das Wiesel nahm sein Bierglas, zog Dengler mit der anderen Hand zu einem der kleinen Tische und ließ sich in einen der schwarzen Korbstühle fallen. Georg Dengler setzte sich ihm gegenüber.

»Der Superbulle ohne Job«, feixte Rümmlin.

Georg Dengler sagte nichts.

Das Wiesel beugte sich zu ihm über den Tisch.

»Pass mal auf. Ich habe Aufträge genug. Ich bring dich auch bei der Stadt unter. Da gibt es genug zu tun. Aber …«

Er zögerte und fixierte Dengler.

»Da muss auch was für mich drin sein«, sagte er schließlich.

Dengler wartete.

»20 Prozent«, sagte das Wiesel.

Dengler sah ihn fragend an.

»20 Prozent.« Das Wiesel wurde ungeduldig. »20 Prozent von dem, was du durch meine Vermittlung verdienst, gibst du mir. Dann bring ich dich da unter.«

Er lehnte sich in den Sessel zurück, als habe er eben eine schwierige Aufgabe gelöst.

»Um was geht es überhaupt?«, fragte Dengler.

»Um Drückeberger und Sozialschmarotzer«, sagte Rümmlin.

»Schwarzarbeit?«

Das Wiesel winkte ab.

»Quatsch«, sagte er, »wir kontrollieren, ob die Leute zu Recht Kohle vom Staat bekommen. Hartz IV – schon mal gehört? Verschafft mir gerade eine Menge Aufträge.«

Wieder neigte er den Kopf Dengler vertraulich zu: »Ein Haufen Weiber kriegt zu Unrecht Geld vom Staat. Leben in Wirklichkeit mit einem Mann zusammen. Betrügen den Staat. Wir kontrollieren, ob alles gesetzlich vor sich geht. Wenn nicht, machen wir Meldung, und die Stadt streicht denen das Geld. Einen Teil davon bekomme ich. Da verdienen alle. Außer den Deppen, die wir erwischen.«

Er lachte ein kleines dreckiges Lachen, das wie ein Meckern klang.

Er fixierte Dengler erneut.

»Ich weiß, du bist ein Superbulle, nicht so ein Schwachkopf wie die anderen hier.«

Sein Arm deutete im Raum umher.

»Ich bring dich ins Geschäft, aber du musst mir versprechen: 20 Prozent.«

Dengler war unschlüssig. Es kommt noch so weit, dass ich von so einem Typen einen Job vermittelt bekomme, dachte er.

»Pass auf, ich mache dir einen Vorschlag«, sagte das Wiesel, »geh doch einen Tag probeweise mit mir. Dann siehst du, wie leicht das Geld verdient ist.«

Er kramte einen Zettel aus der Tasche.

»Übermorgen habe ich einen Einsatz. Komm mit. Wir treffen uns um sieben Uhr ...«

Er schob ihm die Adresse einer Wohnung in Vaihingen über den Tisch.

»Ich werde da sein«, sagte Dengler.

»20 Prozent«, sagt das Wiesel und schob seine Hand über den Tisch.

Dengler nahm sie und ekelte sich.

In diesem Augenblick setzte sich ein älterer, elegant gekleideter Mann an ihren Tisch.

Dengler sah, wie sich das Wiesel verkrampfte.

»Guten Tag, Herr Nolte«, sagte Rümmlin mit belegter Stimme.

»Sie müssen Georg Dengler sein«, sagte der Mann, ohne Rümmlin eines Blickes zu würdigen. Das Wiesel stand eilig auf und verließ den Tisch.

4. Als Steven Blackmore wieder zu sich kommt

Als Steven Blackmore wieder zu sich kommt, fällt er wie ein Stein der Erde entgegen. Voller Panik fasst er sich an den Rücken. Erleichterung – der Fallschirm hängt noch dort. Seine rechte Hand tastet die Brust ab und sucht die Reißleine.
Hier.
Er zieht und – fällt weiter.
Für einen schrecklichen langen Augenblick glaubt er, dass der Fallschirm verbrannt oder beschädigt ist. Doch dann gibt es einen Ruck. Ein Blick nach oben – und er sieht, wie der riesige Schirm sich über ihm öffnet. Blackmore greift nach den Steuerleinen.
Rechts und links von ihm regnet eine Kaskade von Feuer, Funken und Trümmern seiner Mustang an ihm vorbei. Sie verschwinden in der Wolke, auf die er nun zusteuert.
Als er aus der Wolke auftaucht, sieht er unter sich die brennende Stadt. Sie gleicht einem Teppich aus Gold, aus dem einzelne Kerzen hoch auflodern. Einen Bach sieht er, von den detonierenden Brandbomben rot erleuchtet.
Und er spürt die Hitze, die nach ihm greift.
Mit aller Kraft zieht Blackmore an der rechten Reißleine, und der Schirm ändert träge die Richtung. Über das Feuer unter ihm wird er nach Norden abgetrieben.
Langsam verliert er an Höhe.

5. Dengler sah Richard Nolte an

Dengler sah Richard Nolte an. Der Eigentümer von *Security Services Nolte & Partners* war über fünfzig, hatte aber die sechzig noch nicht erreicht. Der dunkelblaue Anzug wirkte teuer, doch nicht aufdringlich. Weißes Hemd, dunkelblaue Krawatte. Silbernes, sorgfältig geschnittenes Haar.

Die Männer blickten einander an.

Eine der beiden Frauen stellte ein Glas Mineralwasser vor Nolte auf den Tisch.

Dengler registrierte die hellblauen Augen des Mannes, die in einer durchsichtigen Flüssigkeit zu schwimmen schienen.

»Ich freue mich, dass Sie kommen konnten«, sagte Nolte schließlich.

Dengler nickte. Er wartete.

»Sehen Sie«, Nolte wischte ein imaginäres Staubkorn von der Tischplatte, »in unserer Branche sind Männer mit tadellosem Ruf selten. Und Sie, Dengler, erfreuen sich eines besonderen Rufes. In Wiesbaden erzählt man sich immer noch von Ihren Heldentaten.«

Er will mich mit seinen Beziehungen zum BKA beeindrucken, dachte Dengler.

»Und wir suchen immer gute Leute. Spitzenleute.«

Das Gespräch schien einen guten Verlauf zu nehmen. Trotzdem wartete Dengler weiter ab.

»Aber die Zeiten sind hart, in allen Branchen, auch in unserer«, sagte Nolte.

Er fixierte Dengler.

»Ich habe für Sie nichts zu tun, was Ihrer Qualifikation entspricht«, sagte Nolte, »vielleicht später, aber im Augenblick nicht.«

Nolte schwieg, aber blickte Dengler unverwandt an.

»Dann hat es mich gefreut, Sie kennen zu lernen«, sagte Dengler und erhob sich.

Nolte wedelte mit dem Arm, als wolle er ihn bitten, sich wieder zu setzen.

Dengler blieb stehen.

»Jetzt bleiben Sie doch«, sagte Nolte, »vielleicht kommen wir ja doch zusammen.«

Dengler setzte sich.

»Ich brauche Sicherheitsleute für eine Party. Sehr reiche Leute. Ich kann da keinen der üblichen Verdächtigen hinschicken. Ich brauche Leute, die wissen, wie man etwas Besseres als eine Lederjacke trägt.«

Dengler schwieg.

»Die Kunden sind reich. Aber wie Reiche nun mal sind: sehr sparsam. Ich kann Ihnen nicht mehr als vierzig Euro in der Stunde zahlen.«

»Risiken? Ist der Job gefährlich?«

»Nein. Harmlos. Eine Milliardärsgeburtstagsfeier. Sie gehören als Security gewissermaßen zum Status. Es liegen weder Drohungen noch sonstige sicherheitsrelevante Hinweise vor.«

»Sie bieten mir die Hälfte meines üblichen Stundensatzes an.«

Nolte zuckte mit den Achseln, als täte es ihm Leid.

Und wartete.

Er lauert, dachte Dengler.

»Unter einer Bedingung«, sagte Dengler, »ich bringe noch einen Mann mit. Der kostet Sie nichts.«

Nolte schien nachzudenken.

»Einverstanden«, sagte er schließlich, »geben Sie morgen meinem Büro seinen Namen und seine Adresse durch.«

Dengler zog ein Formular aus seinem Jackett.

»Das ist ein Ermittlungsauftrag«, sagte er, »wir können ihn jetzt ...«

Richard Nolte berührte Dengler leicht am Arm.

»Wir haben unsere eigenen Verträge. Ich werde Ihnen morgen einen davon zustellen lassen.«

Er stand auf.

Auch Dengler erhob sich.

Nolte gab ihm die Hand.

Dann ging der Chef von *Security Services Nolte & Partners* zum nächsten Tisch.

Dengler überlegte einen Augenblick, ob er sich wieder setzen sollte, um den Rest des Rotweins zu trinken.

Aus einer hinteren Ecke winkte ihm Rümmlin zu. Dengler ging zum Ausgang und nahm seinen alten Regenschirm aus dem Schirmständer.

Zwei beschissene Jobs an einem Abend, dachte er.

Draußen regnete es immer noch.

6. Olga saß an dem großen Tisch

Olga saß an dem großen Tisch unter dem Spiegel. Neben ihr strahlte Martin Klein, eine Flasche Weißwein in der Hand, und füllte ihr Glas nach. Georg Dengler blieb an der Tür des *Basta* stehen und betrachtete sie. Sie war schöner denn je. Die roten Haare loderten bis auf die Schultern. Wenn sie den Kopf zurückwarf und über eine Bemerkung von Martin lachte, sah er ihre Zähne, die weiß und ebenmäßig gewachsen waren wie bei einer Schauspielerin.

Als Olga ihn sah, stand sie auf und winkte ihm zu. Mit einer triumphierenden Geste reckte sie die rechte Hand in die Luft. Sie zwängte sich an den beiden Männern vorbei, die neben ihr gesessen hatten, und kam strahlend auf ihn zu.

»Georg, schau!«

Sie fuchtelte mit ihrer rechten Hand vor seinem Gesicht. Sie bewegte dabei jeden einzelnen Finger.

»Alles ist wieder, wie es sein soll«, jubelte sie leise.

Georg Dengler nahm ihre Hand, legte sie in die seine und betrachtete sie. Ihr Zeigefinger war immer noch genauso lang wie der Mittelfinger, der daneben in seiner Handfläche ruhte.

Ein Onkel hatte Olga, als sie ein kleines Mädchen war, während ihrer Wachstumsphase den Zeigefinger gestreckt. Millimeter für Millimeter wurde er gedehnt und gespannt, wurde länger, als er hätte sein dürfen, bis er gleich groß war wie der Mittelfinger. Diese zweieinhalb Zentimeter waren der entscheidende Vorteil gewesen, wenn sie mit den anderen Kindern auf die Raubzüge in die großen Städte geschickt wurde. Eine Brieftasche lässt sich sehr viel leichter mit zwei gleich langen Fingern aus der Innentasche eines Jacketts ziehen als mit einem normal gewachsenen Zeigefinger. Olga wurde der Star unter den rumänischen Kinderdieben.

Später floh sie, wurde wieder gefangen, zwangsverheiratet, floh wieder und landete schließlich in Stuttgart. Die Gelenke des misshandelten Fingers schwollen an und schmerzten selbst bei kleinen Bewegungen. Sie fand einen Schweizer Chirurgen, der sie behandelte. Eine Woche lang war sie in dem Züricher Spital gewesen.

»Nun bin ich wieder gesund«, flüsterte sie und krümmte und streckte den Zeigefinger.

Sie nahm Georg bei der Hand und zog ihn an den Tisch. Martin Klein rutschte zur Seite, jemand schob einen Stuhl herbei, der gut aussehende kahlköpfige Kellner brachte ein Glas, Olga schenkte Georg ein, er lachte, und Olga zog ihm unbemerkt sein Portemonnaie aus der Gesäßtasche seiner Hose.

»Ich bin wieder in Form«, sagte sie, als sie ihm den Geldbeutel zurückgab.

★★★

Es war schon fast halb drei, als sie aufbrachen. Bereits vor zwei Stunden hatte der kahlköpfige Kellner die Stühle auf die Tische gestellt und sich zu ihnen gesetzt. Doch nun war Georg Dengler müde, Martin Klein auch, und der Kellner wollte nach Hause. Nur Olga wäre gerne noch geblieben.

Untergehakt verließen sie zu dritt das *Basta*. Bis zum Hausgang waren es kaum mehr als zwei Meter. Doch Dengler kam es vor, als schwanke Martin Klein. Er fasste den Freund fest unter die Schultern und zog ihn zum Eingang.

»Dein Horoskop hat versagt, mein Freund«, sagte er zu ihm, »heute Abend habe ich zwei weitere Aufträge bekommen.«

»Gut bezahlte?«, fragte Klein, der seinen Schlüssel aus der Hosentasche zog.

»Nein. Schlecht bezahlte.«

Klein stieß mit der Schlüsselspitze zwischen Daumen und Zeigefinger an Denglers Brust.

»Dann, mein lieber Freund, dann stimmt mein Horoskop.«

»Du kannst mich bei einem Einsatz begleiten.«

»Bei einer Geiselbefreiung?«

»Nein, ich bin Sicherheitsmann bei einer Milliardärsparty.«

»Da will ich auch mit«, sagte Olga.

»Milliardäre haben nie Bargeld dabei«, krächzte Klein und versuchte, die Tür aufzuschließen.

»Kreditkarten akzeptiere ich nicht«, sagte Olga, nahm ihm den Schlüssel ab und schloss auf.

»Ich könnte Milieustudien betreiben«, sagte Klein, als sie die Treppe hinaufgingen.

»Ich will auch Studien betreiben«, sagte Olga. »Komm, Georg, spiel uns noch einen Blues vor, einen einzigen.«

Später saßen sie auf seiner Couch und lauschten Junior Wells.

They take your house and your home
They take your flesh from your bone
They take everything you got
Why people like that

»Sobald ich etwas Geld verdient habe, fahre ich nach Chicago und höre Junior Wells live«, sagte Georg Dengler leise.

Olga lehnte mit dem Kopf an seiner Schulter und hörte der Musik zu.

»Dein alter Traum«, sagte sie. »Nimm mich mit auf die Milliardärsparty. Dann hast du genug Geld für Chicago und jeden anderen Platz der Erde.«

Martin Klein schnarchte laut.

»Und du weißt, wo du Junior Wells findest?«, fragte sie.

»Er spielt fast jeden Abend in einem Club namens *Theresa's Lounge*. Sagt das Internet.«

»Was macht eigentlich Christiane?«, fragte Olga nach einer Weile.

»Sie ist immer noch in Italien. Bei ihrem Vater«, erwiderte Dengler rasch.

»Na denn.« Olga stand auf und ging zur Tür. »Gute Nacht, Georg.«

Dengler blieb noch eine Weile sitzen und lauschte Junior Wells. Er betrachtete die Madonnenstatue an der Wand. Bilder stiegen in ihm auf, der Hof von Paul Stein, Christianes Vater, das Feld mit den Ringelblumen; er sah, wie sich Vater und Tochter umarmten. All das schien ewig zurückzuliegen.

Dann fiel sein Blick auf den schlafenden Martin Klein. Dengler seufzte und erhob sich.

Olgas Frage nach Christiane hatte die unbeschwerte Stimmung getrübt, die er nach seinem Besuch bei *Nolte & Partners* im Kreis seiner Freunde so genossen hatte. Doch während er sich um Martin Klein kümmerte, der die Orientierung völlig verloren zu haben schien, und ihn mühsam in seine Wohnung verfrachtete, wurde ihm bewusst, dass er schon lange nicht mehr an Christiane gedacht hatte.

Eine halbe Stunde später lag Georg Dengler in seinem Bett. Zum ersten Mal seit Monaten begleitete die Fledermaus wieder seine Träume.

7. Sternberg erwartete ihn

Sternberg erwartete ihn auf dem Bahnhof. Er trug einen langen schwarzen Mantel. Den Kragen hatte er hochgestellt. Sie begrüßten sich nur knapp, dann brachte Sternberg ihn zu seinem Wagen, einem schwarzen 5er BMW.

»Wir fahren zuerst zu meiner Schwester.«

Dengler nickte und ließ sich auf den Beifahrersitz fallen. Ihn störte die Einsilbigkeit Sternbergs nicht. Er betrachtete den Mann hinter dem Steuer des BMW. Sternberg starrte auf die Straße vor ihm. Unter seinen Augen bemerkte Dengler dunkle Ringe. Die Mundwinkel hingen noch tiefer als gestern. Was immer der Mann inzwischen erlebt haben mochte, seine Laune hatte es nicht verbessert.

Der lange schwarze Mantel sah teuer aus und künstlerisch leger zugleich. Die schwarzen knöchelhohen Schnürstiefel waren neu und exklusiv. Was immer dem Mann an seinem Leben nicht behagte – fehlendes Geld konnte es nicht sein.

Sie fuhren durch den Ort, der sich entlang der Bundesstraße 10 streckte, und als die Häuser aufhörten, wies ein Schild nach rechts zum Industriegebiet Säulenhalde. Sternberg setzte den Blinker.

Wenig später bog er in den Hof einer Fabrik ein. *Sternberg Befestigungstechnik* las Dengler auf der Giebelseite eines modernen Bürohauses. Er bedauerte, von Sternberg keinen höheren Stundensatz verlangt zu haben.

Vorsichtig rollte der BMW auf einen Parkplatz vor dem Eingang des Gebäudes. »Reserviert für die Geschäftsleitung«, stand in schwarzen Lettern auf einem weißen Metallschild.

Sternberg zog den Schlüssel ab und sah Dengler an.

»Wir sind da«, sagte er.

Sie stiegen aus.

»Guten Tag, Herr Sternberg!« Die Frau im Glaskasten des Empfangs grüßte freundlich.

Sternberg nickte nur kurz und stieg die Treppe hinauf in den ersten Stock. Dengler folgte ihm. Sie gingen durch einen langen Flur. Schließlich trat Sternberg in eines der Büros, ohne anzuklopfen.

»Ist mein Schwesterherz frei?«, fragte er eine Frau in einem ockerfarbenen Hosenanzug.

Die Frau blickte auf und sah dann zu Georg Dengler.

»Sie wartet schon auf dich«, sagte sie und wies mit dem Daumen zu einer aufwändig gepolsterten Tür, die halb offen stand.

***

Ilona Sternberg trug Trauer.

Sie saß hinter einem geschwungenen, modern gehaltenen, ausladenden Schreibtisch. Als ihr Bruder und Georg Dengler das Büro betraten, stand sie auf und kam ihnen entgegen. Dengler registrierte das elegante schwarze Kostüm, dessen Rock eine Handbreit über dem Knie endete und ihre schlanken Beine betonte. Die schwarze Bluse ließ die Ränder eines Spitzen-BHs durchscheinen. Ihr Gesicht blickte ihn wach und mit Interesse an. Ihre Haare waren schulterlang und schwarz, doch in der Mitte, wie ein Scheitel, zog sich eine graue, fast weiße Strähne. Trotzdem: Von den beiden Geschwistern war sie offensichtlich die Jüngere. Dengler schätzte sie auf Mitte dreißig.

Sie lächelte.

Als ob sie sich tatsächlich freut, mich kennen zu lernen.

Sie gab ihm die Hand mit einem angenehm entschlossenen Händedruck. Die Frau schien zu wissen, was sie wollte. Ihren Bruder ignorierte sie.

Mit einer Handbewegung bat sie die Männer, sich an den Tisch am Fenster zu setzen.

Die Sekretärin mit dem ockerfarbenen Hosenanzug erschien und stellte einen doppelten Espresso vor ihn hin.

»Ist das in Ordnung?«, fragte ihn Ilona Sternberg.

»Das ist … perfekt«, sagte Dengler verblüfft.

Die Sekretärin goss ihr und ihrem Bruder eine Tasse Kaffee ein und stellte neben jede Tasse ein Glas Wasser. Dann verließ sie den Raum.

Dengler wartete.

»Der Auftrag, den wir Ihnen erteilt haben, ist für uns sehr wichtig«, sagte Ilona Sternberg.

Sie trank einen Schluck Kaffee.

Mit einem Seitenblick auf ihren Bruder sagte sie: »Mein Bruder hat ausnahmsweise etwas richtig gemacht, als er Sie beauftragte. Sie haben einen guten Ruf.«

Er spürte, wie Robert Sternberg sich auf dem Stuhl neben ihm verkrampfte.

»Danke«, sagte Dengler.

Es lag plötzlich eine gespannte Atmosphäre im Raum.

Ilona Sternberg beugte sich vor. »Das Schlosshotel liegt auf einem wunderbaren Platz. Oben auf dem Schlossberg. Direkt neben der Ruine.«

Nachdenklich rührte sie in ihrer Tasse.

»Man könnte was draus machen. Aber zunächst müssen wir sehen, ob dieser Vertrag rechtens ist und ob die Immobilie vielleicht uns gehört.«

Und nach einer Pause: »Ich hoffe, sie gehört uns.«

Dengler nahm einen Schluck Espresso. Er schmeckte phantastisch.

Dengler sah sie an: »Zunächst einmal: mein Beileid zum Tod Ihrer Mutter.«

Und dann: »Aber gibt es jemanden in Ihrer Familie, der Auskunft über den Vertrag geben könnte? Ihr Vater?«

Robert Sternberg verkrampfte sich noch mehr.

»Lebt er nicht mehr?«, fragte Dengler.

Schweigen.

»Doch, er lebt«, sagte Ilona Sternberg.

Schweigen.

»Aber er redet nicht«, sagte sie.

»Schon lange nicht mehr«, sagte Robert Sternberg leise.

Dengler blickte sie fragend an.

Ilona Sternberg rührte weiter in ihrem Kaffee.

Dann sah sie ihn an.

»Unser Vater schweigt seit Jahren«, sagte sie.

Robert Sternberg richtete sich auf.

»Irgendwann, kurz nach meiner Geburt, hörte er auf zu sprechen. Sagte einfach kein Wort mehr. Ich habe ihn noch nie ein Wort reden gehört.«

»Wie jemand, der ein schweres Trauma erleben musste«, sagte Ilona Sternberg, »aber ihm ist nichts passiert, was auf ein traumatisches Ereignis schließen lässt.«

»Wenn man von meiner Geburt absieht«, sagte Robert Sternberg.

Sie unterbrach ihn mit einer unwilligen Handbewegung.

Sie sagte: »Wir stellen Ihnen für die Zeit Ihrer Ermittlungen einen Firmenwagen zur Verfügung. Außerdem habe ich Ihren Vorschuss auf 1000 Euro erhöht.«

»Danke. Ich brauche eine Kopie des Vertrages. Die Adresse des Notars. Und eine Wegbeschreibung zum Schlosshotel.«

»Frau Howling wird Ihnen alles bereitstellen«, sagte sie.

Und zu ihrem Bruder gewandt: »Robert, würdest du Herrn Dengler die Firma zeigen, bis die Unterlagen fertig sind?«

Ihr Bruder nickte. Er schien erleichtert zu sein, dass die Besprechung vorbei war.

»Was wollen Sie sehen?«, fragte er Dengler, als sie im Flur standen. »Produktion, Verwaltung, Vertrieb?«

»Was ist Ihre Aufgabe?«

»Ich erfinde neue Produkte. Wollen Sie mein Labor sehen?«

Dengler nickte. Robert Sternberg stürmte mit großen Schritten den Gang entlang.

Robert Sternbergs Labor lag im Untergeschoss. Es waren fünf große, ineinander übergehende Räume. Sie sahen aus wie die unaufgeräumten Bastelräume eines Kindergartens. Der erste Raum war überfüllt mit bunten Papieren, die zu merkwürdigen Formen geschnitten und geklebt waren. Sie lagen auf den Tischen, auf dem Boden, und einige waren an die Wände gepinnt.

»Neues Projekt«, murmelte Robert Sternberg.

Mit dem rechten Fuß schob er einige Papiere zur Seite und öffnete so den Weg in den zweiten Raum.

Dort lagen auf fünf Tischen kleine, nur wenige Zentimeter große Plastikstäbchen in allen erdenklichen Farben. Auf einem kleinen Podest neben einem Waschbecken stand ein Modell des Eiffelturms, zusammengesteckt aus den bunten Stäbchen.

»Meine Erfindung.« Sternberg deutete auf das Modell. »Markteinführung in sechs Monaten.«

»Sieht aber nicht nach Befestigungstechnik aus.«

»Aber davon abgeleitet. Sehen Sie.«

Er nahm eines der Stäbchen und reichte es Georg Dengler.

»Diese Stäbchen kann man an Kopf- und Fußseite aufeinander stecken. Das Besondere ist jedoch die Miniaturschiene an den beiden Seiten. Mit ihr kann man auch an beiden Seiten weitere Stäbchen befestigen. Es ist ein völlig neues Spielzeug für Kinder. Vielseitiger als die Legosteine. Leider auch komplizierter zu produzieren.«

Sternberg ließ sich auf einen schwarzen Ledersessel fallen.

Er sagte: »Wir haben drei Produktlinien. Befestigungstechnik, das heißt Dübel und Schrauben. Hier, warten Sie mal.«

Er griff in seine Hosentasche und zog einen weißen Dübel hervor.

»Dieser Dübel spreizt sich nicht nur, sondern er fährt kleine Widerhaken aus, wenn man die Schraube hineindreht. Die

Widerhaken öffnen sich nach einem ganz neuen System. Meine Erfindung. Wir fertigen die sichersten und stärksten Dübel der Welt.«

Er reichte Dengler ein kaum fünf Zentimeter großes Plastikteil. Dengler drehte es in der Hand und gab es zurück.

Sternberg fuhr fort: »Dann produzieren wir noch Figuren aus Kunststoff. Für Kinder. Alle von mir entworfen. Und ein Laufrad für Kleinkinder – ein ganz großer Hit, seit Jahren. Und jetzt kommt eben dies.«

Er hob die Stäbchen in die Luft.

Dengler bemerkte, dass sich die Wangen Robert Sternbergs gerötet hatten. Aufgeregt fuhr er auf seinem Bürosessel vor und zurück und erklärte Dengler die Besonderheiten der Stäbchen, wie er sie erfunden hatte und welche Probleme es gegeben habe, sie serienreif zu konstruieren.

Dengler kam Sternberg plötzlich jünger vor. Kindlicher. Das Verkrampfte, das Dengler noch während der Besprechung mit seiner Schwester an ihm gespürt hatte, war von ihm abgefallen.

»Hat Ihr Großvater – Volker Sternberg – die Firma gegründet?«, fragte Georg Dengler.

»Nein. Die Fabrik ist schon seit Generationen im Familienbesitz. War früher aber kleiner. Großvater hat sie zu dem gemacht, was sie heute darstellt. Auch er war ein Erfinder. Fing an mit Schrauben und Dübeln. Und er hat Ilona und mich systematisch zu seinen Nachfolgern aufgebaut. Unser Vater war ein Ausfall – für die Firma, meine ich. Ich dagegen war immer dabei, wenn Großvater etwas Neues ausprobiert hat. Und Ilona durfte studieren.«

Für einen Augenblick verfinsterte sich sein Gesicht.

»Betriebswirtschaft«, sagte er, »immerhin. Sie macht das ganze Kaufmännische. Erklärt mir immer, warum meine Erfindungen zu teuer sind, es keinen Markt dafür gibt und so ein Mist. Aber manchmal greift sie eine Idee auf. Ich weiß vorher nie, welche.«

Und dann: »Ich verstehe mich ja eher als Künstler.«

Dengler sah ihn überrascht an.

»Kommen Sie mit!« Sternberg sprang auf und durchquerte zwei weitere Räume. Dengler folgte ihm.

Der Saal, in den Sternberg ihn nun führte, war vollkommen leer. An den weiß getünchten Wänden waren jedoch merkwürdige Skulpturen montiert, manche klein, kaum einen Zentimeter groß, andere mehr als handgroß, alle von unterschiedlicher Gestalt und in den verschiedensten Farben.

»Kunst«, sagte Sternberg, »Schraub-Art. Gibt es nur hier.«

Er fasste eine Skulptur an und drehte sie aus der Wand. Dengler sah, dass eine Schraube aus der Figur ragte.

»Schrauben und Kunst sind näher verwandt, als manche denken. Doch ich gehe noch einen Schritt weiter. Die Schraube ist in das Kunstwerk integriert«, sagte Sternberg. »Ich suche noch eine Galerie für diese Art der Kunst. Sie kennen wohl keine?«

In diesem Augenblick klingelte das Telefon.

»Ihre Unterlagen sind fertig«, sagte Sternberg, als er den Hörer auflegte.

8. Dengler startete den Wagen

Dengler startete den Wagen und verließ den Parkplatz der Firma *Sternberg Befestigungssysteme.*

Der Firmenwagen, den die Sternbergs ihm zur Verfügung stellten, war ein brandneuer schwarzer Audi A6. Automatik. Navigationssystem. Ilona Sternbergs Sekretärin, Frau Howling, hatte ihm die Wagenpapiere und die Schlüssel ausgehändigt – und dazu einen weißen DIN-A-4-Umschlag mit aufgedrucktem Firmenlogo gereicht. Dengler kontrollierte den Inhalt. Eine Kopie des Vertrages von 1947. Die Adresse des Notars. Eine Lageskizze des Schlosshotels. Und zu seiner großen Freude ein Barscheck der LBBW-Bank über 680 Euro.

Als er im Ort eine Filiale der LBBW-Bank entdeckte, hielt er an und löste den Scheck ein. 480 Euro zahlte er auf sein Konto ein, und 200 Euro steckte er in seinen Geldbeutel.

Auf dem Parkplatz vor der Bank las er den Vertrag noch einmal gründlich. Dann zog er sein Notizbuch aus der Tasche. Auf ein leeres Blatt schrieb er die Namen, die er bisher kannte.

Volker Sternberg	*Großvater, verschenkt Hotel*
Robert Sternberg	*Enkel, will wissen, warum,*
	und das Hotel zurück
Ilona Sternberg	*Enkelin, ebenso*

Er überlegte. Im Grunde wusste er mehr. Er ergänzte den Text.

Volker Sternberg	*Großvater, verstorben, verschenkt Hotel*
Sohn Sternberg	*Vater, spricht seit Jahren kein Wort*
Schwiegertochter Sternberg	*Mutter, soeben verstorben,*
	kein Wort zu ihren Kindern über das Hotel
Robert Sternberg	*Enkel, will wissen, warum,*
	und will das Hotel zurück

Ilona Sternberg   Enkelin, ebenso

Nicht nur die Mutter, auch der Großvater schwieg gegenüber seinen Enkeln über die Transaktion. Warum?

Dann schrieb er auf eine neue Seite:

Kurt Roth   erhält ein Hotel geschenkt
Albert Roth   unterschreibt den Vertrag

Er prüfte den Vertrag noch einmal und kontrollierte das Geburtsdatum von Kurt Roth. 1. Februar 1932. Er war fünfzehn Jahre alt, als das Hotel auf ihn überschrieben wurde. Nicht volljährig. Dies könnte erklären, warum ein Albert Roth den Vertrag unterschrieben hatte.

Er ergänzte den Eintrag.

Albert Roth   unterschreibt den Vertrag, Verwandter
                             von Kurt?

Dann klappte er das Notizbuch zu und studierte die Wegbeschreibung zum Schlosshotel.

***

Das Schlosshotel lag auf dem Berg neben einer alten Ruine. Auf dem Parkplatz stand nur ein Wagen, ein alter Renault. Das Hotel war ein dreistöckiger Bau und strahlte eine ruhige Solidität aus. Doch der Putz war offensichtlich schon ewig nicht mehr erneuert worden. Die Eingangstür bestand aus schwerem Holz, das durch Schnitzereien verziert war, die aber bereits stumpf und verwittert wirkten.

Neben der Tür hing in einem grün gestrichenen Schaukasten die Speisekarte. Dengler sah, dass man im Schlosshotel eine Hühnersuppe für zwei Euro bekam. Das Textblatt der Speisekarte war auf der Schreibmaschine geschrieben worden und mit vier Heftzwecken befestigt, das Papier wirkte an den Rändern bereits etwas vergilbt, und da der Heftzwecken unten rechts abgesprungen war, hatte das Papier sich schon teilweise zusammengerollt.

Doch Dengler konnte erkennen, was unten auf der Karte stand: Schlosshotel Gündlingen, Inhaber: Kurt Roth. Von der nachfolgenden Telefonnummer war nur noch die Vorwahl zu sehen.

Das Schlosshotel hat also seit 1947 seinen Besitzer nicht gewechselt. Hier scheint die Zeit stehen geblieben zu sein.

Dengler trat ein.

Der Gastraum war groß und freundlich. Drei Reihen mit dunklen Holztischen. Passende Stühle. Weiße Tischtücher. Großes Fenster mit Blick auf den Ort. Es gab einen offenen Kamin, in dem ein Feuer prasselte. Nur ein Gast hielt sich im Lokal auf, ein jüngerer Mann in Arbeitskleidung, der vor dem Fenster saß und eine Suppe löffelte.

Hinter der Theke stand ein Mann in einer blauen Strickjacke und spülte Biergläser. Eine junge Frau, offensichtlich die Bedienung, saß an dem runden Tisch neben der Tür und strickte an einem Pullover. Neben ihr saß ein alter Mann, der eine Schiebermütze trug. Er hielt mit beiden Händen ein Glas Bier fest, die dazu gehörige Flasche stand in einem Wasserbad, aus dem leichter Dampf stieg. Als Dengler sich gesetzt hatte, legte die Frau ihr Strickzeug neben sich, stand auf und kam auf ihn zu.

»Haben Sie noch ein Zimmer frei?«, fragte er.

Die junge Frau sah ihn verblüfft an. Dann lachte sie.

»Wir vermieten seit Jahren keine Zimmer mehr. Bei uns bekommen Sie nur zu essen und zu trinken.«

»Gut. Dann nehme ich einen doppelten Espresso, und außerdem würde ich gerne mit dem Wirt reden. Mit Herrn Kurt Roth.«

Sie blickte verlegen in Richtung Theke und zögerte einen Augenblick.

»Espresso machen wir leider nicht, aber eine Tasse Kaffee bringe ich Ihnen gerne«, sagte sie dann.

»Einverstanden.«

Sie ging hinter die Theke, nahm eine Tasse aus dem Hängeschrank hinter der Zapfanlage und goss aus einer großen Glaskanne Kaffee hinein.

Dengler hörte, wie sie zu dem Mann hinter der Theke sprach.

»Der Gast möchte mit dir sprechen, Papa.«

Dann brachte sie Dengler den Kaffee.

Der Mann hinter der Theke wischte sich die Hände trocken und kam langsam zu Dengler hinüber.

Er hatte ein offenes, freundliches Gesicht und war kräftig gebaut. Sein volles weißes Haar hatte er sorgfältig nach hinten gekämmt. Er grüßte mit einem Nicken und setzte sich Dengler gegenüber. Dengler nahm die Kopie des Vertrages aus dem Umschlag und legte sie vor sich auf den Tisch.

»Sie sind Kurt Roth?«

»Wenn Sie ein Vertreter sind, muss ich Sie enttäuschen: Wir haben alles, was wir brauchen.«

Dengler lachte.

»Nein, ich bin kein Vertreter. Ich bin Ermittler. Und ich beschäftige mich mit diesem Vertrag.«

Bevor er das Dokument über den Tisch schob, fragte Dengler: »Sie sind doch Kurt Roth?«

Der Mann nickte, und Dengler schob ihm die Kopie über den Tisch.

Kurt Roth nahm das Papier in die Hand und betrachtete es lange. Er sah nur auf die erste Seite. Blätterte nicht um.

»Wo haben Sie das her?«, fragte er dann.

Dengler sah, die Augen des Mannes waren weit geöffnet. Das Blatt in seiner Hand zitterte.

»Von meinen Klienten«, sagte Georg Dengler, »sie interessieren sich für die näheren Umstände beim Zustandekommen dieses Vertrages. Sie können mir sicherlich behilflich sein.«

Kurt Roths Gesicht war weiß geworden. Langsam öffnete er den Mund, als wolle er etwas sagen, aber er atmete nur schwer. Beim Ausatmen machte er ein pfeifendes Geräusch. Dengler sah, wie sich Schweißperlen auf seiner Stirn bildeten. Die Faust verkrampfte sich und zerknüllte die Vertragskopie.

»Ist Ihnen nicht gut?«, fragte Georg Dengler.

Sein Gegenüber stand unter Schock. Noch immer stand sein Mund offen.

Ein Schlaganfall. Er hat einen Schlaganfall bekommen, dachte Dengler und nahm Roths Hand.

Der Mann rührte sich nicht.

»Ein Glas Wasser, schnell!«, rief Dengler der jungen Frau zu, die sich wieder an den runden Tisch gesetzt hatte und an dem Pullover weiterstrickte.

Sie sprang auf, sah zu ihrem Vater, lief hinter die Theke und kam mit einem Glas Wasser zurück.

Liebevoll nahm sie den Kopf ihres Vaters in beide Hände.

Kurt Roth trank das Glas in einem Zug aus.

Er sah Georg Dengler an und schüttelte langsam den Kopf.

»Ich kann Ihnen nicht helfen«, sagte er, »selbst wenn ich wollte: Ich kann Ihnen nicht helfen.«

Dann stand er auf und ging mit unsicheren Schritten zurück hinter die Theke. Seine Tochter ergriff seinen rechten Oberarm und stützte ihn. Der alte Mann mit der Schiebermütze an dem runden Tisch erhob sich und folgte ihm.

Kurz danach kam die junge Frau zurück.

»Sie gehen jetzt besser«, sagte sie und nahm ihm die noch volle Tasse Kaffee weg.

Jetzt erst sah Dengler, wie schön sie war.

9. Das macht doch keinen Sinn

»Das macht doch keinen Sinn«, sagte Martin Klein und hob das Glas.

Olga wandte sich an Dengler: »Hat er unmittelbar auf den Vertrag hin so reagiert oder war sein Unwohlsein ein Zufall?«

»Im ersten Augenblick dachte ich, er hat einen Schlaganfall. Oder einen Herzinfarkt. Er saß plötzlich da, erstarrt, bewegungslos, mit offenem Mund. Ich bin mir nicht sicher, ob ich das dadurch ausgelöst habe, dass ich ihm den Vertrag gezeigt habe. Andererseits, er sah den Vertrag an, las ihn aber nicht, starrte ihn nur an und fing an zu zittern. Das bedeutet, dass er den Inhalt kannte.«

»Aber schon lange nicht mehr an ihn gedacht hat«, sagte Olga.

»Ihr liegt falsch, ihr Superdetektive«, sagte Martin Klein, »völlig falsch! Dieser Vertrag kann ihn nicht überrascht haben. Er muss ihn doch kennen. Hast du nicht gesagt, dass Kurt Roth in dem Vertrag der Begünstigte ist?«

»Ja. Ihm wird das Eigentum an dem Hotel überschrieben.«

»Wie alt war er denn da?«, fragte Olga.

Dengler sagte: »Er war fünfzehn Jahre alt, als er Hotelbesitzer wurde.«

»Fünfzehn Jahre alt? Nicht schlecht. Mir hat niemand ein Hotel überschrieben, als ich fünfzehn war ... Aber den Vertrag, den muss er doch kennen. Deshalb kann er nicht die Fassung verloren haben.« Martin Klein lehnte sich zurück.

»Vielleicht«, sagte Olga, »hat ihn die Situation aber an die Umstände erinnert, unter denen der Vertrag abgeschlossen wurde. Die scheinen dann nicht besonders glücklich gewesen zu sein.«

»Aber hör mal«, protestierte Martin Klein, »du bekommst

ein komplettes Hotel geschenkt – und das soll kein besonders glücklicher Tag gewesen sein?«

Er dachte kurz nach und fuhr dann fort: »Wie auch immer, für einen Kriminalroman gibt das nichts her. Da muss schon jemand umgebracht werden, sonst lohnt es sich nicht, zur Feder zu greifen.«

Stattdessen griff er zum Glas.

»Machte die Familie einen zufriedenen Eindruck?«, fragte Olga.

Dengler überlegte.

»Ich habe nur Vater und Tochter kennen gelernt«, sagte er. »Die Tochter half ihrem Vater sofort und stützte ihn, es war ein sehr inniges Bild.«

»Und welchen Eindruck machte das Hotel auf dich?«, fragte Olga.

»Es hat seine besten Tage hinter sich. Es ist auch kein richtiges Hotel mehr, Zimmer werden nicht mehr vermietet, es ist nur eine Gastwirtschaft. Gemütlich, faire Preise. Man bekommt dort eine Hühnersuppe für zwei Euro.«

»Dann sollten wir mal dahinfahren, um zu essen«, sagte Martin Klein. »Die Leute sind mir sympathisch. Sie wollen nicht auf dem schnellsten Weg reich werden. Wir könnten morgen dort zu Mittag essen.«

»Morgen gehe ich mit einem Kollegen Sozialschmarotzer jagen«, sagte Dengler.

Olga rang nach Luft: »Was machst du?«

»Ich begleite einen Kollegen, der für die Stadt arbeitet. Er sagte, man könne leicht Geld verdienen. Ich weiß nicht, was ich davon zu halten habe. Will es mir morgen nur mal anschauen.«

»Das hört sich gar nicht gut an«, sagte Olga.

10. Die beiden Buben sitzen im Gras

Die beiden Buben sitzen im Gras. Sie kommen aus dem Büchenauer Hardt, in den ihre Mütter sie geschickt haben. Mit einem Leiterwagen. Um Feuerholz zu suchen. Nun ist der Leiterwagen beladen bis oben, sie haben sogar einige dicke Äste gefunden, und ihre Mütter werden am Abend etwas für die Familie kochen können.

Fritz hat das anschwellende sonore Brummen der Flugzeuge zuerst gehört. Er denkt sich nichts dabei, denn sie sehen fast täglich die vorbeifliegenden Bombergeschwader, und sie haben gelernt, dass die Fliegerverbände stets ein bestimmtes Ziel ansteuern und ihnen deshalb nicht gefährlich werden.

»Komm, wir zählen sie«, ruft er seinem Freund zu, und sie werfen sich auf den Rücken ins Gras, bereit, die Flugzeuge zu zählen, so wie sie es schon oft getan haben.

Dann kommen sie: Vom Eichelberg her ziehen viermotorige Bomber an ihnen vorbei. Sie sind so nahe, dass sie glauben, sogar die Bordschützen in ihren Kanzeln erkennen zu können. Sie fliegen über den Hügel vor ihnen.

»Die fliegen direkt über Bruchsal«, sagt aufgeregt sein Freund.

Plötzlich sieht er die Luft unter den Flugzeugen glitzern.

»Schau, die werfen Stanniolstreifen ab«, ruft er.

Auch das haben die Buben schon öfter gesehen.

Doch dann kracht es.

»Bomben«, flüstert Fritz.

»Jabos.« Er zeigt auf den Jagdbomber, der direkt auf sie zufliegt.

Die beiden Buben springen auf und ducken sich hinter einem alten Brombeerstrauch. Sie starren hinauf zum Himmel.

Ein brennendes Flugzeug rast über sie hinweg. Zieht eine endlose Rauchwolke hinter sich her.

Sie lauschen dem ansteigenden Pfeifton.

»Den hat's erwischt«, sagte Fritz' Freund.

Sie hören das Krachen und Splittern. Dann den dumpfen Aufschlag.

»Komm! Nichts wie hin!«, schreit Fritz.

»Und das Feuerholz?«, fragt sein Freund.

»Später.«

Sie schieben den Leiterwagen hinter den Brombeerbusch und laufen in die Richtung, aus der sie den Absturz gehört haben.

11. Pünktlich um Viertel nach sieben sah er das Wiesel

Pünktlich um Viertel nach sieben sah er das Wiesel in einem alten Audi am rechten Fahrstreifen sitzen. Er setzte den A6 davor und stieg aus. Als Dengler auf den Mann zuging, bemerkte er, wie dieser missgünstig den neuen Wagen Denglers taxierte. Durch die verschlossenen Türen drang laute Volksmusik, so laut, wie sonst nur Jugendliche mit Bass 'n' Drums die Umwelt quälen.

Sie befanden sich in der Scharrstraße in Stuttgart-Vaihingen, einer Seitenstraße in der Nähe von Schillerplatz und Bahnhof. Wohnhäuser aus der Nachkriegszeit säumten die Straße. Nur ein neuerer Komplex stand auf der rechten Seite. Davor hatte das Wiesel geparkt.

Endlich stieg Rümmlin aus. Er trug die gelbliche Lederjacke, die er auch beim Jour fixe angehabt hatte. Den dünnen Schnurrbart schien er am Morgen sorgfältig geschnitten und gestriegelt zu haben. Jedes Haar lag so glatt auf der Oberlippe, als folge es einem strengen Befehl. Als er den Mund öffnete, blinkte Dengler der Goldzahn entgegen.

»So schlecht kann es unserem Superbullen ja nicht gehen«, sagte er und deutete auf den neuen A6.

Dengler antwortete nicht.

Das Wiesel reckte die Arme: »So, dann wollen wir mal.«

Er sah Dengler an: »Du bleibst hinter mir. Mach einfach gar nichts. Guck einfach zu. Und lerne, wie man so eine Aktion durchführt. Entscheidend ist das Überraschungsmoment.«

Er schlug zweimal mit der Faust durch die Luft wie ein Boxer, der sich warm macht. Dann reckte er das Kinn vor und marschierte auf das neuere Haus zu. Dengler folgte ihm.

Briefkästen und Klingeln waren vor der Eingangstür in einem silbernen Kasten untergebracht. Das Wiesel bückte sich davor und zog ein grünes Formular aus der Innentasche seiner Lederjacke. Er verglich die Namen auf dem Formular mit denen auf den Klingeln. Dann schien er gefunden zu haben, was er suchte. Schnell wandte er sich noch einmal nach Georg Dengler um.

»Jetzt geht's los«, sagte er und drückte einen Klingelknopf. Sofort drückte er ein zweites Mal. Länger und dringlicher. Und dann noch einmal.

Eine Frauenstimme meldete sich. Noch schläfrig.

»Schnell machen Sie auf. Stadtverwaltung! Dringend. Um Gottes willen! Machen Sie auf! Machen Sie sofort auf«, schrie das Wiesel in die Gegensprechanlage.

Dengler spürte förmlich, wie die Frau am anderen Ende der Leitung erschrak.

Der Türöffner summte, und das Wiesel rannte ins Treppenhaus. Mit einer Hand hielt er sich am Geländer fest, nahm zwei Stufen gleichzeitig. Im zweiten Stock stand eine Frau im Bademantel in der Tür. Dengler schätze sie knapp über zwanzig. Sie hielt ein Baby im Arm und wirkte noch verschlafen.

Das Wiesel hielt ihr den grünen Zettel entgegen.

»Stadtverwaltung. Kontrolle«, brüllte er die Frau an. Er schob sie zur Seite und rannte in ihre Wohnung.

»Was machen Sie da?«, schrie die junge Frau und lief hinter ihm her.

Dengler blieb an der offenen Haustür stehen.

Hausfriedensbruch, dachte er. Was der Kerl hier macht, ist eindeutig Hausfriedensbruch.

Durch die Tür sah er das Wiesel durch die Zimmer der Wohnung laufen.

»Ahh«, hörte er ihn dann rufen, »hab ich mir's doch gedacht.«

Rümmlin stand plötzlich im Flur und grinste.

»Komm her, ich zeig dir was.«

Dengler betrat die Wohnung.

Die junge Frau stand im Flur. Das Wiesel zog Dengler in ein kleines Badezimmer.

»Hier, das ist der Beweis«, schrie er und zeigte auf einen Zahnbecher. Darin standen eine rote und eine blaue Zahnbürste.

»Probier mal, probier mal«, triumphierte das Wiesel und fuhr mit dem Daumen über die Borsten.

»Nass. Beide nass. Damit haben sich heute Morgen zwei Personen die Zähne geputzt. Zwei Leute, Georg, zwei waren hier, das sag ich dir.«

Er rannte aus dem Bad und zog Dengler an dem Arm hinter sich her.

»Was wollen Sie hier?«, schrie die Frau im Flur, und das Baby begann zu weinen.

Sie standen in einem kleinen Schlafzimmer. In der Mitte stand ein Doppelbett. Ein Schrank stand offen, und auf einem Wickeltisch lagen verstreut Strampler, Pflegemittel und andere Babysachen.

»Guck mal hier.«

Das Wiesel riss die Bettdecken zurück und betastete mit beiden Händen die Leintücher.

»Da war ein Mann heute Nacht hier. Hier schläft doch Ihr Mann, oder?«

Er zog aus der Lederjacke eine Digitalkamera und fotografierte das Bett.

»Was wollen Sie von mir?« Die junge Frau schrie das Wiesel an. »Wer sind Sie überhaupt?«

Tränen liefen über ihr Gesicht.

Das Wiesel fotografierte noch zweimal das Bett, und dann drehte er sich zu der Frau um.

»Sie brauchen nicht so scheinheilig zu tun. Sich arbeitslos melden und dann mit einem Kerl zusammenleben. Mit der dicken Knete von Vater Staat ist es jetzt erst mal vorbei. Jetzt muss der Kerl erst mal zahlen.«

Er öffnete die Tür ihres Kleiderschrankes. Durchwühlte ihre Sachen.

»Hier.« Triumphierend zog er eine Männerunterhose aus einem Fach und schwenkte sie über dem Kopf.

Zu Dengler sagte er: »Du musst nach Männersachen suchen, Georg, am besten ist es natürlich, du triffst morgens einen Mann in Unterhosen an.«

Das Wiesel legte die Unterhose ausgebreitet in einem Schrankfach aus und fotografierte sie.

Dann fand er ein Männerhemd und knipste es ebenso.

Er wollte an der Frau vorbei ins Bad.

»So, und jetzt noch zwei Bilder von den Zahnbürsten. Komm, Georg!«

Die Frau rastete aus.

Sie griff in Wiesels Haar und zerrte daran.

»Weißt du, mit wie viel ich hier leben muss?«, schrie sie. »Mit 534 Euro, du Arschloch. Für das Kind und für mich.«

Sie riss den Kopf des Wiesels zurück.

Der kleine Mann schlug ihr in den Magen. Sie ließ ihn los, krümmte sich und klammerte sich an dem Baby fest, das nun laut schrie. Sie rang um Atem. Jemand klopfte von der Nebenwohnung an die Wand.

Als das Wiesel sich an der Frau vorbeidrücken wollte, um weitere Fotos in ihrem Bad zu machen, griff Dengler Rümmlin am Kragen der Lederjacke und zog ihn hoch.

»Entschuldigen Sie unseren Auftritt«, sagte Dengler zu der Frau.

Sie starrte ihn verblüfft an. Das Wiesel zappelte in der Luft und röchelte. Er war zu überrascht, um irgendwas zu sagen. Auch das Baby musste die Änderung der Situation gespürt haben, denn es war plötzlich still.

Dafür wimmerte das Wiesel nun, zappelte und röchelte, Dengler solle ihn runterlassen. Dengler nahm ihm die Kamera ab.

Dann stellte er das Wiesel wieder auf den Boden. Der kleine Mann war rot im Gesicht und hielt sich mit beiden Händen am Hals fest.

»Wolltest du mich ersticken?«, keuchte er.

Georg Dengler zog seinen Geldbeutel aus der Tasche und gab der Frau die 200 Euro, die er in der Gündlinger Bankfiliale aus dem Sternberg-Vorschuss eingelöst hatte.

»Mehr habe ich leider nicht. Entschuldigen Sie bitte die Störung. Und lassen Sie nie wieder so frühmorgens jemanden in Ihre Wohnung.«

Dann stieß er Rümmlin in die Rippen und schob ihn vor sich her. Sie gingen durch die Tür hinaus in den Flur. Die junge Frau verschloss sofort hinter ihnen die Tür. Georg Dengler hörte, wie sich ein Schlüssel zweimal im Schloss drehte.

Noch im Flur löschte er alle Fotos in der Kamera und gab sie dem sprachlosen Wiesel zurück.

Er verließ das Haus, setzte sich in den Audi und fuhr zurück ins Bohnenviertel.

12. Olga sah ihn entgeistert an

Olga sah ihn entgeistert an.

»Das hast *du* getan?«, sagte sie. »*Du* bist mit diesem ... diesem Arschloch in eine fremde Wohnung eingedrungen? Wolltest einer jungen Frau die paar Euro wegnehmen, die sie bekommt, um sich und ihr Kind durchzubringen?«

Ihre Stirn legte sich in unzählige Längsfalten.

Sie saßen im *Basta*. Georg Dengler hatte Olga und Martin Klein von seinem Erlebnis vom frühen Morgen berichtet, dabei allerdings sein eigenes Eingreifen verschwiegen. Auch dass er der jungen Frau 200 Euro gegeben hatte, erzählte er seinen Freunden nicht.

»Ihr Deutschen seid merkwürdige Leute«, sagte Olga.

»Wieso das denn jetzt?«, fragte Martin Klein. »Was hat das denn jetzt mit Georgs Job zu tun?«

»Ich weiß nicht«, sagte sie, »ihr wirkt alle so – dressiert. So unterwürfig, dem Gesetz gegenüber und all euren Vorschriften.«

»Olga, vergiss nicht, du bist eine Diebin. Das ist kein sicheres moralisches Fundament für solche Anschuldigungen.«

Olga sah Klein mit funkelnden Augen an.

»Mein Lieber«, sagte sie, »es stimmt: Ich bin eine Diebin. Ich gehe durch Hotelhallen und stehle anderer Leute Bargeld. Davon lebe ich. Ich führe ein Leben wie im Paradies oder wie im idealen Kommunismus, von dem mir meine Lehrer in Rumänien erzählten. Wenn ich kein Geld mehr habe, marschiere ich zweimal durch das Foyer eines großen Hotels, und bin für drei Monate wieder flüssig. Aber es gibt einen Unterschied: Die Leute, die ich bestehle, sind reich, sie bemerken es kaum, wenn ihnen einige hundert Euro fehlen. Es macht für sie keinen spürbaren Unterschied, ob sie das Geld haben oder nicht. Die Frau mit ihrem Kind, die mit

Georgs Hilfe von der Regierung ausgeraubt werden sollte, die spürt es, wenn ihr das Arbeitslosengeld II gestrichen oder gekürzt wird.«

»Ich habe gelernt«, sagte Dengler, »dass die Gesetze für alle Menschen gleich gelten, ob sie arm sind oder reich. Ein Polizist muss sie ohne Ansehen der Person durchsetzen.«

»Ach«, Olga wurde nun wütend, »und dieses Gesetz mit dem merkwürdigen Namen ...«

»Hartz IV«, sagte Klein.

»... dieses Gesetz gilt auch für Reiche? Kontrolliert ihr auf der Milliardärsparty auch Zahnbürsten, Unterhosen und Leintücher?«

Schweigen am Tisch.

»Und ihr beide habt wahrscheinlich diese Regierung gewählt«, sagte sie.

Klein lachte bitter und sagte: »Ich habe mir zwei Wochen überlegt, wem ich die Erst- und wem ich die Zweitstimme gebe. Hin und her. Ich dachte, es wäre wichtig. Ich konnte mir nicht vorstellen, dass die neue Regierung das Gleiche macht wie die alte, die abzuwählen ich geholfen habe.«

Er griff zum Glas.

»Ich habe gewählt,« sagte Georg Dengler, »all die Jahre. Immerhin war ich Beamter. Aber ich weiß nicht, ob ich es wieder tun werde. Üblicherweise sieht man die Politiker auf der Hauptbühne agieren. Aber ich war Polizist: Habe oft genug hinter der Bühne Dienst getan, habe die Politiker zu oft gehört, wenn sie miteinander sprachen ohne Publikum. Da verlierst du alle Illusionen. Falls man noch welche hatte.«

Sie schwiegen einen Augenblick.

»Und ich darf nicht wählen«, sagte Olga.

Erneutes Schweigen am Tisch.

»Was mir an eurem Land zu schaffen macht«, sagte Olga leise, »ist, dass die Deutschen kein Gewissen haben. Bei uns auf dem Dorf gab es keine Polizei oder irgendein anderes Organ der Staatsmacht. Bukarest war weit entfernt, und wenn die sich mal einmischten, bedeutete es nie etwas Gutes. Im Dorf müssen alle zusammenhalten. Wer das nicht tut, hat ein schlechtes Gewissen. Aus der Tradition heraus bildete sich unser Gewissen, und entsprechend verhielten wir uns. Die Deutschen haben das Gewissen gegen Vorschriften ersetzt. Immer schon. Im Zweifelsfall wiegt die Vorschrift, der Befehl, die Verordnung, das Gesetz immer höher als das Gewissen.«

Nachdem sie eine Weile geschwiegen hatte, fragte sie Dengler: »Und – machst du jetzt bei diesem Hartz-Zeug mit?«

Der schüttelte den Kopf.

»Ich wusste nicht genau, was mich bei dieser Aktion erwartete«, sagte er, »ich versuche, meinen Lebensunterhalt zu verdienen und dabei so ehrlich wie möglich zu bleiben.«

Olga sah ihn an.

»Und? Ist das nun dein neuer Job?«

»Natürlich nicht«, sagte er.

Diese Antwort schien sie zufrieden zu stellen, aber sie war immer noch ärgerlich. Sie stand abrupt auf, zahlte ihren Kaffee an der Theke und verließ das Lokal.

»Die ist aber mächtig sauer«, sagte Martin Klein.

»Diese Aktion ist natürlich auch eine Schweinerei«, sagte Dengler, und nun berichtete er seinem Freund, wie er das Wiesel in der Luft hatte zappeln lassen.

Martin Klein lachte: »Das musst du Olga erzählen.«

Georg Dengler schüttelte den Kopf.

»Dann wüsste sie jedenfalls, dass du nicht zu den dressierten Deutschen gehörst.«

»Na ja, als ehemaliger Polizist – in ihren Augen vielleicht doch.«

In diesem Augenblick betrat der Postbote das Lokal.

»Einschreiben für Herrn Dengler.«

Er stand auf und quittierte den Empfangsschein.

Als er wieder am Tisch saß, riss er den Umschlag auf. Es war der Vertrag von *Security Services Nolte & Partners*.

»Unsere Einladung zur Milliardärsparty«, sagte Dengler und überflog die Formulare.

Er fuhr fort: »Wir werden verkabelt. Bekommen ein kleines Mikrophon mit ständiger Verbindung zu Noltes Zentrale.«

»Warum denn dieser Irrsinnsaufwand?«, fragte Martin Klein.

»Damit Nolte eine große Rechnung stellen kann«, sagte Dengler, »wir werden als Sicherheitsleute gut zu erkennen sein.«

»Meinst du, da passiert was?«

»Ich glaube nicht«, sagte Georg Dengler.

***

Es schneite.

Von allen Monaten mochte Dengler den Februar am wenigsten. Im Februar hatte er regelmäßig vom Winter genug, und er wartete auf die ersten Zeichen des Frühlings, die Schneeglöckchen, die ersten warmen Tage oder die kürzeren Röcke der Frauen. Doch der Februar blieb immer stur und steigerte seine Sehnsucht nach Wärme durch Schnee- und Kälteeinbrüche.

So wie jetzt.

Er stand an dem Fenster seines Büros. Die Heizung hatte er weit aufgedreht. Wärme kroch aus den Heizkörpern und verteilte sich langsam in dem Raum.

Einzelne Schneeflocken blieben auf der Wagnerstraße liegen, andere gesellten sich dazu und verbanden sich zu einem weißen Brückenkopf, der sich nach einer Weile mit anderen zu einer größeren Fläche vereinigte. Bald würde die Gasse weiß sein.

Das Telefon klingelte.

Er blickte zur Madonna und wünschte sich, dass der Anruf von seinem Sohn wäre.

»Georg, bist du's?«

Am anderen Ende war Denglers Mutter.

Sie rief nur selten an. Nur in absoluten Notfällen.

»Georg, mir geht es gar nicht gut«, sagte sie leise.

Dengler zuckte zusammen. Doch er zwang sich, ganz ruhig und vorsichtig nach ihren Beschwerden zu fragen. Dengler konnte sich nicht erinnern, dass seine Mutter auch nur einen Tag krank gewesen war. Nach dem Tod seines Vaters hatte sie unermüdlich den kleinen Schwarzwaldhof bewirtschaftet, die Kühe, die Hühner und die Schweine versorgt und sich um Georg gekümmert, ihren einzigen Sohn. Doch dann war der Dengler-Hof für sie zu viel geworden, der Betrieb geriet immer mehr in Schwierigkeiten, sie musste Vieh und Land verkaufen. Irgendwann hatte sie die Landwirtschaft ganz aufgegeben. Sie verkaufte den Rest des Landes, vermietete Zimmer an Touristen und baute den Hof nach und nach zu einem beliebten Pensionsbetrieb für Wanderer aus. Ganz allein betrieb sie die Pension. Das ganze Jahr über kamen Gäste aus allen Teilen Deutschlands. Von Altglashütten wanderten sie auf den Feldberg, den Belchen, zum Schluch- oder Titisee oder unternahmen Routen auf dem West- und Ostweg, den beiden großen Wanderrouten, die den Schwarzwald durchzogen.

»Mir ist in der Nacht ganz schlecht geworden«, sagte sie, »habe nicht ein Auge zugetan. Und heute geht es gerade so …«

»Mutter – dann musst du zu einem Arzt!«

»Aber was soll ein Arzt schon machen? Der wird mir bloß irgendwelche Tabletten verschreiben.«

»Wenn es etwas Ernsthaftes ist …«

Für einen Augenblick blieb die Leitung stumm.

»Versprich mir, dass du sofort Dr. Dietsche anrufst«, sagte Dengler.

Seine Mutter sagte nichts.

»Mutter, versprich es mir. Wahrscheinlich ist es ja ganz harmlos. Aber sicher ist sicher. Ruf ihn an. Jetzt! Gleich, nachdem wir aufgelegt haben. Versprich es.«

»Also gut«, sagte sie kleinlaut.

»Und ruf mich bitte sofort wieder an, wenn du mit Dr. Dietsche gesprochen hast.«

Er hörte, wie seine Mutter auflegte.

Er trat wieder an das Fenster. Doch er sah nicht das Schneetreiben auf der Wagnerstraße, vor ihm stiegen Bilder des Dengler-Hofs auf, Altglashütten, die Kühe, Freya, seine Lieblingskuh, seine Mutter geschäftig inmitten der Feriengäste in der großen Stube. Sie muss sofort zu einem Arzt, dachte er. Zu Dr. Dietsche. Doch die große Stube glich plötzlich nicht mehr dem vertrauten Bild seiner Kindheit, sondern dem Gastraum des Schlosshotels, und da saß Kurt Roth, starr verkrampft, mit offenem Mund.

Georg wandte sich rasch vom Fenster ab.

Und setzte sich an den Schreibtisch.

Er wählte die Nummer des Notars, die ihm die Sekretärin im ockerfarbenen Hosenanzug aufgeschrieben hatte. Als eine junge Frau sich meldete, stellte er sich vor und verlangte Notar Dillmann zu sprechen. Die Frau stellte ihn durch. Er musste einen Augenblick warten und hörte einen alten Schlager von Wencke Myhre als Verbindungsüberbrückung. Dann meldete sich der Notar.

»Ich suche einen Vertrag, den Sie 1947 beglaubigt haben«, sagte Dengler, »es geht um die Übertragung eines Grundstückes, des Schlosshotels, oben neben der alten Ruine in Gündlingen …«

»1947 – Sie machen Witze. Ich bin 1951 geboren.«

»Ich habe Ihre Adresse von der Firma *Sternberg Befestigungssysteme*. Dieser Familie gehörte das Hotel früher.«

»Ich kenne das Schlosshotel. Ich gehe hin und wieder dort essen. Sie machen dort einen vorzüglichen Spießbraten. Das ist eine Art Rollbraten, der auf dem offenen Kamin gebraten wird. Schmeckt phantastisch. Ist aber sicher nicht sonderlich gesund.«

»Wer könnte den Vertrag beglaubigt haben?«, fragte Dengler.

»Mein Vater«, sagte der Mann.

Während Dengler noch überlegte, wie er die nächste Frage höflich formulieren könne, kam ihm der Notar zuvor.

»Mein Vater lebt noch«, sagte er, »er ist zwar alt, pensioniert und schon lange nicht mehr im Geschäft, aber noch ziemlich klar.«

»Kann ich mit ihm sprechen?«

Der Mann zögerte einen Augenblick.

»Sicher«, sagte er dann, und sie vereinbarten einen Termin.

13. Als die Bomben auf Bruchsal fallen

Als die Bomben auf Bruchsal fallen, befindet sich Albert Roth auf Heimaturlaub. Längst hat er beschlossen, nicht mehr an die Front zurückzukehren. Er weiß, dass sich die Zahl der Toten unmittelbar vor dem absehbaren Ende des Krieges in neue Höhen geschraubt und alle bisherigen Rekorde gebrochen hat. An den Fronten wie in der Heimat.

Am Morgen des 1. März ist er von Gündlingen nach Bruchsal herübergekommen, um den Luftschutzkeller seiner Schwiegereltern besser zu befestigen.

Der 1. März ist ein herrlicher Frühlingstag. Der Sonnenaufgang und das Wetter geben den Menschen etwas Hoffnung, Hoffnung auf Wärme und auch Hoffnung auf das Ende des Krieges. Hinter vorgehaltener Hand munkeln die Nachbarn schon lange über den sich ständig nähernden Frontverlauf, auch wenn die offiziellen Meldungen zwischen den endlosen Durchhalteparolen anderes berichten. Seine Schwiegereltern wissen, dass die amerikanischen, englischen, aber auch die russischen Truppen im Reichsgebiet stehen, und alle rechnen sich insgeheim aus, wie lange es noch dauern wird, bis sie den Rhein und bald danach Bruchsal erreicht haben werden. Eine Frage von Wochen. Oder sogar nur von Tagen?

Der Schwiegervater hat vier schwere Holzbohlen im Keller gelagert. Mit diesen Bohlen will Albert Roth heute die Decken des Kellers abstützen. Außerdem macht ihm die Kellertür Sorgen. Er glaubt nicht, dass sie Sicherheit bieten wird, wenn eine Sprengbombe das Haus trifft.

Morgens um zehn Uhr heult die Sirene zum ersten Mal – Voralarm. Wenig später ertönt der Vollalarm. Es finden sich fünf Bewohner, zwei Frauen mit drei Kleinkindern, im Keller ein, die meisten anderen Hausbewohner haben nicht an einen Angriff auf die Stadt geglaubt. Tatsächlich kommt eine halbe Stunde später vom Kirchturm die Entwarnung, und die Frauen ziehen oder tragen ihre Kinder wortlos an Albert Roth und seinen Schwiegereltern vorbei aus dem Keller. Albert Roth macht sich wieder an die Arbeit und stützt mit einem der Balken die Stahlträger der Decke zum Erdgeschoss ab.

Um halb eins kommt sein Schwiegervater in den Keller und bringt ihm zwei belegte Brote und eine Tasse Kaffee. Er habe eben den Hausmeister Will vom Rathaus getroffen, sagt er, und der habe ihm berichtet, dass bei Straßburg über 500 feindliche Flugzeuge gesichtet worden seien. Es herrsche »dicke Luft«, im Rathaus rechne man heute mit schweren Angriffen, das Wetter sei klar, und von oben seien alle Ziele gut zu erkennen. Aber was wollen die schon von Bruchsal, sagt sein Schwiegervater und macht eine abwehrende Handbewegung.

Albert Roth überzeugt die Einschätzung nicht. Vor einer Woche haben die alliierten Flieger Pforzheim in Schutt und Asche gelegt. Und wenn sie sich Pforzheim zum Ziel nehmen – warum nicht auch Bruchsal? Rasch steht er auf, trinkt den letzten Schluck aus der Tasse und wuchtet die nächste Bohle gegen die Hauswand, sucht kleinere Hölzer zum Verstreben.

Kurz vor zwei unterbricht er seine Arbeit und geht erschöpft nach oben, ins Freie. Auf den Stufen vor der Haustür bleibt er einen Moment stehen, er blinzelt, muss sich an das helle Sonnenlicht gewöhnen. Dann geht er durch den Vorgarten, lehnt sich an die Gartenmauer, hebt den Kopf, schließt die Augen, wärmt sich in der Sonne.

Als er den konstanten dunklen Basston vernimmt, der sich unmerklich in seine Wahrnehmung gedrängt hat, ist er im ersten Augenblick irritiert. Doch dann wird ihm schlagartig klar: Das näher kommende Brummen stammt von Motoren. Von vielen Motoren. Direkt über ihm. Im gleichen Augenblick heulen die Sirenen der Peterskirche – Vollalarm.

Viel zu spät, denkt Albert noch. Er kann – im blendenden Gegenlicht der Frühlingssonne – die Flugzeuge bereits sehen. Und rennt in Richtung Haus. Ein pfeifendes Geräusch verstärkt sich unmittelbar über ihm.

Als er sich noch einmal umblickt, schleudert eine Explosion Massen aus Staub, Erde und Steine in den Himmel. Albert ist irritiert, weil dieser Vorgang völlig lautlos sich zu vollziehen scheint. Erst verzögert hört er die Detonation, die Druckwelle wirft ihn nieder, als er die Stufen der Haustür erreicht hat. Im Fallen sieht er, dass die Gartenmauer, an der er eben lehnte, nicht mehr da ist. Das Haus bebt. Eine Hand zieht ihn hinein. Jemand schiebt ihn vor sich her durch den Flur zur Kellertür. Der Boden unter ihm scheint sich zu bewegen, an der Ecke der Diele vor der Kellertür bricht die Decke ein. Bevor die schwankende Glühbirne über der Kellertreppe erlischt, sieht er andere Hilfesuchende die Treppe hinunterstolpern – weiße Silhouetten, die sich durch die Schuttwolken hin zum Schutzraum tasten. Dann ist er im Keller. Jemand schließt die Tür.

Im Keller ist es dunkel. Geruch von feuchtem Mörtel. Eine Kerze flackert auf. Etwa zwanzig Menschen sitzen auf dem Boden. Draußen kracht es erneut. In rascher Abfolge eine Detonation nach der anderen. Eine Riesenfaust schüttelt das Haus. Staub quillt trotz der geschlossenen Tür in den Keller.

»Vater unser, der du bist im Himmel …«, murmeln einige Stimmen.

In das Gebet mischt sich trockener Husten. Ein Kind weint und ist sofort wieder still.

Der Bub neben ihm hält sich die Ohren zu.

Albert Roth blickt den Menschen in die staubverfärbten Gesichter. Wo sind seine Schwiegereltern? Haben sie es rechtzeitig in den Keller von Dossingers geschafft? Panik erfüllt ihn. Was ist mit seiner Frau und seinem Sohn in Gündlingen?

Plötzlich Stille.

Dann die zweite Angriffswelle. Wieder bebt das Haus. Die Tür hält. Dann die dritte Welle. Im Keller nur ein nervöser Aufschrei. Keine Panik. Einige beten. Und wieder Stille. Kein Krachen mehr. Nur ein Knacken, ein permanentes Knacken. Alles ruhig. Warum knackt es so? Er springt auf. Die Türe ist aus dem Senkel, ist undicht. Durch einen Spalt dringt Rauch ein. Hitze und Brandgeruch. Albert kennt den Geruch, der von Phosphorbränden ausgeht.

Die Luft im Keller wird unerträglich. Eine Frau starrt benommen zu ihm auf. Frau Weindl. Es ist Frau Weindl. Ihr Haar grau gepudert vom Staub. Ihre Augen stehen weit offen. Die Kellertür klemmt. Er zieht. Reißt. Mit beiden Händen an der Klinke. Jemand zieht ihn an den Schultern. Er schüttelt die Hände ab, schreit. Die Kerze geht aus. Stöhnen. Mehrkehlig. Ein Mann hilft ihm. Die Tür geht auf. Einen halben Meter. Er quetscht sich zwischen Pfosten und Tür. Ist draußen. Alles dunkel. Die Treppe. Auf Händen und Füßen hoch. Einmal greifen seine Hände ins Nichts. Er stürzt. Das Kinn schlägt auf. Eine Stufe fehlt. Weiter. Die obere Tür lässt sich leicht öffnen. Er steht im Flur. Nur drei Meter weiter ist die Haustür. Durch den Schlitz sieht er den Feuerschein draußen. Und hört die Flammen prasseln und knacken.

Er reißt die Tür auf und sofort schlägt ihm die Hitze ins Gesicht. Stolpert über drei leere Blechhülsen abgeworfener Brandbombenbehälter, fällt und reißt sich die Backe an dem Metall auf.

Er rappelt sich auf. Das Haus neben Weindls brennt. Die Hitze sticht in den Lungen. Hand vors Gesicht. Der Boden ist übersät mit Geröll und Glassplittern. Einige Bäume sind von der Hitze dürr geworden, andere brennen bereits. Brennende Fetzen von Vorhängen treiben durch die Luft. Glasscheiben bersten. Hinter ihm taumeln die anderen aus dem Keller. Er hilft Frau Weindl, die einen unhörbaren Schrei ausstößt, als sie ihr Haus sieht, aus dem jetzt auch die Flammen lodern.

Aus dem *Rebstöckle* und dem *Dörndel* schlagen Flammen. Es gibt kein Durchkommen.

Die Stadt brennt lichterloh. Das Finanzamt brennt, das Amtsgericht brennt, das Schloss steht in Flammen. Dunkle Rauchschwaden steigen auf und verfinstern den Himmel. Mitten am Tag ist es Nacht in der brennenden Stadt.

Wo ist seine Schwiegermutter? Zusammen mit anderen Gestalten torkelt er durch brennende Straßen, sieht Männer und Frauen und Kinder ihre vermissten Angehörigen suchen. Er rennt weiter.

Stöhnende und weinende Menschen kommen ihm entgegen. Strauchelnd, stolpernd. Sie fliehen aus der Stadtmitte und rennen die Huttenstraße entlang, wollen hinaus aufs freie Feld.

Die Kaiserstraße gleicht einem Feuermeer. Feuerstöße schlagen aus den Fenstern und Mauerlücken der mehrgeschossigen Häuser. Beiderseits der Straße. In der Mitte der Straße treffen die Feuergarben zusammen, vereinigen sich und steigen gewaltig auf in den schwarzen Himmel. Am Holzmarkt klafft ein abgrundtiefer Bombentrichter. Kein Durchkommen. Er dreht um.

Er stolpert in Richtung von *Kern und Bürger*, der Zigarrenfabrik. Dort befindet sich ein großer Luftschutzbunker mit Sanitätsstelle. Vielleicht hat seine Schwiegermutter sich dorthin retten können. Vor der Fabrik stolpert er über die Leiche eines Wehrmachtssoldaten, der Kopf des Leichnams ist abgetrennt. Etwas weiter entfernt liegen zwei Frauen in ihrem Blut vor einem Hauseingang, eine wimmert noch. Als er sich zu ihr bückt, trifft ihn eine verkohlte Holzlatte am Kopf, aus dem Trümmerregen des einstürzenden Dachgebälks. Albert Roth wird ohnmächtig, fällt auf die Frau. Als er wieder zu sich kommt, atmet sie nicht mehr.

Er rafft sich auf und torkelt entsetzt zurück. Überall auf seinem Weg liegen Tote, entwurzelte Bäume und ausgebrannte Autos. Wieder wird Albert Roth ohnmächtig.

Am späten Nachmittag überblickt er von der Andreasstaffel die Stadt: Das Schloss und viele Häuser brennen noch immer. Löschen, so hat er unterdessen erfahren müssen, ist unmöglich, da die Wasserleitungen beim Angriff zerstört wurden. Er läuft von einer Sammelstelle zur nächsten, sucht in heil gebliebenen Häusern und findet die Schwiegereltern erst am Abend oben auf dem Friedhof. Unter den vielen aufgereihten Toten liegen sie, äußerlich unverletzt – in irgendeinem Keller erstickt.

14. Er schwebt über der Hölle

Er schwebt über der Hölle. Aus dem Feuer unter ihm wölben sich schwere schwarze Rauchwolken, die schnell aufwärts ziehen. Hin und wieder zuckt eine Flamme aus ihnen hervor. Im Fallen quillt die Hitze zu ihm hinauf, kriecht unter den prallen Fallschirm, gibt ihm Auftrieb und dämpft seinen Fall. Es scheint ihm, als wolle die Hitze seinen Fallschirm in der Luft zum Stehen bringen, damit er für immer über der brennenden Stadt schwebt, dazu verurteilt, das Inferno zu beobachten und zu bezeugen, was die 187 Bomber in Bruchsal angerichtet haben. Er reißt verzweifelt an den Leinen. Er will weg aus dieser Hölle, weg von den dunklen Wolken, die immer weiter zu ihm aufsteigen.

Der Brandgeruch wird intensiver.

Dann sind die schwarzen Brandwolken um ihn, und das Atmen fällt ihm schwer. Er hustet, sieht nichts mehr, seine Brust schmerzt, die Hitze wird unerträglich. Hoffentlich entzündet sich der Schirm nicht.

Doch plötzlich segelt er aus der Dunkelheit in die Sonne. Das brennende Bruchsal hat er hinter sich gelassen. Unter sich sieht er einen Wald, die Windungen eines Flusses, eingebettet in eine breite Wiese, auf der grün im Frühlingslicht das Gras leuchtet, und eine Bahnlinie, die aus einem Tunnel führt, über eine Brücke den Fluss überwindet, um dann erneut in einem Tunnel zu verschwinden.

Inmitten des Waldes entdeckt er eine frisch geschlagene Schneise. Dort muss die Mustang runtergekommen sein. Im Cockpit sind noch Kekse, Wasser und Schokolade. Die Überlebensrationen – und mein Kartenmaterial, denkt Steven Blackmore. All das werde ich brauchen, wenn ich heil herunterkomme.

Wieder zerrt er an den Leinen. Unten auf der Wiese, nahe

den Bahngleisen will er landen, den Schirm im Wald verstecken und nach den Überresten seiner Maschine suchen.

Jetzt, wo er das brennende Inferno hinter sich gelassen hat, werden die Auftriebskräfte schwächer, und er fällt schneller der Erde entgegen.

Mithilfe der Leinen korrigiert Steven Blackmore die Fallrichtung. In einer Spirale wie aus dem Tusgekee-Lehrbuch fliegt er abwärts in Richtung Wiese und landet dort punktgenau.

15. Lieber Georg, so lange zögere ich nun schon

Lieber Georg, so lange zögere ich nun schon mit diesen Zeilen, und ich weiß, es ist unrecht von mir. Aber vielleicht ahnst Du ja schon längst, was ich Dir sagen will. Ich werde in Italien bleiben. Mein Vater braucht mich. Er hat sich noch nicht von dem Schrecken erholt, den wir zusammen durchgemacht haben. Ich habe ihm geholfen, die Zäune besser zu befestigen. Wir haben eine neue Alarmanlage installiert. Auch wenn wir nun nichts mehr zu befürchten haben, so hat er doch immer noch sehr viel Angst, und ich glaube nicht, dass er ohne mich zurechtkommt.

Ich will Dir jedoch auch den zweiten Grund meines Entschlusses nicht verschweigen. Ich habe mich verliebt. Sehr glücklich verliebt. Lange Zeit habe ich dagegen angekämpft, weil ich mich dir verbunden fühlte und weil ich, aber auch Vater, Dir so unendlich viel zu verdanken haben. Unser neues Leben wäre ohne Dich undenkbar. Deshalb habe ich gegen eine neue Liebe angekämpft, aber seit sehr kurzer Zeit weiß ich, dass ich diesen Kampf verloren habe – und ich bin glücklich darüber. Der Mann ist Andrea Savinio, du kennst ihn, der Mann, der meinem Vater jedes Jahr die Ringelblumen abkauft. Er hat sich um uns hier gekümmert und sich unmerklich in mein Herz geschlichen. Und nun gehört es ihm. Es ist so. Aber im Augenblick, da ich Dir diese Zeilen schreiben muss, will es vor Schmerz zerbrechen. Leb wohl.   *Deine Christiane*

Die Mail von Christiane war frühmorgens gekommen. Georg Dengler las den Text einmal, zweimal, dreimal, so oft, dass er es nicht mehr zählte. Als er die Augen vom Bildschirm hob, war ihm immer noch nicht klar, ob er Christianes Zeilen wirklich verstanden hatte.

Sie verließ ihn. Sie liebte einen anderen. Es war endgültig.

Er wollte aufstehen. Und blieb sitzen.

Er versuchte, den Brief erneut zu lesen.

Doch die Zeichen auf dem Bildschirm verschwammen.

Mit der rechten Hand stützte er sich auf dem Tisch auf und hob seinen Körper aus dem Stuhl. Es gelang ihm erst beim zweiten Mal. Mit zwei Schritten stand er am Fenster, sah hinaus auf das Schneetreiben und sah es doch nicht. Er atmete tief durch.

Dann ging er zurück zum PC.

Das Telefon klingelte.

Er meldete sich und wunderte sich, dass seine Stimme so ruhig wie immer klang.

»Föll hier. Anton Föll. Erinnern Sie sich noch an mich?«

Dengler erinnerte sich. Dieser Mann war sein erster Klient gewesen. Er hatte seine Frau verdächtigt, ihn zu betrügen. Denglers Nachforschungen ergaben, dass er Recht hatte. Seine Frau suchte erotische Abenteuer, aber sie liebte ihren Mann, und sie liebte die beiden gemeinsamen Kinder. Niemals, so hatte sie Georg Dengler erklärt, werde sie ihre Familie verlassen. Und so hatte Dengler dem Mann erklärt, seine Nachforschungen hätten ergeben, dass seine Frau ihm treu sei. Georg Dengler fühlte sich damals wie jemand, der eine Ehe gerettet hatte.

»Ich hab' da was in ihrer Handtasche gefunden«, sagte der Mann am Telefon langsam.

Dengler versuchte sich zu konzentrieren. Warum liebte Christiane ihn nicht mehr? Was hatte er falsch gemacht? Hätte er mit ihr zusammen nach Italien reisen sollen? Aber womit hätte er dann seinen Lebensunterhalt verdienen sollen?

»Erst dachte ich, ich sehe falsch«, sagte Föll.

Dengler hatte diesen Schritt verstanden. Sie wollte sich um ihren Vater kümmern. Er war von bewaffneten Killern angegriffen worden. Dengler hatte ihn gerettet. Sie waren sich nach dem Kampf auf dem Anwesen ihres Vaters in Italien vorgekommen wie zwei verlorene Schiffbrüchige. Wie zwei verzweifelt Überlebende. Vielleicht, dachte er, war das keine gute Basis für eine Liebe.

»Hallo, Herr Dengler, hören Sie mich …?«, rief es aus dem Hörer.

»Ja, Herr Föll, ich höre Sie gut. Können Sie in einer Stunde im *Basta* sein? Den Weg kennen Sie doch noch?«

Föll versprach in einer Stunde da zu sein, und Dengler legte auf.

Noch eine Stunde Zeit.

Er las Christianes Brief noch einmal.

2. Teil

16. Es waren zwei Kondome

»Es waren zwei Kondome«, sagte Föll, »Pariser, Sie wissen schon ... Sie fielen aus ihrer Handtasche.«

Dengler sah den Mann an.

Föll war schweißnass. Seine Unterlippe zitterte ein wenig. Er tat Dengler Leid.

»Warum fragen Sie Ihre Frau nicht einfach?«, sagte er.

»Geht doch nicht«, sagte Föll, »sie denkt sofort, ich hätte in ihrer Handtasche rumgeschnüffelt.«

»Und? Haben Sie?«

»Na ja«, sagte Föll.

»Und vielleicht waren die Kondome für Sie bestimmt. Für den ehelichen Verkehr, gewissermaßen.«

Föll schüttelte den Kopf.

»Wir ...«, er schien nach Worten zu suchen, »so selten wie wir, wir ... brauchen so was nicht.«

»Sie kennen ja meine Preise«, sagte Dengler, »80 Euro die Stunde, vier Stunden müssen Sie anzahlen, plus 100 Euro Spesen.«

»Aufgeschlagen. Ihre Preise haben aufgeschlagen ...«, sagte der Mann.

»Nur fünf Euro.«

»Aber pro Stunde.«

»Pro Stunde«, bestätigte Dengler, und Föll zog seine Brieftasche.

***

Christianes Brief stand immer noch auf dem Bildschirm.

Mit einer schnellen Bewegung zog Dengler den Netzstecker aus dem Rechner, und der Screen verlosch mit einem leisen Zischen.

Er rief seine Mutter an.

»Was hat der Doktor gesagt?«, fragte er sofort, als sie abnahm. »Alles in Ordnung?«

»Ja, ja, es war wohl ein vorübergehender Schmerz. So was kommt vor.«

»Und wie geht es dir heute? Sind die Schmerzen und die Übelkeit weg?«

»Ich weiß nicht so recht. Mein linker Arm – ich kann ihn so schlecht bewegen.«

Dann sagte sie rasch: »Ach, Georg, wir haben so viel Schnee. Seit drei Tagen schneit es ununterbrochen. Aber Gott sei Dank habe ich das Haus voller Skitouristen.«

Dengler schwieg.

»Es gibt so viel hier zu tun«, sagte sie, und Dengler verstand die Anspielung. Im Grunde meinte sie: Warum kommst du nicht und hilfst mir im Haus?

Nachdem sie das Gespräch beendet hatten, rief Dengler den Hausarzt der Familie an. Er ließ sich gleich zu Dr. Dietsche durchstellen.

»Gerhard, hat dich meine Mutter angerufen oder war sie bei dir in der Praxis?«, fragte er den Arzt.

Der Doktor lachte.

»Du weißt doch, wie sie ist. Die sehe ich das nächste Mal, wenn ich den Sterbeschein für sie ausstelle.«

»Mir erzählte sie, ihr ginge es nicht gut. Sie könne den linken Arm nicht mehr richtig bewegen. Ich habe sie zu dir geschickt, aber offensichtlich …«

»Georg, das kann ein Schlag sein. Eine Frau in ihrem Alter … Soll ich zu ihr rüber auf den Dengler-Hof fahren?«

»Das nützt nichts. Ich kenne sie. Ich fahre runter und bringe sie dir selbst in die Praxis.«

Sie legten auf.

Georg Dengler ging wieder hinunter ins *Basta*.

Er war der einzige Gast. Der kahlköpfige Kellner stand hinter der Bar und polierte Gläser. Als er Dengler erblickte, drehte

er sich um und ließ einen doppelten Espresso aus der spiegel-
blanken, altmodischen Kaffeemaschine fauchen.

Verkleinert und verzerrt sah Dengler sein Gesicht in dem
Metall der Kaffeemaschine sich widerspiegeln. Schweigend servierte der kahlköpfige Kellner den Espresso. Dann
schäumte er in einem kleinen Stahlkännchen Milch auf und
stellte es neben die Espressotasse auf die Theke. Dengler
dankte mit einer Kopfbewegung.

Sollte er abwarten, bis die Liebe zwischen Andrea Savinio
und Christiane zu Ende gehen würde? Ihm fiel der Roman
von García Márquez ein, den er als junger Mann gelesen hatte. Die Hauptfigur dieses Romans hatte auf die Frau seines
Lebens bis ins hohe Alter gewartet, und dann hatten die beiden tatsächlich zueinander gefunden. Auch geheiratet? Er
wusste es nicht mehr. Das Buch und die Entschiedenheit des
Helden hatten ihm damals imponiert. Aber konnte dies ein
Vorbild für das wirkliche Leben sein?

Er schüttete etwas Milch in den Espresso und rührte um.

Sollte er zu ihr fahren? Sofort. Und kämpfen? Wie? Dazu
war es zu spät. Er würde sich lächerlich machen. Konnte er
überhaupt von ihr verlangen, dass sie sich für ihn und gegen
Andrea Savinio entscheidet? Wenn sie ihn liebte?

Georg Dengler trank einen Schluck und registrierte den
Schmerz. Er saß genau im Solarplexus. Mittendrin. Platziert
wie ein gut gezielter Boxhieb. Von dort strahlte er in den
Bauch. Und ins Herz.

Er erinnerte sich an eine Vorlesung, die er während seiner
Zeit als Zivilfahnder beim Bundeskriminalamt besucht hatte. Er wusste nicht mehr, um was es genau ging, aber er erinnerte sich noch an den Referenten, einen Polizeipsycholo-
gen. Die Angst sitzt im Solarplexus, hatte der Mann ihnen
gesagt.

Er sah auf und entdeckte, als sich ihre Blicke trafen, eine fra-
gende Sorgenfalte auf der Stirn des kahlköpfigen Kellners,
der wieder seine Gläser polierte.

»Es ist nichts. Ich komme schon damit klar. Alles o. k.«, sagte Dengler.

Er nahm die Tasse und setzte sich an einen Tisch am Fenster.

Nun war er wieder allein, allein auf sich gestellt. Vielleicht ist es diese Vorstellung, die mir Angst macht, dachte er. Vielleicht ist es die Gewissheit, dass ich bis zum Ende meiner Tage allein sein werde.

Ich werde nach Chicago fahren, dachte er. Diesen Traum werde ich mir erfüllen, sobald meine Fälle abgeschlossen sind. Ein anderer Kontinent, eine andere Stadt und jeden Abend schwarze Bluesmusik – all dies wird helfen, Christiane zu vergessen.

Und leicht schlug er mit dem Fuß den Takt zu einem seiner Lieblings-Bluesstücke.

Help me
I can't do by myself.

Und seine Gedanken schweiften zurück in die Toskana.

***

Er wusste nicht genau, wie lange er an dem Platz am Fenster gesessen und an sie gedacht hatte. Irgendwann flog die Eingangstür des *Basta* auf, durch die offene Tür drang ein Schwall schneegetränkter kalter Februarluft zusammen mit einer kleinen Wolke Schneeflocken in die Bar. Mit einem Packen Zeitungen unter dem Arm stampfte ein schneebedeckter Martin Klein ins Lokal, sah sich um, entdeckte Georg Dengler am Fenster, kam zu ihm, warf die Zeitungen auf den Tisch, zog seine schwarze gesteppte Joppe aus, bestellte einen Milchkaffee und setzte sich ihm gegenüber.

»Horoskop gefällig?«, knurrte er.

»Nein«, sagte Georg.

»Auch gut.«

Er hielt die *Stuttgarter Zeitung* hoch und deutete auf einen Artikel auf der ersten Seite.

»Wahrscheinlich war eure Aktion gestern sogar illegal«, sagte er.

»Hartz IV erlebt vor Gericht eine Bauchlandung«, lautete die Schlagzeile.

»Das Düsseldorfer Sozialgericht hat eine einstweilige Anordnung erlassen und keinen Zweifel daran gelassen, dass es auch in der Hauptsache einer Frau Arbeitslosengeld II zubilligen wird. Obwohl die Frau mit einem berufstätigen Mann zumindest zusammengelebt hat«, las er vor, *»gilt: Nicht alle, die in einem gemeinsamen Bett schlafen, sollen füreinander haften oder gar haften müssen.«*

Er sah Dengler über den Rand seiner Lesebrille hinweg an.

»Da kann dein Wieselfreund aber mächtig Pech haben. Die Frau braucht nur zu klagen.«

»Ich weiß nicht, ob sie nicht viel zu eingeschüchtert dazu ist«, sagte Dengler.

Klein nickte.

»Irgendwas stimmt doch nicht mit diesem Land«, sagte er.

»Da hast du doch den Stoff für deinen Krimi.«

Klein rieb sich am Hinterkopf.

»Merkwürdig ist nur, dass sich niemand darüber aufregt, wie die Leute ausgenommen werden. Das will niemand in einem Krimi lesen. Nein, ich warte auf einen richtigen Mord.«

Die beiden Männer tranken ihren Kaffee. Klein las die Tageszeitungen, hin und wieder fluchte er, und Dengler hing seinen Gedanken nach.

***

Später gingen sie durch das immer dichter werdende Schneegestöber zur Königstraße. Im Büro von *Security Services Nolte & Partners* wurden sie bereits erwartet. Eine junge Frau, kaum älter als zwanzig, händigte jedem von ihnen ein Funkgerät, fleischfarbene Ohrhörer und Mikrophone aus. Sie quittierten den Empfang auf einem Formblatt, ohne das Kleingedruckte zu lesen. Eine halbe Stunde lang erklärte die junge Frau ihnen Funktionsweise, Kanalwahl, Notruffre-

quenz und zeigte ihnen, wie sie die kleinen Apparate akti-
vieren und unauffällig am Gürtel befestigen konnten. Die
Zentrale sei jederzeit besetzt, sagte sie.

»Alles Gute für Ihren Einsatz morgen Abend!«

Dengler nickte. Er sah auf die Uhr. Fast halb sechs. Er würde
jetzt nach Altglashütten aufbrechen.

Als sie auf die Straße traten, schneite es.

17. Hinter Stuttgart stand er zwei Stunden im Stau

Hinter Stuttgart stand er zwei Stunden im Stau. Schneeverwehungen brachten den Verkehr zum Erliegen.

Als er in den Dengler-Hof einbog, war es schon fast zehn Uhr. Seine Mutter hatte das Licht über dem Hauseingang brennen lassen. Rechts und links des Eingangs auf der Veranda standen die Skier der Hausgäste aufgereiht.

Dengler stieg aus und betrat sein Elternhaus.

Sofort umfing ihn der Geruch von Heu, Kühen und Milch. Merkwürdig, dachte er. Seit Jahrzehnten hält meine Mutter kein Vieh mehr, aber den Geruch wird das Haus wohl für immer behalten.

Er betrat die Wohnstube, die jetzt als Frühstücksraum und abends als Aufenthaltsraum diente. Um den großen Tisch saßen zwölf Leute. Ein dicker Mann erzählte einen Witz, und alle lachten. Eine Frau kreischte laut. Jemand goss ihr Weinglas voll.

Georg Dengler grüßte kurz und ging durch den Raum in die Küche. Seine Mutter stand am Herd. Mit der rechten Hand hielt sie sich fest, während ihr linker Arm herabhing. Ihr Gesicht war schlohweiß, und sie rang um Atem. Als er eintrat, drehte sie sich um und sah ihn an, aber Dengler war sich nicht sicher, ob sie ihn erkannte. Ihr rechter Mundwinkel hing herab.

Eine halbe Stunde später hielt er vor der Notaufnahme des Krankenhauses in Neustadt. Zwei Sanitäter liefen mit einer Trage herbei. Ein paar Minuten später wurde seine Mutter von einer Ärztin untersucht und noch in der Nacht operiert.

★★★

Er verbrachte den Rest der Nacht in seinem alten Kinderbett. Und schlief nur unruhig. Die Decke war zu kurz, und er erwachte mehrmals, weil er an den Füßen fror.

Bereits um fünf Uhr stand er auf. Er studierte die Gästeliste und prüfte die Zimmerbelegung anhand des Schlüsselbretts, räumte den Frühstücksraum auf, deckte die Tische, sortierte die Brötchen und Brotscheiben, die die örtliche Bäckerei morgens frisch anlieferte, in die Brotkörbe, verteilte die kleinen Portionsbehälter mit Butter, Konfitüre und Frischkäse auf den Tischen, belegte Platten mit Aufschnitt und bereitete dann in der Küche Kaffee. Als gegen 7.30 Uhr fast alle Pensionsgäste im Frühstücksraum saßen, bat Georg Dengler um ihre Aufmerksamkeit und erklärte ihnen, dass seine Muter für ein paar Tage im Krankenhaus sein würde. Die betroffenen Gäste zeigten Verständnis, boten sofort ihre Hilfe an, einige der Frauen organisierten spontan Putzkommandos, andere räumten bereits das Geschirr zusammen und drängten sich an Georg vorbei in die Küche.

Dann rief Georg Frau Willmann an, die Mutter seines Jugendfreundes Mario, die im Bärental wohnte und die seiner Mutter dreimal in der Woche half. Sie erklärte sich bereit, auf dem Dengler-Hof zu wohnen, solange seine Mutter im Krankenhaus lag. Er brauche sich keine Sorgen zu machen, sagte sie. Sie kenne sich aus und es mache ihr Spaß, den Betrieb zu führen.

Sie zögerte einen Moment.

»Weißt du, wann Mario aus Italien zurückkommt?«, fragte sie.

»Nein. Er hat sich schon lange nicht bei mir gemeldet.«

»Ich bin in einer halben Stunde da. Packe nur ein paar Sachen zusammen. Fahr du zu deiner Mutter. Um den Rest kümmere ich mich schon. Und ruf mich in der Pension an, wenn es etwas Neues gibt.«

Erleichtert legte Dengler auf. Dann fuhr er ins Krankenhaus

nach Neustadt. Seine Mutter läge auf der Intensivstation, sagte man ihm an der Pforte und wies ihm den Weg.

Fast hätte er seine Mutter nicht erkannt, als die asiatisch aussehende Stationsschwester ihn zu der großen Glasscheibe führte und auf die Person in dem Bett aus weißem Rohrstahl zeigte. Über ihrem Kopf zeigten zwei unterschiedlich große Monitore EKG-Daten, Angaben zu Temperatur, Blutdruck und Atmung an, links und rechts des Bettes blinkten die digitalen Ziffern und Leuchtdioden zahlreicher weiterer Messgeräte und medizinischer Apparaturen. Drei Flaschen mit durchsichtigen Flüssigkeiten hingen an einer Vorrichtung unter der Decke, dünne Schläuche führten von dort zu den Geräten.

War es das grüne Krankenhaushemd oder die Umgebung mit all der medizinischen Technik, die sie so fremd wirken ließ? Sie lag auf dem Rücken. Unterhalb ihrer Nase waren zwei Kunststoffschläuche befestigt, um ihr linkes Handgelenk war eine weiße Manschette gebunden, daraus führte ein kleiner durchsichtiger Schlauch, der sich im Gewirr der zahllosen Drähte und Kabel verlor, die Kopf und Leib seiner Mutter mit all den Geräten verbanden. Ihr Mund stand offen. Atmete sie überhaupt noch? Die Geräte schienen konstante Werte zu empfangen. Nach einer Weile beobachtete Dengler, dass sich ihr Brustkorb in regelmäßigen Abständen unmerklich hob und senkte. Sie lebte. Doch dieser offen stehende Mund – Dengler blickte sich hilfesuchend nach der Stationsschwester um, doch diese saß längst wieder in ihrem verglasten Überwachungsraum am Eingang der Station.

Dengler verharrte noch eine Zeit lang vor der Glasscheibe und betrachtete seine Mutter. Dann ging er wieder hinaus auf den Flur. Dort setzte er sich auf eine kleine Bank.

Als sein Vater tödlich verunglückte, war Georg noch ein kleiner Bub gewesen. Er wusste – seit jenem verhängnisvollen Tag –, dass sie ihm die Schuld am Tod des Vaters gab. Und viele Jahre, seine ganze Kindheit und Jugend hindurch, hatte Georg Dengler selbst an diese Schuld geglaubt. Immer schwebte dieser Vorwurf über ihm, wenn er mit seiner Mutter zusammen war – auch diese fremde Frau im Bett auf der Intensivstation mit ihrem geöffneten Mund warf ihm vor, schuld am Tod des Vaters zu sein.

Auf Rat des Dorflehrers war Georg auf die Realschule nach Freiburg geschickt worden. Schließlich hatte er sich dort ein Zimmer genommen. Freiburg hatte ihm, der aus dem Schwarzwalddorf kam, eine völlig neue Welt eröffnet, vor allem war das die Chance, dieser ständigen Bedrückung zu Hause zu entkommen. In Freiburg hatte er sein schmales Schüler-BAföG durch kleine Einbrüche aufgebessert – und dann Romy kennen gelernt, die Medizinstudentin. Als diese erste große Liebe zerbrach, hatte er erkannt, dass er seinem Leben eine neue Richtung geben musste – und sich zum Polizeidienst gemeldet. Zur großen Freude seiner Mutter, die nicht ahnte, dass er damals nur knapp der schiefen Bahn entronnen war. Der öffentliche Dienst, so dachte sie, gab Sicherheit und würde ihrem Sohn die Existenzängste nehmen, die sie selbst Tag und Nacht verfolgten.

Und die auch bis heute nichts davon wusste, dass er vor drei Jahren seinen Job beim Bundeskriminalamt aufgegeben hatte und nun freier Ermittler war.

Jemand legte eine Hand auf seine Schulter. Es war Dr. Dietsche.

»Georg«, sagte er, »du hast deiner Mutter wahrscheinlich das Leben gerettet. Sie kam spät ins Krankenhaus, aber nicht zu spät.«

Nachdem der Arzt gegangen war, blieb Georg noch eine Weile im Vorraum. Schließlich stand er auf. Er ging hinunter auf den Parkplatz des Krankenhauses, stieg in den Wagen und fuhr zurück nach Stuttgart.

18. Die Milliardärsparty

Die Milliardärsparty fand in Reutlingen statt. Georg Dengler parkte den A6 in einer Seitenstraße, nahe bei der groß angelegten Villa. Martin Klein überprüfte seine Frisur in dem kleinen Spiegel der Sichtblende auf der Beifahrerseite. Olga saß auf dem Rücksitz. In zwei Stunden sollte die Party beginnen.
Dengler drehte sich zu Olga um.
»Versprich mir: keine Diebstähle, keine geplünderten Brieftaschen, keine gestohlenen Broschen!«
Olga legte ihm die Hand auf die Schulter.
»Georg, ich würde niemals etwas tun, was dir schadet. Ich versprech's.«
Sie streckte drei Finger wie zum Schwur in die Höhe.
»Wir führen anschließend eine sehr gründliche Leibesvisitation durch«, sagte Klein mit gespieltem Ernst.
Olga lachte und schnitt eine Grimasse.
Die Frau, die sie an der Einfahrt empfing, trug eine weiße Rüschenschürze und ein Häubchen. Dengler dachte, sie könne einem englischen Film entsprungen sein. Sie führte sie hinüber zum Haus und über eine Steintreppe, die jedem Museum zur Ehre gereicht hätte, in den ersten Stock.
Sie bat sie einen breiten Flur entlang, an dessen Wände Ölgemälde mit Jagdmotiven hingen, bis zu einem Zimmer, das wohl eine Art Ankleideraum war. Dengler versank bis zu den Knöcheln in einem rosa Teppich. Auf einem schwarzen Ledermöbel, halb Stuhl, halb Liege, ruhte eine Frau im Abendkleid.
Hinter ihr stand ein moderner Tisch mit drei Glasplatten übereinander, auf denen sich alle Kosmetika dieser Welt versammelt hatten. Zwei junge Frauen machten sich an ihr zu schaffen, die eine tupfte das Gesicht mit einem feuchten Tuch, und die andere bürstete ihr Haar.

Die Frau war in einem schwer definierbaren Alter, sie wirkte füllig und kompakt, eine Mischung, die sie durch den Schnitt des Abendkleides zu korrigieren versuchte. Ihre Schultern lagen frei und zeigten sich in erstaunlich gebräunter Farbe. Das Fleisch an den Oberarmen war ebenfalls urlaubsbraun, hing jedoch bereits teilnahmslos herab.

Sie richtete sich auf, und die beiden jungen Frauen unterbrachen sofort ihr Tun.

»Sie werden uns also heute Abend bewachen«, sagte sie und musterte Dengler, Olga und Klein ungeniert. Mit Dengler schien sie zufrieden zu sein, Olga ignorierte sie, aber Martin Klein entsprach wohl nicht ihren Vorstellungen von einem Bodyguard.

»Sie! Wie lange waren Sie denn im Polizeidienst?«, wollte sie von ihm wissen und rümpfte die Nase.

Martin Klein sah zu Georg Dengler und wusste nicht, was er ihr antworten sollte. Aus Verlegenheit räuspert er sich zunächst einmal.

»Madam«, sagte Dengler und wies mit dem Daumen auf Klein, »dieser Mann ist einer der Helden von Mogadischu.«

Sie war entzückt. Martin Klein blinzelte Dengler verlegen an.

»Hans-Peter, Hans-Peter«, rief sie, »komm doch mal her.«

Ein hoch gewachsener, derb wirkender Mann erschien aus dem Nebenzimmer. Er trug eine schwarze Smokinghose mit Hosenträgern und ein weißes Hemd. Dengler fiel die große Nase des Mannes auf, auf deren grobporiger Haut feine rote Äderchen und einige schwarze Mitesser zu sehen waren.

»Dieser Mann war in Mogadischu dabei«, rief die Frau und deutete auf Klein, der nervös von einem Bein auf das andere trat. Er sah unsicher zu Dengler herüber, der jedoch keine Miene verzog.

»Na so was«, rief der herbeigeeilte Mann, taxierte Olga mit einem Blick und schlug Martin Klein auf die Schulter, »gute Arbeit, mein Lieber. Wollen Sie einen Schnaps?«

Dengler sah, wie Klein zustimmend nicken wollte, sandte

ihm einen strengen Blick hinüber und schüttelte unmerklich den Kopf.

»Äh – im Dienst trinken wir nicht«, sagte Klein, wobei es ihm nicht gelang, eine Spur des Bedauerns in seiner Stimme zu unterdrücken.

»Müssen noch das Haus und das Gelände inspizieren«, sagte Dengler.

»Klar müsst ihr das«, sagte der Mann und wandte sich wieder an Klein, den er für den Chef hielt, »wenn die Gäste eintreffen, dann postiert ihr euch hinter den beiden Frauen, die die Einladungen kontrollieren. Unsere Gäste sollen ruhig sehen, dass wir uns ihre Sicherheit etwas kosten lassen.«

»Aber nicht zu auffällig«, sagte seine Frau, »immer schön dezent.«

»Selbstverständlich, gnädige Frau, sichtbar im Hintergrund«, sagte Klein, dem seine Anführerrolle zu gefallen schien, und gab Dengler und Olga mit einem Kopfnicken das Zeichen, ihm zu folgen. Sie verließen das Zimmer.

Es schneite immer noch, aber das würde die Gäste des heutigen Abends nicht stören. Der größte Teil der Wiese vor der Villa war mit einer riesigen durchsichtigen und kaum wahrnehmbaren Zeltplane überdacht, die von einer raffinierten, feingliedrigen Stützkonstruktion gehalten wurde. Zu dem großen, erleuchteten Pool im hinteren Teil der Parkanlage, die die Villa umgab, war ein – ebenfalls überdachter – Gang errichtet worden. Der Boden des Parks bestand aus grünem Gras. Dengler bückte sich, aber es gab keinen Zweifel: kurz geschnittener Rasen. Im Februar? Er fühlte über das Gras und stellte staunend fest: Die Gastgeber hatten den überdachten Teil mit Kunstrasen auslegen und wahrscheinlich auch eine Rasenheizung installieren lassen. Er wollte Olga darauf aufmerksam machen, blickte um sich, doch dann sah er, dass sie gerade in die Villa zurückging.

Links neben dem Garteneingang zur Villa stand ein Bühnenpodest, auf dem eine kubanische Band ihre Instrumente stimmte. Daneben war ein antiker Holztisch aufgebaut, auf dem verschiedene Bündel brauner, getrockneter Blätter lagen. Zwei junge, karibisch aussehende Frauen in sehr kurzen Röcken saßen an dem Tisch auf zwei Holzstühlen und unterhielten sich laut auf Spanisch.

»Tabak«, sagte Martin Klein, »Georg, du glaubst es nicht, aber das sind echte Tabakblätter.«

»Wozu?«

»Keine Ahnung. Aber es ist eindeutig Tabak«.

Auf der gegenüberliegenden Seite überprüfte ein Koch in schneeweißer Uniform das Büfett.

»Kommt mal bitte mit«, sagte Olga, die aus dem Haus getreten war.

Sie folgten ihr. Olga führte sie zielsicher durch einen Seitenflur und steuerte auf die Damentoilette zu, die sich am Ende des Flurs befand. Sie öffnete die Tür. Dengler und Martin Klein blieben stehen.

»Nun habt euch nicht so«, sagte sie und winkte die beiden Männer herbei, »kommt schon rein.«

Sie trat ein und winkte erneut. Dengler und Martin Klein folgten ihr zögernd.

Der Vorraum der Damentoilette war größer als Denglers Büro und Wohnung zusammen. Gegenüber einer Spiegelfront, die die gesamte Länge des Raumes einnahm, stand ein großer Holztisch mit Flaschen und Fläschchen in unterschiedlicher Farbe. Zwei Frauen saßen davor.

»Security Check«, sagte Olga zu den Frauen.

Und zu Dengler und Martin Klein gewandt: »Das sind zwei Maskenbildnerinnen aus dem Staatstheater. Sie kümmern sich um das Make-up der Damen, falls es heute Abend ein bisschen verrutscht. Und hier«, sie deutete auf eine große Zahl von Parfümflakons vor der Spiegelwand, »die Gastgeberin weiß natürlich nicht, welches Parfüm ihre Gäste benutzen. Deshalb hat sie sicherheitshalber die fünfzig teuersten hier deponiert.«

Sie hob einen Flakon mit goldgelber Flüssigkeit hoch.

»Und dort«, sie wies auf die Einbauschränke an der Seite, »sind von jeder Marke noch einmal mindestens dreißig Packungen drin. Vielleicht möchte ja ein Gast ein Parfüm mit nach Hause nehmen.«

Die beiden Maskenbildnerinnen kicherten, und Olga stapfte aus dem Raum. Dengler und Martin Klein folgten ihr zügig.

***

Um halb acht rief Dengler im Krankenhaus an. Seine Mutter lag noch immer auf der Intensivstation. Der Dienst tuende Arzt sagte ihm, er solle sich keine Sorgen machen. Sie sei noch schwach, aber ihr Zustand sei stabil. Morgen sei seine Mutter sicher wach.

Um Viertel vor acht trafen die ersten Gäste ein. In der Empfangshalle der Villa nahmen zwei Frauen den Gästen die Einladungen ab, zwei andere Mäntel, Hüte und Schals. Dengler und Klein hielten sich im Hintergrund, achteten aber darauf, dass sie von allen Ankommenden gesehen wurden. Im nächsten Raum, einer auf Barock getrimmten Prachthalle, begrüßten die Gastgeber ihre Gäste.

»Heidrun, ich liebe deine Feste«, rief eine neu angekommene Frau aus und küsste die Gastgeberin vorsichtig auf beide Wangen, »da kann ich endlich mal meinen Schmuck ausführen.«

Sie trug ein blitzendes Kollier über ihrem üppigen Dekolleté. Die Steine lagen in vier Halbkreisen angeordnet über künstlich gebräunter, bereits faltig gewordener Haut. Die Armreifen waren im gleichen Stil gearbeitet. An ihren Händen loderten Diamanten an mehreren Ringen.

Nach einer Weile kam Dengler zu der Einsicht, dass man die Frauen in zwei Kategorien unterteilen konnte: Die älteren Frauen, braun gebrannt, zeigten viel Haut und trugen Vermögen an Schmuck und Stoff. Einige von ihnen hatten sich sogar Steine in die durchsichtigen Absätze ihrer hochhackigen Schuhe einmontieren lassen. Die zweite Kategorie: Das waren junge Frauen, meist in Begleitung älterer Herren in dunkelblauen Anzügen und blauen Hemden oder Smokings. Auch sie wirkten auf bemerkenswerte Weise gleich: groß gewachsen, schlank, aber mit üppigen Oberweiten, blond, die Haare hoch gebunden, kurze, teure Röckchen. Das »kleine Schwarze« als Uniform, dachte Dengler. Sie waren nicht mit Schmuck behängt wie die älteren Frauen, sondern trugen meist nur ein oder zwei wertvolle Stücke um Hals oder Handgelenk, selten Ringe, und sie wirkten, als kämen sie auf Bestellung alle von der gleichen Begleitagentur.

Kurz nach halb neun, so schätzte Dengler, waren etwa 200 Personen eingetroffen. Sie versammelten sich alle vor dem Pool. Die Gastgeberin hielt eine Ansprache, und ihr Mann stand, ein Champagnerglas in der Hand haltend, neben ihr.

Kaum hatte sie ihre Rede beendet, erschien eine Kolonne von weiß befrackten Dienern und stellte weiße Stehtische auf den Rasen.

»Das Büfett ist eröffnet«, verkündete ihr Mann und trank sein Champagnerglas aus.

Dengler und Klein patrouillierten am Rand der Gesellschaft entlang.

»Wo ist Olga?«, fragte Georg Dengler, aber Martin Klein zuckte nur mit den Achseln.

Sie gingen hinüber zum Pool.

Es war ein King-Size-Pool, von innen erleuchtet. Obwohl es draußen schneite, war es unter der Überdachung dank zahlloser Heizstrahler so warm, dass man den Pool sofort hätte benutzen können.

Auf der Längsseite des Pools war ein Graben ausgehoben worden, einen halben Meter tief und einen Meter breit. Der Graben war mit einer blauen Plane ausgebettet und wurde ebenfalls von innen beleuchtet.

Das Wasser in diesem Graben muss Meerwasser sein, dachte Dengler, der nun davor stand, denn er sah kleine Rochen, einige Tintenfische und Makrelen. Zwei Doraden schwammen träge dahin, und einige Seeforellen schossen pfeilschnell an den Leuchten entlang, Hummer mit abgebundenen Scheren schienen sich ihrem Schicksal bereits ergeben zu haben, und Scharen von Langusten wedelten mit ihren überlangen Fühlern.

Dengler und Klein standen vor dem Graben und staunten über das Meeresgetier.

»Guten Abend, meine Herren, ich bin Fotis Timmitiotis, einer der Grillmeister. Was darf es für Sie sein?«

Dengler und Klein begriffen nicht, was der Mann wollte.

»Suchen Sie sich etwas aus«, sagte er.

Jetzt bemerkte Dengler, der Mann trug in der linken Hand einen Kescher.

»Suchen Sie sich etwas aus«, ermunterte sie der Mann, »ich fange es für Sie und bereite es zu.«

Er deutete auf einige große offene Feuer, die in der Nähe aufgebaut waren. Dort wendeten bereits drei weitere Grillmeister Fische im Feuer.

»Danke, danke. Vielleicht später«, sagte Klein und wandte sich an Dengler: »Ich weiß, ich weiß, wir sind im Dienst.« Er ging weiter.

Dengler folgte ihm.

Die kubanische Band setzte ein. Sie spielten Lieder vom Buena Vista Social Club. Sie spielten sie so gut, dass Dengler für einen Augenblick dachte, es wären die berühmten Künstler selbst. Die meisten Gäste schienen die Melodien zu kennen, denn hier und da wippte jemand mit dem Fuß. Eine Frau wiegte sich in der Hüfte.

Auch Klein schnalzte mit den Fingern. Dengler sah ihn ernst an, und Stein hörte sofort mit dem Schnippsen auf. Dann lachten sie beide.

Heerscharen von Kellnern in weißen Jacken liefen umher

und servierten das Essen. Wer nicht selbst zum Büfett gehen wollte, den fragten die Kellner nach seinen Wünschen.

»Wir machen ein ernstes Gesicht und gehen zwischen den Tischen umher«, sagte Klein und setzte eine Sonnenbrille auf.

»Sehe ich einigermaßen cool aus?«, fragte er Dengler.

»Harrison Ford würde vor Neid erblassen, wenn er dich sehen würde.«

An einem Tisch führte ein dicker Mann in einem weißen Smoking das große Wort.

»Meine Klinik ist die größte in ganz Deutschland«, sagte er in hohem und gespreiztem Tonfall. »Wir haben die Erfahrung. Jedes Jahr zwanzigtausend Brüste. Und zwei Ärzte, die das ganze Jahr über Fett absaugen. Das muss uns erst mal einer nachmachen.«

Er unterbrach sich und küsste einer blonden Frau die Hand.

»Liebe Frau von Baumagd, alles zu Ihrer Zufriedenheit?«

»Das sehen Sie doch, Professorchen, oder?«

»Martin, komm, lass uns weitergehen«, zischte Dengler seinen Freund an, der den Worten des Klinikchefs mit offenem Mund gelauscht hatte. Er schob Klein unsanft weiter.

Nach einer Weile sagte Dengler zu Klein: »Irgendetwas stimmt mit diesen Frauen nicht.«

Sie standen neben einem Tisch, an dem sich drei Frauen angeregt über die Qualität von in Delhi geschliffenen Diamanten unterhielten.

Auf den ersten Blick sahen sie aus wie all die anderen Frauen hier, viel Haut, viel Schmuck, extrem hochhackige Pumps, sie hätten nuttig gewirkt, wenn nicht alles an ihnen so teuer gewesen wäre.

»Botox«, sagte Olga, die plötzlich wieder neben ihnen stand, »das ist Botox.«

Dengler sah sie fragend an.

»Ein Nervengift«, sagte sie, »Botox. Heißt eigentlich Botulinumtoxin. Hemmt den Botenstoff Acetylcholin, der das

Signal des Nervs zur Muskelzelle vermittelt. Der betreffende Muskel wird daraufhin gelähmt.«

»Häh?«, sagte Martin Klein und nahm die Sonnenbrille wieder ab.

»Die Damen haben sich Botox in Stirn, Augen- und Mundwinkel spritzen lassen. Sie können, selbst wenn sie es wollten, die Stirn nicht mehr in Falten legen. Deshalb sind die Gesichter so schön glatt.«

Dengler sah genauer hin. Olga hatte Recht: Selbst bei den älteren Frauen war im Gesicht keine Falte zu sehen. Glatt wie Babypopos. Aber dennoch – irgendetwas an diesen Gesichtern wirkte befremdend, seltsam. Aber Dengler kam nicht dahinter.

»Allerdings können die Ladys beim Sprechen dann auch keinen oder kaum einen der vielen Gesichtsmuskel bewegen«, referierte Olga betont sachlich weiter.

Dengler sah noch einmal hin. Das war es. Die Frauen sprachen laut miteinander, aber in ihren Gesichtern rührte sich tatsächlich nichts. Keine Lachfalten, keine Grübchen, keine Mimik. Sie wirkten wie Fische, die nur die Münder aufmachen und wieder schließen können.

»Das ist doch alles nicht real«, murmelte Dengler und zog die anderen weiter. »Wenn du das hier alles aufschreibst«, sagte er zu Klein, »für deinen Krimi: Es wird dir kein Mensch abnehmen.«

Sie beobachteten die füllige Gastgeberin, die von Tisch zu Tisch wanderte, Bonmots und Komplimente verteilte.

»Tamara Pressluft. Ich liebe dicke Frauen«, murmelte Klein. Schließlich ein kurzes Auflachen am letzten Tisch, ein kurzes Winken, dann ging sie hinüber ins Haus. Drei Frauen eilten ihr nach, die Gruppe rauschte klimpernd und raschelnd an Dengler, Klein und Olga vorbei. Heidrun lief so schnell und zielstrebig, dass Dengler für einen Augenblick dachte, es sei etwas passiert. Er wartete einen Moment, dann folgte er ihnen.

Im Haus sah er die vier Frauen die Treppe zum ersten Stock hinaufgehen. Als er oben ankam, waren die Frauen verschwunden. Langsam ging er den Flur entlang und horchte, ob er irgendwo hinter einer der Türen ihre Stimmen hören konnte. Doch die Türen ließen keinen Laut nach außen.
Er schritt den Flur zurück.
Vor der letzten Tür hielt er inne. Er hatte ein dumpfes Geräusch gehört, und für einen Augenblick dachte er, jemand sei gefallen. Sofort dachte er an seine Mutter.
Er klopfte kurz und trat ein.
Die vier Frauen knieten vor einem langen, aber nicht sehr hohen Couchtisch, die Köpfe zusammengesteckt. Zwei von ihnen hatten glänzende Augen. Alle redeten laut und durcheinander und schienen bester Laune zu sein. Eine der Frauen hatte einen zusammengerollten Fünfhundert-Euroschein in der Hand, den sie zwischen den Fingern hielt wie eine Zigarette.
Auf der kompletten Länge des Tisches zog sich eine weiße Linie Kokain.
Die Gastgeberin winkte ihm fröhlich zu: »Wollen Sie auch?«
Dengler schüttelte den Kopf, zog sich zurück und schloss vorsichtig die Tür.

***

Zwei Trauben von männlichen Gästen hatten sich links neben der Band gebildet. Dengler schlenderte in diese Richtung. Klein erschien mit einem Teller voller Lachs und einem Berg von Kaviar. In der anderen Hand hielt er ein Champagnerglas.
»Kommst du mit deinen Studien voran?«, fragte Dengler.
Martin Klein lachte und trank das Glas aus.
Die Gäste umringten die beiden karibisch aussehenden Frauen an dem Tisch mit den Tabakblättern. Diese nahmen verschiedene Blätter, mischten und zerkleinerten sie und wickelten sie in ein bereitliegendes Deckblatt. Den letzten

Schliff gaben sie der Zigarre, indem sie sie mehrmals auf ihrem Oberschenkel rollten. Eine der beiden trug einen durchsichtigen Slip, und jedes Mal, wenn sie mit der rechten Hand eine Zigarre auf der Innenseite ihres Schenkels rollte, konnten die Umstehenden ihre kurz geschnittenen Schamhaare sehen. Und jedes Mal kommentierten die umstehenden Männer diesen Vorgang mit einem Raunen.

Die Kellner trugen das Essen fort, und die Band spielte lauter. Trotzdem tanzte niemand.

Die Gäste standen zusammen und redeten, aber sonst herrschte nur Öde, und Dengler langweilte sich. Er drehte seine Runden und schwieg.

Eine Stunde später leerte sich die Party.

Martin Klein gesellte sich zu ihm.

»Meinst du nicht auch«, fragte er, »dass das viele Geld bei den Reichen schlecht angelegt ist?«

Dengler nickte. Der Frau, in deren Wohnung er mit dem Wiesel eingedrungen war, hätte ein Bruchteil davon zu einem sorgenfreien Leben verholfen.

Später stellte die Band ihre Arbeit ein. Aus der Lautsprecheranlage dröhnte Tom Jones' »Sex Bomb«. Niemand nahm davon Notiz. Die Hausherrin legte das gleiche Lied noch einmal auf und drehte sich im Kreis. Sie hatte die Arme erhoben wie eine Flamencotänzerin, drehte den Kopf zur Seite und versuchte auch die stampfenden Schritte dieses Tanzes anzudeuten.

»Wenn du mich fragst: wie ein Teletubbie auf Drogen ...«, knurrte Klein.

Heidrun winkte den anderen restlichen Gästen zu: Tanzen Sie, tanzen Sie doch. Doch nur ein lesbisches Paar kam dazu, und nun drehten sie sich zu dritt im Kreis.

Sie mussten noch zwei Stunden warten, bis der letzte Gast aufbrach: ein sturzbetrunkener Mann mit seiner ebenfalls betrunkenen Frau, die in ein Taxi verfrachtet wurden. Der Fahrer weigerte sich zunächst, diese Gäste zu befördern, doch der Hausherr überzeugte ihn mit einigen Geldscheinen.

Georg nutzte die Situation, um sich von ihm auf dem Formular von *Nolte & Partners* seine Dienste quittieren zu lassen.

Dann verließen sie die Villa und setzten sich in den Audi.

»Ich bin sicherer denn je, dass ich den ehrlichsten Beruf ausübe, den es gibt«, sagte Olga auf dem Rücksitz.

Dengler fuhr los.

»Martin, ich brauche eine Wirtschaftsauskunft. Kennst du jemanden, der sich damit auskennt?«, fragte er nach einer Weile.

Klein gähnte: »Ich stehe noch völlig unter Schock. Aber was willst du denn wissen?«

»Ich brauche Informationen über die wirtschaftliche Situation eines Hotels.«

Klein kratzte sich am Kopf.

»Ich kenne einen Wirtschaftsredakteur«, sagte er, »eines der Blätter, die meine Horoskope drucken. Ist ein netter Kerl. Wahrscheinlich hat der Zugang zu den Schimmelpfeng-Datenbanken. Ich kann ihn morgen Abend ins *Basta* einladen.«

Dengler nickte.

Sie bogen auf die B27 ein, und keiner von ihnen sprach mehr ein Wort.

19. Denglers Wecker klingelte um halb sieben

Denglers Wecker klingelte um halb sieben. Im Traum hatte er eine Fledermaus über einen unendlichen langen Tisch flattern sehen, auf dem sich eine ebenso lange Linie Kokain hinzog. Von Zeit zu Zeit schoss die Fledermaus hinunter und zog im Fliegen eine Prise in das weit geöffnete rechte Nasenloch. Die Gastgeberin mit den rosigen Schultern schaute zu, und ihre Nase glich der eines Schweins, so riesig waren ihre Nasenlöcher vergrößert. Sie applaudierte der Fledermaus, die nun den Graben mit dem Salzwasser entlangflog. Von weitem sah er Christiane mit einem Glas Champagner stehen, und er wusste sofort, die Fledermaus wollte ihr in den Hals beißen wie ein Vampir. Er rannte los, um sie zu retten, aber er kam nicht von der Stelle.

Der Wecker klingelte immer noch. Er erwachte. Brust und Gesicht nass vom Schweiß.

Er stand mühsam auf und schleppte sich hinüber ins Badezimmer. Mit der linken Hand hielt er sich am Rand des Waschbeckens fest und betrachtete sich im Spiegel. Er sah sein Gesicht mit den Stoppeln zweier Tage. Seine Augen waren müde und rot. Sein Blick gefiel ihm nicht. Er überlegte, woran es lag, und dann bemerkte er, dass das Weiß der Augen mit kleinen roten Äderchen durchzogen war.

Junge, du bist völlig hinüber.

Er ging ins Wohnzimmer und legte eine Junior-Wells-CD ein.

Help me,
I can't all do by myself

Juniors minimalistische Mundharmonika kletterte die Tonleiter hinauf, ließ sich fallen, kletterte erneut, fiel, begann von vorne und dies alles mit einer heiteren Gelassenheit, die nichts mit der Mühsal des Sisyphus zu schaffen hatte.

Dengler mochte diese Aufnahme besonders: Es war ein Live-Konzert in dem Chicagoer Club *Buddy Guys Legend*. Bald würde er nach Chicago reisen und selbst diesen Club besuchen. Junior sang und spielte, nur begleitet von einer Orgel.

Denglers Laune stieg.

Er ging zurück ins Bad und wusch sich das Gesicht. Dann duschte er. Das heiße Wasser weckte ihn endgültig auf. Es war ihm, als sähe er durch den dünnen Wassernebel Christiane nackt neben sich stehen. Er spürte, wie diese Vorstellung ihn erregte. Er hielt die Augen geschlossen und sah Christiane vor sich, die ihn lächelnd ansah. Dann verwandelte sich die Frau in Olga. Dies irritierte ihn, er versuchte, sich Christianes Gesicht zurück ins Gedächtnis zu rufen, aber es gelang ihm nicht. Bald wusste er nicht mehr, wer die Frau gewesen war, die er sich vorgestellt hatte.

Nachdem er sich abgetrocknet hatte, ging er nackt zurück ins Wohnzimmer. Junior spielte das schnellere »What My Momma Done Told Me«.

Dengler begann mit seinen morgendlichen Kniebeugen. Hin und wieder sah er zu der Madonnenstatue an der Wand, von deren Holz die blaue Farbe fast vollständig abgeplatzt war. Und er fragte sich, ob Olga noch schlief.

★★★

Vom *Basta* aus ging er hinüber in *Brenners Bistro*. In der Nacht war wieder Schnee gefallen, Bürgersteige und Straßen strahlten in reinstem Weiß. Nur vor dem *Brenners* hatte man den Schnee zur Seite geräumt, auf zwei große Haufen. Er bestellte einen doppelten Espresso mit etwas Milch und blätterte in den ausliegenden Tageszeitungen.

Der amerikanische Präsident besuchte Europa. Noch nie in der europäischen Geschichte gab es einen vergleichbaren Sicherheitsaufwand. In Brüssel schweißten Sicherheitsleute alle Kanaldeckel zu, in Mainz durften sich die Bewohner der

Innenstadt nur mit Sonderausweisen aus ihren Häusern bewegen. 30 Millionen Euro gab die Bundesregierung für die Sicherheit eines der meistgehassten Politiker der Welt aus. In Slowenien wurde er tags darauf empfangen, als sei der Messias erschienen. Der Ministerpräsident von Luxemburg, Jean-Claude Junkers, erklärte, wenn Dummheit tödlich wäre, läge Brüssel voller Leichen.

Dengler sah auf die Uhr. Er musste sich beeilen.

***

Um elf Uhr wurde Georg Dengler von einer brünetten Sekretärin in das Besucherzimmer des Notars Dillmann in Bruchsal geführt.

Sie brachte ihm eine Tasse Kaffee und die aktuelle Ausgabe der *Badischen Neuesten Nachrichten*. Dann ließ sie ihn allein.

Er wusste nicht mehr genau, wie lange er gewartet hatte, als sie wieder eintrat und ihn in ein Büro bat.

Hinter dem Schreibtisch saß ein alter Mann in einem blauen Anzug. Seine linke Hand lag auf der Schreibtischplatte, die rechte in seinem Schoß. Seine Schultern schienen vor seiner Brust zusammenklappen zu wollen, und der große Kopf war zu schwer für den dünn gewordenen Körper. Es strengte ihn an, so dazusitzen, doch seine braunen Augen wirkten wach und interessiert. Sie quollen aus den Augenhöhlen hervor. Vor ihm auf dem Schreibtisch lag eine rote Mappe.

Mit einer knappen Geste deutete er auf den Besucherstuhl. Dengler setzte sich ihm gegenüber. Der ehemalige Notar musterte ihn interessiert.

»Sie wühlen in alten Sachen«, sagte Herr Dillmann und blies etwas Staub von der roten Akte.

»Sie sind Heinz Dillmann, und Sie haben den Vertrag zwischen Volker Sternberg und Kurt Roth beurkundet«, sagte Dengler.

Der alte Mann nickte.

»Das Schlosshotel wurde ohne erkennbare Gegenleistung an

Kurt Roth übertragen. Wissen Sie, warum?«, fragte Dengler.

Der alte Notar dachte nach.

Dengler wartete.

Nach einer Weile befürchtete er, sein Gegenüber sei in eine Art Trance gefallen, und sah dem Mann in die Augen. Sie standen offen, und die Basedow'sche Krankheit schien sie noch mehr aus den Augenhöhlen herauszudrücken.

»Erinnern Sie sich an den Vorgang?«, setzte Dengler nach.

»Es ist lange her«, sagte der alte Mann, »damals war ich sehr jung.«

»Aber es war doch sicherlich gerade 1947 ungewöhnlich, eine Immobilie zu verschenken. War Volker Sternberg denn ein so freigiebiger Mensch?«

Der alte Notar verzog das Gesicht, aber wegen der vielen Falten konnte Dengler nicht erkennen, ob es ein schmerzliches oder ein amüsiertes Grinsen war, das sich über das greise Gesicht Dillmanns zog.

»Ich kannte die Motive meiner Kunden nicht immer«, sagte Dillmann, »und in diesem speziellen Fall ... Es ist einfach zu lange her. Damals ...«, er beugte sich vor, »galt ja noch Besatzungsrecht.«

»Das bedeutet ...?«, fragte Dengler.

»Schwierige rechtliche Lage. Alles brauchte den Stempel des Stadtkommandanten. Erst den des französischen Stadtkommandanten, dann den des amerikanischen.«

Er schob die rote Akte über den Tisch. Dengler nahm sie und blätterte darin. Den Vertrag kannte er. Doch die vor ihm liegende Fassung trug zusätzlich zum Notarsiegel noch Stempel und Unterschrift des amerikanischen Stadtkommandanten.

»Die Zusatzvereinbarung«, sagte Dengler, »ich vermisse die Zusatzvereinbarung, von der hier die Rede ist.«

Er schob die Akte wieder über den Tisch zurück.

Der alte Notar nahm sie an sich und erhob sich schwerfällig.

Sofort kam die braunhaarige Sekretärin herein und nahm ihn am Arm. Langsam ging er einige Schritte und wandte sich dann zu Dengler um.

»Junger Mann«, sagte er, »lassen Sie die Dinge auf sich beruhen. Da liegt kein Segen drauf. Das ist alles lange her. In einer anderen Zeit, für die meisten Menschen in einem anderen Leben. Nehmen Sie dies als Rat eines alten Mannes, der es gut meint.«

Dann führte ihn die Sekretärin langsam hinaus.

Hier ist etwas oberfaul, dachte Dengler.

20. Einer plötzlichen Eingebung folgend

Einer plötzlichen Eingebung folgend fuhr er nach Gündlingen. Es war halb eins, als er den Audi auf dem Firmenparkplatz abstellte und sich am Empfang der Firma *Sternberg Befestigungssysteme* meldete. Nein, Frau Sternberg sei nicht da. Ihr Bruder sei in seinem Atelier.

Robert Sternberg saß in dem dritten Raum auf dem Boden. Rings um ihn lagen zahllose farbige Stäbchen. Seine Haare waren zerzaust. Er steckte Stäbchen in eine Konstruktion, die dem Eiffelturm ähnlich sah. Doch dieser Turm neigte sich bedenklich nach rechts.

»Es ist eine große Scheiße«, begrüßte ihn Sternberg.

Dengler runzelte die Stirn.

»Die Stäbchen, die die neuen Maschinen ausspucken, verhalten sich nicht wie geplant. Sobald eine Konstruktion mehr als zwölf Stäbchen übereinander aufweist, biegt sich das Ganze unter seinem Eigengewicht. Absolut katastrophal.«

»Soll das der Eiffelturm sein? Das Ding sieht eher aus wie der schiefe Turm von Pisa.«

»Keine Witze. Die Maschinen zur Serienproduktion sind bestellt. Die Markteinführung ist geplant, Prospekte gedruckt, wir haben sogar einen Fernsehspot gedreht. Meine Schwester ist auf hundertachtzig. Es ist eine einzige, große Scheiße.«

»Kommen Sie, wir gehen Mittagessen.«

»Das ist heute die erste gute Idee in diesem Raum«, brummte Sternberg.

Er erhob sich schwerfällig und klopfte sich den Staub von der Hose. Er folgte Dengler zum Wagen.

»Wo fahren wir eigentlich hin?«, fragte er nach einer Weile.

»Zum Schlosshotel«, sagte Dengler.

21. Im Schatten des Waldrandes

Im Schatten des Waldrandes legte er den Fallschirm zusammen. Dann bog er die Äste eines Weißdornbusches hoch und schob das Seidenbündel darunter.

Steven Blackmore orientierte sich.

Die Mustang musste weiter oberhalb des Waldrandes in die Bäume gestürzt sein. Blackmore prüfte den Stand der Sonne. Nachdem er sich seiner Sache sicher war, machte er sich auf den Weg bergauf. Er bewegte sich leise durch das Unterholz und stieß nach wenigen Minuten auf einen kleinen Pfad. Die meisten weißen Piloten trugen unter der Fliegeruniform zivile Anzüge. Dies sollte ihnen den Weg durch die feindlichen Reihen erleichtern, falls sie hinter den Linien der Deutschen abgeschossen wurden. Blackmore war schwarz. Ihm würde zivile Kleidung nichts nützen. Er mied den Waldweg und bewegte sich vorsichtig waldaufwärts. Vorsichtig nutzte er die Deckung der Bäume, nutzte den Schatten und wich den hellen Stellen aus, jenen, die die Sonne an diesem schönen Frühlingstag ausleuchtete. Er sah die ersten Löwenzahnblüten und hörte das Klopfen des Spechtes und dachte an seine Frau und seinen Sohn in Chicago.

***

Seit er Koko geheiratet hatte, wohnten sie in dem Haus Ecke Kensington und Kedzie Street im Süden Chicagos. Dort war sie nun allein mit Amos, ihrem gemeinsamen Sohn. Wenn er hier heil rauskam, würde er bald wieder bei seiner Familie sein. Er mochte das Haus in *South Side Chicago*. Mitten im Getto. Inmitten all seiner Brüder, die wie er aus dem Süden geflohen waren und nun in Chicago lebten. Hier gab es alles, was er im Leben liebte. In der *Palm Lounge* hörten sie Jazz. Man zog sich samstags fein an und ging aus. Koko trug dann dieses unglaubliche Ding mit den Federn, die ihr vom Kopf abstanden und die sich im gleichen Takt bewegten wie sie, wenn sie ging oder wenn sie tanzte. Mein Gott, rosa Federn, jeder sah sich nach ihr um.

Wenn ihnen nach Blues zumute war, besuchten sie die *Pepper's Lounge*, dort spielten die Verrückten aus dem Süden, droschen auf ihre Gitarren ein und sangen von Heimweh und all den Sachen. Gott ja, sie alle waren aus dem Süden geflohen und hatten doch Heimweh danach. Wenn es dort unten im Delta keine Weißen geben würde, es wäre eine prima Gegend. Aber so? So zogen die Schwarzen nach Norden, nach Detroit oder eben nach Chicago. Hier ließen einen die Weißen in Ruhe und knüpften einen nicht grundlos auf. Hier brauchten sie wenigstens einen Gerichtsbeschluss.

Steven Blackmore bückte sich und hob ein Blechteil auf. Es stammte vom Heckleitwerk seiner Maschine. Vorsichtig ging er weiter. Er fand den Verschluss eines seiner Bord-MGs, und dort lagen einige Patronen auf dem Waldboden. Er schlich weiter den Berg hinauf. Von der Anhöhe konnte er über das Tal sehen, immer noch stiegen Flammen und schwere schwarze Wolken aus dem Zielgebiet.

Blackmores Onkel John stammte aus dem Delta wie die ganze verdammte riesige Familie. Er war der älteste von sechs Brüdern seines Großvaters. Onkel John hatte bereits im Ersten Weltkrieg gegen die Deutschen gekämpft. Blackmore erinnerte sich noch, dass er sie nach Kriegsende besucht hatte. In Uniform, die Brust mit Orden behängt, sah er aus wie ein Weihnachtsbaum. Alle in der Familie waren stolz. Sie führten ihn herum, die Nachbarschaft kam, es wurde gekocht, getrunken und getanzt. Onkel John war der Hit. Wenn einer von uns so dekoriert aus dem Krieg zurückkommt, so gab das den anderen Hoffnung. Hoffnung, dass die Schwarzen endlich leben könnten wie Menschen, ihre Kinder erziehen könnten wie Menschen, essen könnten wie Menschen, Schulen haben könnten wie Menschen, Arbeit finden würden wie

Menschen und sterben könnten wie Menschen. Zumindest das Letztere war Onkel John nicht vergönnt gewesen. In Clarksdale, wo er mit seiner Frau wohnte, passten ihn die Weißen ab und knüpften ihn an eine stabile Pappel. In Uniform und mit allen seinen Orden.

Für Steven Blackmores Vater gab der Mord an seinem Bruder den letzten Grund, den Süden zu verlassen. Er verkaufte sein Holzhaus viel zu billig an einen der schwarzen Fuselhändler. In Chicago wohnten sie zunächst bei Verwandten in einer Seitenstraße der Maxwell Street, bevor sie nur drei Blocks entfernt eine eigene Wohnung fanden.

Sein Vater wurde Lastkraftwagenfahrer bei der Minnesota Steel Company. Er fuhr die riesigen Stahlträger von Chicago aus in alle Städte Amerikas. Nur nach Mississippi fuhr er nie wieder.

Seine Mutter lehrte Steven die Liebe zur Literatur. Sie brachte ihm das Lesen bei, ehe er zur Schule kam. Und sie war sehr stolz gewesen, als er sich auf der University of Chicago einschrieb: Studium der amerikanischen Literatur. Sein Vater wusste mit seiner Leidenschaft wenig anzufangen. Doch beide hatten ihre beste Kleidung angezogen, als er die Aufnahmeprüfung zur Ausbildung in Tuskegee bestand. 98 von 100 möglichen Punkten. Ihr Sohn würde Pilot werden und als Pilot seinem Land dienen. Sie reisten nach Tuskegee, als er die Pilotenprüfung bestanden hatte und zum Leutnant befördert wurde. Es geht doch voran mit unserem Volk, hatte sein Vater ihm zugeflüstert, und du bist ganz vorne mit dabei.

Als Nächstes fand Steven Blackmore ein Stück des Propellers. Er war genauso bizarr verformt, wie er ihn zuletzt noch in der Luft gesehen hatte. Der Propeller hatte die Stämme zweier kleiner Fichten durchtrennt und sich dann tief in den moosbewachsenen Boden gerammt.

Blackmore stand still und lauschte, doch er hörte nur den Gesang eines Pirols. Vorsichtig stieg er weiter den Berg hinauf.

Blackmore war in der ersten Ausbildungsstaffel von Tuskegee. Die besten schwarzen Collegeabsolventen wurden 1941
in den kleinen Ort in Alabama einberufen. In Chicago besaß er noch das Bahnticket erster Klasse, aber kaum hatte
der Zug die Grenze nach Alabama überquert, schmissen ihn
weiße Schaffner aus dem Waggon. Er musste sich auf die
Holzbänke des Wagens direkt hinter der Lok zwängen, dort,
wo den schwarzen Passagieren die Funken und der Kohlen-
staub um die Ohren flog.

Blackmore wusste genau, dass das Tuskegee-Projekt innerhalb der Luftwaffenführung umstritten war. Viele, wenn
nicht die meisten der weißen Offiziere dachten, dass Schwarze nicht fliegen könnten. Immer wieder war von so genann-
ten wissenschaftlichen Gutachten der besten Professoren
des Landes die Rede, Gutachten von weißen Professoren
natürlich: Sie schrieben, den Schwarzen fehle es an Gehirn-
menge, ihre Kapillargefäße seien zu eng, alles fehle ihnen,
um ein kompliziertes Fluggerät zu steuern und dabei noch
einen Luftkampf zu bestehen.

Er schaffte es, wie die meisten der anderen Kadetten. Dann
aber weigerte sich die Generalität, die schwarzen Flieger
einzusetzen. Diese hingen auf dem Stützpunkt herum, ab-
solvierten ihre Flugstunden, aber niemand schien daran zu
denken, ihnen die Chance zu geben, ihre Fähigkeiten im Einsatz zu erproben.

Bis zu dem Tag, an dem die Wagenkolonne aus Washington
eintraf.

Die weißen Offiziere hatten den ganzen Standort antreten
lassen, als die alte Lady aus dem schwarzen Cadillac aus-
stieg. Es dauerte eine Weile bis Blackmore klar wurde, wer
Tuskegee besuchte – Eleanor Roosevelt, die Frau des Präsidenten der Vereinigten Staaten von Amerika. Sie ließ sich
die Einrichtungen erklären und wollte dann eine Runde
über den Flugplatz fliegen. Der Kommandeur wies ihr einen der weißen Ausbilder als Piloten zu, aber sie deutete

auf Blackmore, der in der vordersten Reihe der Kadetten angetreten war.

»Kann ich nicht mit ihm fliegen?«, fragte sie.

Schweigen bei den Offizieren.

»Haben Sie die jungen Kadetten nicht ausreichend genug ausgebildet?«, fragte die Lady.

Und so flog er mit der Gattin des Präsidenten der Vereinigten Staaten von Amerika drei große Runden über den Flugplatz und legte die beste Landung seiner Karriere hin.

Vier Wochen später wurden sie nach Übersee verschifft, zunächst nach Afrika, dann nach Italien und ein paar Mustangs nach Toul-Ochey. Er würde für seine drei Abschüsse das *Distinguished Flying Cross* erhalten, den Tapferkeitsorden der Luftwaffe. Wie Onkel John würde er aussehen, wenn er nach Chicago zurückkäme, behängt mit Orden und Auszeichnungen.

Dann fiel ihm die Schlägerei im Kasino wieder ein. Er setzte sich auf einen Stein und fühlte sich plötzlich müde: In der Luft sind wir Helden, dachte er, und auf der Erde nichts als Nigger.

Er stand auf und hörte plötzlich ein Geräusch. Scharrend wie Blech auf Blech. Blackmore erhob sich vorsichtig und versteckte sich hinter dem Stamm einer Buche.

22. Dengler parkte am Straßenrand

Dengler parkte am Straßenrand vor dem Schlosshotel. Auf dem Bürgersteig lag eine dünne Schneedecke.

»Dies ist das Objekt Ihrer Begierde«, sagte er und stieg aus. Robert Sternberg folgte ihm und musterte das Gebäude mit zusammengekniffenen Augenwinkeln.

»Wir sind hier einmal vorbeigefahren, sonst nie hier gewesen. Auch nicht mit Großvater. Dem hat das schließlich einmal gehört. Aber er hat nie ein Wort darüber verloren.«

Er schüttelte den Kopf.

Im Restaurant gab es nur noch einen freien Tisch direkt an der Tür. Sie hängten ihre Mäntel an die Garderobe und setzten sich.

Das Lokal war gut besucht. An allen Tischen saßen Gäste. In dem offenen Kaminofen drehten sich drei große Rollbraten über der Glut. Die Tochter von Kurt Roth eilte durch den Saal und stellte große Teller mit Fleischscheiben, Kartoffeln und kleinere Teller mit Rettichsalat auf die Tische. Eine ältere Frau, die ihr ähnlich sah, kassierte an einem anderen Tisch. Hinter der Theke stand Kurt Roth und zapfte Bier. Der alte Mann mit der Schiebermütze saß an seinem runden Tisch neben der Tür und hatte wieder eine Flasche Bier in einem Wärmebad vor sich stehen.

Eine familiäre Stimmung herrschte in dem Lokal, die entspannte Atmosphäre eines gemeinsamen Essens unter Freunden. Dengler fühlte sich erinnert an den morgendlichen Betrieb im Frühstücksraum der Pension seiner Mutter, den er bei seinen seltenen Besuchen in Altglashütten erlebt hatte. Auch dort saßen morgens einander fremde Menschen fröhlich beisammen, schmierten sich Brötchen und Brote für die bevorstehende Wanderung, tranken Kaffee oder Tee, blätterten in ihren Wanderkarten und planten ihre Routen. Essen und Trinken hält nicht nur Leib und See-le zusammen, sagte seine Mutter immer, es bringt auch die Leute zusammen. Eine gute Suppe hätte schon manchen Krieg verhindern können.

Sternberg blätterte in der Speisekarte.

»Sie haben hier eine Spezialität aus Idar-Oberstein«, sagte er, »Spießbraten. Direkt über dem Feuer gebraten. Nicht mal teuer. Wird mit Rettichsalat serviert.«

Unschlüssig legte er die Speisekarte zur Seite.

Die junge Frau kam an ihren Tisch. Dengler und Sternberg bestellten jeder eine Scheibe Spießbraten mit Rettichsalat und eine Portion Bratkartoffeln sowie eine Flasche Mine-ralwasser. Sie nahm die Bestellung auf, und nichts in ihrem Gesicht ließ erkennen, dass sie Georg Dengler wiederer-kannte.

Dengler berichtete Sternberg von seinem ersten Besuch im Schlosshotel. Sternberg hörte aufmerksam zu und schüttelte am Ende von Denglers Bericht den Kopf.

»Ich verstehe nicht, warum mein Großvater so ein Ge-heimnis um diesen Verkauf oder diese Schenkung gemacht hat.«

»Vielleicht hat er ein nichteheliches Kind in diese Familie ge-bracht«, sagte Dengler.

Sternberg schien nachzudenken.

»Vielleicht«, sagte er, »aber – er hätte mit uns darüber reden können. Später. Als Ilona und ich erwachsen waren.«

Er sah zu der jungen Frau hinüber, die am Nachbartisch ein Tablett mit vier Portionen Spießbraten abstellte.

»Das wäre dann meine Stiefschwester«, sagte er. »Respekt, lieber Großvater.«

Dengler sah verstohlen zu Kurt Roth hin, der einen Braten samt Spieß vom Feuer genommen hatte und hinüber zu ei-nem Tisch neben der Theke trug. Mit einer riesigen Gabel zog er das Fleisch herunter, und mit einem großen Messer schnitt er einzelne Scheiben des Spießbratens ab und legte sie auf bereitstehende Teller. Dengler war sich sicher, dass der Mann sie dabei ständig beobachtete.

Seine Tochter brachte ihnen zwei Portionen. Dengler konnte sich nicht erinnern, jemals so wohlschmeckendes Fleisch gegessen zu haben.

Sternberg schnitt sich ein großes Stück ab.

»Esse sonst wenig Fleisch«, sagte er, »aber das hier ...«, er deutete auf seinen Teller, »das ist wirklich klasse.«

Nach einer Weile leerte sich das Restaurant. Nur noch wenige Gäste saßen auf den Stühlen, einige tranken Kaffee, zwei Männer rauchten.

Dengler beobachtete Kurt Roth. Der Mann hinter der Theke ließ sie nicht aus den Augen.

Sternberg saß neben ihm, vollständig auf den Spießbraten konzentriert. Als die junge Frau den Nebentisch abräumte, winkte er sie heran und bat sie um einen weiteren Teller Rettichsalat.

Später bestellte Dengler zwei Tassen Kaffee. Nachdem die junge Frau ihnen die Tassen gebracht hatte, bat Sternberg sie noch einmal an den Tisch.

»Der Rettichsalat war hervorragend«, sagte er. »Verraten Sie mir, wie er zubereitet wird?«

Die Frau sah ihn einen Augenblick überrascht an. Dann setzte sie sich auf einen Stuhl.

»Es ist ganz einfach. Rettich, Sahne, Salz und Pfeffer.«

Dengler betrachtete sie. Die Tochter Kurt Roths mochte die Dreißig überschritten haben. Sie trug dunkelblaue Cordjeans und braune Boots, ein weißes T-Shirt und einen eng anliegenden rosa Pullover. Sie hatte blonde Haare, die sie zu einem Pferdeschwanz zusammengebunden hatte, der ihr bis auf die Schultern fiel. Ihre Augen waren wach und blickten Robert Sternberg skeptisch, aber dennoch freundlich an.

»Maria!«

Kurt Roths Stimme klang schneidend durch den Saal.

Die junge Frau erklärte Sternberg gerade, wie wichtig es sei, den Rettichsalat mindestens eine Stunde lang ziehen zu lassen. Sie erhob sich langsam von ihrem Stuhl und ging hinüber zur Theke, wo ihr Vater sie erwartete.

Dengler beobachtete, dass Kurt Roth unsanft ihren Oberarm ergriff und sie festhalten wollte. Doch sie riss sich frei und antwortete ihm schnell etwas, jedoch so leise, dass Dengler sie nicht verstand. In diesem Augenblick bedauerte er, dass er das Lippenlesen wieder verlernt hatte. Beim Bundeskriminalamt hatte er mehrere Lippenlese-Kurse besucht, sie gehörten zu seiner Ausbildung als Zielfahnder. Doch mit dieser Kunst war es wie mit jeder Fremdsprache: Wenn sie nicht geübt wird, wird sie vergessen. In einer seiner nicht ausgepackten Umzugskisten mussten sich noch die Videobänder befinden, mit denen er damals geübt hatte. Er nahm sich vor, die Bänder zu suchen und erneut zu üben.

Sternberg hatte seinen Kaffee ausgetrunken.

Er suchte Blickkontakt zu der jungen Frau und rief: »Zahlen, bitte!«

Sie wollte gerade losgehen, doch ihr Vater hielt sie mit einer Handbewegung zurück.

Kurt Roth kam selbst an ihren Tisch.

Er setzte sich auf den freien Stuhl, auf dem seine Tochter gesessen hatte.

»Sie wollen zahlen?«

Sternberg nickte und bedeutete Dengler, dass er die Rechnung übernehmen wolle.

Kurt Roth zog einen kleinen Block aus der Tasche, notierte einige Zahlen und addierte sie.

»28 Euro 50«, sagte er.

Sternberg legte 32 Euro auf den Tisch.

»Darf ich vorstellen?«, sagte Dengler. »Das ist Kurt Roth, der dieses Hotel überschrieben bekam, als er fünfzehn Jahre alt war.« Und zu Kurt Roth gewandt: »Und das ist Robert Sternberg.«

Roth schob das Geld in eine breite schwarze Geldbörse.
Dann sah er Robert Sternberg an.

»Wie geht es Ihrem Vater?«, fragte Roth.

»Sie kennen meinen Vater?«, fragte Sternberg verblüfft.

Roth nickte.

»Sehr gut sogar«, sagte er.

23. Vor ihm lag das Cockpit

Vor ihm lag das Cockpit. Die Spitze der Mustang hatte sich zwei Meter tief in den Waldboden gerammt. Direkt hinter dem Pilotensitz war die Maschine auseinander gebrochen, von dem hinteren Teil des Rumpfes war nichts zu sehen. Beide Tragflächen fehlten. An ihrer Stelle ragten zwei kurze Stahlstummel aus dem Rumpf, sie schienen das Eindringen in den Waldboden gebremst zu haben.

Wieder hörte er ein Geräusch. Eine Stimme?

Zunächst dachte er, er habe sich verhört. Lauschte nun konzentrierter. Doch dann war er sich sicher: Er hatte eine Kinderstimme gehört.

Tatsächlich tauchte ein Jungengesicht aus dem Cockpit auf. Dann noch ein zweites. Die beiden Buben durchsuchten die Trümmer seines Flugzeuges.

»Guck mal, was ich gefunden habe«, rief der Größere der beiden und schwenkte eine Dose.

Meine Kekse und die Schokolade.

Den Verlust der Notration konnte er verschmerzen, auf jeden Fall aber brauchte er die Mappe mit den Karten und dem Kompass.

Einer der beiden Buben verschwand erneut im Cockpit.

Blackmore wartete. Er hörte, wie sie sich innerhalb des Rumpfs unterhielten. Dann tauchten sie wieder auf. Der Größere sprang auf den Boden, der Zweite hinterher. Sie knieten im Gras nieder, und der erste öffnete die Dose mit den Keksen.

»Schau mal, was ich hier habe!«

»Auf keinen Fall essen!«, rief der Kleinere. »Das haben die bestimmt vergiftet.«

»Warum sollen die das denn vergiftet haben …«

Der Junge riss die Verpackung auf.

»Damit sie uns umbringen können, du Quatschkopf. Iss es bloß nicht.«

»Meinst du, die würden sich extra abschießen lassen, damit Jungs wie wir vergiftete Lebensmittel finden und dann an Durchfall sterben?«

Er biss ein Stück von dem Keks ab.

Steven Blackmore sah genau, wie der kleinere Junge den größeren ängstlich beobachtete.

»Schmeckt gut«, sagte dieser und biss in einen weiteren Keks. »Guck mal hier – Schokolade.«

»Lass mich auch mal beißen«, sagte der kleinere Junge, und nun balgten sie sich um die Dose.

Es schien ihnen zu schmecken. Als sie die Notration vertilgt hatten, kletterten sie wieder in den Rumpf, untersuchten das Cockpit erneut, fanden aber keine weiteren Lebensmittel. Enttäuscht sprang der größere Junge aus dem Wrack, der andere Junge folgte.

In der Hand hielt er die Mappe mit den Karten.

Damit dürfen sie auf keinen Fall verschwinden.

»Hello!«, sagte Steven Blackmore und trat hinter dem Baum hervor.

★★★

Die beiden Buben sprangen auf, als sei ihnen der Leibhaftige erschienen.

»My map«, sagte der schwarze Pilot und streckte die Hand aus.

Die Jungen rührten sich nicht.

»My map«, wiederholte er und ging einen Schritt auf die beiden Buben zu.

Zu seiner Überraschung sah er, wie sich der Hosenstoff an der Schenkelinnenseite des kleineren Jungen dunkel färbte.

Er pisst sich in die Hose, dachte Blackmore belustigt. Daran sollten sich die Weißen in den Südstaaten mal ein Beispiel nehmen.

»Nix wie weg«, schrie der Ältere und rannte los. Der kleinere Junge folgte ihm.

Auch Blackmore rannte.

Nach wenigen Schritten hatte er den kleineren Jungen eingeholt, noch im Laufen gab er ihm einen kleinen Stoß mit der rechten Handfläche. Der Junge fiel der Länge nach auf den Waldboden. Blackmore bückte sich und nahm ihm die schwarze Mappe mit den Karten und dem Kompass aus der Hand. Dann richtete er sich auf. Der Junge lag vor ihm, mit geschlossenen Augen, und wimmerte leise.

Blackmore hob ihn hoch, stellte ihn auf die Beine und ging vor ihm in die Hocke.

Der kleine Kraut zitterte vor Angst.

»It's o. k., Buddy«, sagte Blackmore grinsend, »go away.«

Er gab dem Buben einen Klaps auf den Hintern, aber der rührte sich nicht. Seine Lippen waren blau angelaufen und die Zähne klapperten.

Hinter Blackmore schrie etwas auf. Er drehte sich um. Der ältere Junge schoss hinter einem Baum hervor und stieß ein gellendes Geheule aus. Er rannte auf den kleineren Jungen zu, schnappte seine Hand und zog ihn mit sich weg. Der Kleinere verstand erst nicht, ließ sich ziehen, dann lief er, und Blackmore sah, wie er stolperte und wieder hinfiel, sich aufrappelte, und dann waren die beiden Buben verschwunden.

24. Ich kenne Ihren Vater

»Ich kenne Ihren Vater gut«, wiederholte Kurt Roth.
Am Tisch herrschte verblüfftes Schweigen.
»Aber …« Sternberg sah ihn ungläubig an.
Schweigen.
»Mein Vater …«, hob Sternberg erneut an.
Erneutes Schweigen.
»Mein Vater … vielleicht wissen Sie. Er spricht nicht mehr
seit meiner Geburt. Seit ich denken kann, hat er das Haus
nicht verlassen. Wann wollen Sie ihn kennen gelernt ha-
ben?«
Kurt Roth sah ihn an.
Er sagte: »Ich kannte Ihren Vater schon, als Sie noch nicht
auf der Welt waren. Wir kannten uns schon als Kinder.«
Er blickte aus dem Fenster.
Dann deutete er auf Dengler.
»Weiß Fritz …, Ihr Vater, dass Sie den da auf uns angesetzt
haben?«
Sternberg wollte etwas sagen, aber er fand keine Worte.
In diesem Augenblick nahm sich Roths Tochter einen Stuhl
vom Nachbartisch und setzte sich zu ihnen.
»Maria, meine Tochter«, stellte Kurt Roth sie vor.
»Hallo«, sagte sie völlig natürlich, und Dengler bemerkte er-
staunt, dass Sternberg errötete.
»Weiß Fritz, dass Sie in den alten Sachen rumkramen?«, frag-
te Roth.
»Also, mein Vater, sagte ich doch, mein Vater spricht schon
seit vielen Jahren nicht mehr«, sagte Sternberg und versuch-
te, nicht zu Maria zu sehen.
»Aber er hört und versteht doch alles, was Sie ihm sagen?«,
fragte Roth.
Er stand auf.

»Reden Sie mit ihm«, sagte Kurt Roth.

Er ging zur Theke zurück, und seine Tochter folgte ihm.

★★★

»Verstehen Sie das alles?« Robert Sternberg schloss die Wagentür, und Dengler ließ den Motor an.

»Nein«, sagte Dengler, »aber wie soll ich das alles auch verstehen, da Sie und Ihre Schwester offensichtlich nur einen Bruchteil der Geschichte erzählt haben.«

»Ich weiß auch nicht mehr. Wir haben Ihnen alles gesagt.«

»Ja? Wirklich? Und was ist mit Ihrem Vater?«

»Habe noch nie ein Wort mit ihm gewechselt«, sagte Sternberg. »Seit ich ihn kenne, steht er am Fenster, schaut hinaus und schweigt.«

Dengler sah, wie Sternberg um Worte rang.

Dann fuhr Sternberg fort: »In den ersten Jahren war es normal, der Vater schwieg eben. Er war da, sah mir zu, was ich tat, und manchmal spielte er mit mir. Meine Mutter redete umso mehr. Sie sagte immer irgendwas, den ganzen Tag lang. Mich störte das mehr als der stumme Vater, an den ich mich gewöhnt hatte. Nur als ich in die Schule kam, da …«

Er unterbrach sich.

»Alle lachten über meinen schweigenden Vater. Es war die Hölle«, sagte er schließlich.

»Und Ihr Großvater?«, fragte Dengler nach einer Weile.

»Gott sei Dank gab es den. Er half, damit etwas aus uns wurde. Obwohl ich ihn enttäuscht habe.«

»Warum?«

»Er wollte wohl, dass ich einmal die Firma führe, so wie Ilona sie jetzt führt. Aber mich hat das nie interessiert. Ich hab immer gespielt, was gebaut, was gemalt. Rechnen fiel mir schwer. Das konnte Ilona viel besser. Sie konnte schon in der ersten Klasse Prozentrechnen. Ich … ich – mein Großvater nannte mich immer den Träumer, und das war bei ihm ein Schimpfwort.«

»Und er hat nie ein Wort über das Hotel verloren?«

»Niemals.«

»Und auch sonst niemand in Gündlingen?«

»Niemand.«

»Finden Sie das nicht merkwürdig?«

Sternberg schwieg.

Er sah zum Fenster hinaus, und Dengler war sich sicher, dass er an Kurt Roths Tochter dachte. Sie schwiegen, bis Dengler in den Hof von *Sternberg Befestigungssysteme* fuhr. Er hielt den Wagen an, stellte den Motor ab und zog die Handbremse.

»Kann ich mit Ihrem Vater reden?«, fragte Dengler.

»Das wird ein sehr einseitiges Gespräch werden, fürchte ich«, sagte Robert Sternberg.

»Ich will es probieren«, sagte Dengler.

»Ich rede mit Ilona und rufe Sie dann an«, sagte Sternberg und stieg aus.

25. An der Bar stand ein hagerer Mann

An der Bar stand ein hagerer Mann, die linke Hand in der Hosentasche, in der rechten Hand ein Bierglas, und redete mit Martin Klein. Der Mann trug einen dunkelblauen Dufflecoat und einen langen schwarzen Schal, den er zweimal um seinen Hals geschlungen hatte. Eine randlose Brille saß etwas zu weit vorne auf seiner Nase. Er hatte ein waches Gesicht. Dengler schätzte ihn auf Mitte dreißig.

»Das ist Leopold Harder«, stellt ihn Klein vor, »Wirtschaftsjournalist.«

Dengler gab ihm die Hand. Der kahlköpfige Kellner sah ihn fragend an, und Dengler nickte. Kurz darauf stand ein Glas Grauburgunder vor ihm.

»Wir reden gerade über die wirtschaftliche Lage.«

»Meine ist anhaltend ernst«, sagte Dengler, »aber eigentlich will ich von Ihnen wissen, ob Sie mir eine Auskunft verschaffen können. Ich möchte etwas über die wirtschaftliche Situation eines Hotelbetriebs erfahren.«

»Kann ich machen«, sagte Harder.

Dengler riss ein Blatt von seinem Notizblock, schrieb die Adresse des Schlosshotels in Gündlingen auf und darunter seine Telefonnummer.

»Kostet Sie ein Bier«, sagte der Journalist, und Dengler winkte dem kahlköpfigen Kellner.

★★★

Als Dengler das *Basta* verließ, fiel neuer Schnee. Er lief hoch in seine Wohnung, setzte sich an seinen Schreibtisch, fuhr den Computer hoch und schrieb die Rechnung an *Security Services Nolte & Partners.*

Dann ging er in die Küche und öffnete eine Flasche Bickensohler Grauburgunder.

Draußen schneite es immer noch. Er dachte an Christiane. Langsam ging er ins Wohnzimmer und legte einen Blues auf. Muddy Waters.

I was born for a good luck

Trank einen Schluck.

Dachte an Christiane.

War sie in diesem Augenblick mit Andrea Savinio zusammen? Merkwürdig, er konnte sich nur vage an diesen Mann erinnern. Er wusste nur noch, dass er mit seinem Freund Mario eine Spur verfolgt hatte. Christiane war in seinem ersten großen Fall die Auftraggeberin gewesen. Er suchte ihren Vater, und Andrea Savinio gab ihnen den entscheidenden Hinweis. Aber wie hatte dieser Mann ausgesehen? Älter als ich, dachte er. Hatte er nicht graue Haare? Ein Blumengroßhändler aus Siena. Christianes Bild stieg wieder auf, aber dann vermischte es sich mit dem von Olga. Er stellte das Glas auf den Tisch und schloss die Augen. Dann schlief er ein.

26. Es gibt ein Geheimnis

»Es gibt ein Geheimnis«, sagte er.

Nachts um drei war er auf der Couch aufgewacht, hatte sich ausgezogen und sich ins Schlafzimmer hinübergeschleppt. Bevor er sich ins Bett fallen ließ, sah er noch einmal aus dem Fenster. Dicke Schneeflocken fielen vom Himmel, umtanzten die Lichter der Straßenlaternen. Ein leichter Wind wirbelte sie durcheinander und trug einige von ihnen wieder hoch hinauf, sodass es schien, der Schnee fiele auf Erde und Himmel gleichzeitig. Um halb sieben war er aufgestanden, hatte einen Junior-Wells-Song aufgelegt und sich zu seinen Liegestützen gezwungen. Die blaue Madonna sah ihm dabei teilnahmslos zu, wie jeden Morgen. Nachdem er geduscht hatte, ging er hinüber zu *Brenners Bistro*, trank einen doppelten Espresso mit einem kleinen Schluck Milch und aß zwei Weißwürste.

Nun telefonierte er mit Ilona Sternberg.

»Das Ganze ist rätselhaft«, sagte er

»Ich höre«, sagte sie.

Dengler wunderte sich, wie ausgeschlafen die Frau schon am frühen Morgen wirkte. Wahrscheinlich war auch das Bestandteil der Ausbildung ihres Großvaters gewesen. Raus aus den Federn, hörte er ihn brüllen, und dann ab mit dem Kind unter die kalte Dusche.

»Merkwürdig ist«, sagte Dengler, »dass Sie und Ihr Bruder nichts von dem Hotel wussten. Der jetzige Eigentümer, Kurt Roth, scheint Ihren Vater schon von klein auf zu kennen und geht davon aus, dass Ihr Vater meine Ermittlungen nicht billigen wird. Warum?«

»Keine Ahnung.«

»Ich würde gerne mit Ihrem Vater sprechen.«

»Das halte ich für keine gute Idee.«

»Warum nicht?«

»Sie wissen doch, dass er nicht spricht.« Ihre Stimme klang verärgert.

»Nun, vielleicht redet er mit mir.«

»Ich denke darüber nach.«

»Der Notar sprach von alten Dingen, die man besser ruhen lassen sollte. Könnten Sie sich vorstellen, was er damit meinen könnte?«

»Nein.«

»Frau Sternberg, ich ermittele in *Ihrem* Auftrag und verursache *Ihnen* Kosten. Ich bin auf ein Mindestmaß an Kooperation angewiesen, wenn ich den Auftrag erfüllen soll.«

»Aber ich versichere Ihnen: Ich weiß nichts. Vielleicht gibt es ja wirklich ein Geheimnis. Ich kenne es nicht. Ich will nur eines wissen: Gehört dieses Hotel uns? Allein daran bin ich interessiert. Falls es ein Geheimnis gibt – klären Sie es auf. Dafür verursachen Sie in der Tat Kosten.«

Dengler dachte einen Augenblick nach.

»Ihr Großvater hat mit Ihnen nie über den Verlust des Hotels gesprochen? Erinnern Sie sich, dass er mit Ihnen zum Schlosshotel spazieren gegangen ist, als Sie noch ein Kind waren?«

»Beim besten Willen: nein. Sowohl mein Bruder als auch ich waren völlig überrascht, als wir den Vertrag in den Unterlagen unserer Mutter fanden.«

»Ihre Mutter, irgendjemand aus der Verwandtschaft, Nachbarn – niemand hat auch nur einen Ton zu Ihnen gesagt?«

»Niemand.«

»Sie wissen, wie unwahrscheinlich das klingt.«

Sie klang verärgert.

»Ich versichere Ihnen: Wenn ich darüber Bescheid wüsste, würde ich Sie nicht dafür bezahlen, es herauszufinden.«

Einen Moment lang war Dengler perplex. Er kam sich wie ein Idiot vor.

»Gibt es in Ihrer Verwandtschaft, in Ihrer Nachbarschaft jemanden, den ich befragen kann?«

»Sie meinen Augenzeugen?«

»Kennen Sie Personen aus Ihrem Umfeld, die 1947 älter als fünfzehn Jahre alt waren? Vielleicht auch ehemalige Nachbarn, die dann weggezogen sind?«

»Darüber müsste ich nachdenken.«

»Bitte tun Sie das, und beziehen Sie Ihren Bruder ein. Ich hätte auch gerne eine Liste ehemaliger Mitarbeiter Ihres Großvaters. Sofern diese noch leben.«

»Geht in Ordnung.«

Ihre Stimme klang etwas gedehnt, als würde sie nebenher etwas auf einem Zettel notieren.

»Das ist vorerst alles.«

»Ich rufe Sie an, wenn ich etwas weiß.«

Dengler legte auf.

Er ging in die Küche und füllte frisches Espressopulver in die Maschine. Wenige Minuten später strömte kräftiger schwarzer Kaffee in seine Tasse.

Er sah auf die Uhr.

Dann rief er im Krankenhaus an.

Seiner Mutter ging es besser, sagte ihm die Schwester der Intensivstation. Im Augenblick schläft sie. Sie brauche sehr viel Ruhe. Dengler bat die Schwester, sobald seine Mutter telefonieren könne, ihr ein Telefon zur Verfügung zu stellen. Sie versprach es.

Draußen lagen mehrere Zentimeter Schnee auf Bürgersteig und Straße. Vor der Galerie mit den afrikanischen Exponaten schaufelte ein alter Mann müde den Schnee beiseite.

Dengler stellte das Telefon auf sein Funktelefon um, zog seine Winterjacke an und verließ das Haus.

***

Zur Landesbibliothek waren es nur ein paar Minuten Fußweg. Doch es herrschte eine eisige Kälte. Als er auf der anderen Seite der Charlottenstraße ankam und das Foyer der

Landesbibliothek betrat, massierte er Ohren und Nasenspitze, so sehr hatte die Kälte ihnen mitgespielt.

An der Garderobe gab er seine Jacke ab und stieg die Treppe empor zum Lesesaal. Er erinnerte sich, wie er hier in den Zeitschriften und Zeitungen nach Fakten über den Absturz der Lauda-Air gesucht hatte, in der laut der Passagierliste Christiane Steins Vater gesessen haben sollte.

Christiane. Für einen Moment überwältigte ihn eine Schwermut, derart heftig, dass ihm alles sinnlos erschien und er sofort wieder seine Schritte in Richtung Ausgang lenken wollte.

»Kann ich Ihnen helfen?«

Die Bibliotheksaufsicht, eine grauhaarige ältere Dame, stand neben ihm und blickte ihn freundlich an. Dengler atmete tief durch.

»Danke, ich will nur etwas nachschauen auf den Regionalseiten der Tageszeitungen; in den Ausgaben der letzten Tage.«

Die *Badischen Neuesten Nachrichten* fand er neben den anderen Zeitungen in einem speziellen Regal. Dort lagen die Ausgaben der letzten vierzehn Tage. Er blätterte sie durch, fand aber nicht, was er suchte. Er ging zum Schalter im Lesesaal und trug der freundlichen grauhaarigen Frau sein Anliegen vor. Eine halbe Stunde später brachte sie ihm auf einem Karren drei Jahrgänge der Zeitung. Er setzte sich an einen der Arbeitstische und blätterte die erste Zeitung durch.

Nichts.

Dengler blieb bis zum frühen Abend in der Bibliothek. Als er die Zeitungen der grauhaarigen Frau zurückgab, hatte er auf einem DIN-A-4-Zettel vier Namen notiert. Er hatte Bekanntmachungen gesucht, in denen Einwohner von Gündlingen geehrt wurden, weil sie soeben 75, 80, 85 oder sogar 90 Jahre alt geworden waren.

In seinem Büro rief er über das Internet das Telefonbuch auf und fand zu allen Jubilaren, deren Namen er eingab, die Adressenangaben.

Morgen würde er sie aufsuchen.

27. Blackmore verließ den Absturzort

Blackmore verließ den Absturzort. Die beiden Buben würden die Wehrmacht oder die deutsche Polizei benachrichtigen. Bald würde es hier vor Krauts nur so wimmeln. Er brauchte einen ruhigen Platz, um das Kartenmaterial zu studieren.

Außerdem wurde es langsam dunkel. Auch wenn der 1. März 1945 ein warmer Frühlingstag gewesen war, die Nacht würde kalt werden, und er brauchte einen Platz zum Schlafen. Im Laufschritt rannte er durch den Wald zurück hinunter an den Fluss.

Hinter einem Brombeerbusch hockte er sich auf die Fersen und studierte die Karten.

Bruchsal lag im Süden Deutschlands zwischen zwei größeren Städten, zwischen Mannheim und Karlsruhe. Es war ein Knotenpunkt der Eisenbahn, hier kreuzten sich eine Nord-Süd- und eine West-Ost-Linie. Die Schienen, die er am Ende der Wiese sah, liefen in Richtung der untergehenden Sonne, das musste also die West-Ost-Linie sein. Er musste sich westwärts halten. Er würde dann auf einen Fluss namens Rhein stoßen. Wenn es ihm gelang, den Rhein zu überqueren, würde er von dort aus 100 Kilometer südlich auf amerikanische Einheiten treffen oder 100 Kilometer in Richtung Westen in der Nähe einer Stadt namens Saarbrücken seine Kameraden erreichen.

Jedoch: Die Krauts würden ihn genau auf dieser Bahnstrecke suchen. Oder in deren Nähe. Er würde sich nachts entlang der Schienen bewegen und zu Gott beten, dass die Deutschen ihn nicht erwischen. Es war ein gefährlicher Weg. Die Wehrmacht transportierte nachts Truppen und Nachschub. Vielleicht würde es Flüchtlingsbewegungen geben. Wie lange würde er unterwegs sein? Eine Woche? Oder zwei? Vielleicht länger. In dieser Zeit wären die Bodentruppen aber eventuell schon hier.

Vielleicht wäre es besser, sich hier in der Nähe zu verstecken? Im Wald? Da gab es so kurz nach dem Winter jedoch nichts zu essen. Vielleicht würde er eine Scheune finden. Er würde schon irgendetwas Essbares auftreiben. Dies schien ihm der bessere Plan.

Blackmore prüfte seine Waffe. Er hatte einen Browning-Revolver und fünfzig Schuss bei sich. Vielleicht würde er sogar etwas jagen können? Aber diese Idee verwarf er sofort wieder. Er wollte die Deutschen nicht durch Schussgeräusche auf sich aufmerksam machen.

Vorsichtig schlich er sich im Wald am Rand der Wiese entlang.

28. Kurz nach zehn

Kurz nach zehn parkte Dengler vor dem Gündlinger Altersheim. An der Pforte erkundigte er sich nach Hedwig Weisskopf und wurde in einen hellen Lichthof geführt. Dort gruppierten sich drei mit grünem Stoff bespannte Sessel um einen runden Tisch. Einige hochgewachsene Pflanzen in weißen Kübeln verliehen dem Ambiente den Charakter eines tropischen Gewächshauses. Dengler nahm Platz und wartete.

Hedwig Weisskopf war eine ältere vornehme Dame, bekleidet mit einer beigen, steif gebügelten Bluse, an die sie eine Gemme geheftet hatte. Sie trug einen Faltenrock, und durch eine große Brille sahen ihn zwei große Augen neugierig an.

»Sind Sie von der Zeitung? Ein Journalist?«, fragte sie, nachdem sie sich gesetzt und den Faltenrock glatt gestrichen hatte.

»Ja«, sagte Dengler, »mein Name ist Gerhard Beil. Ich schreibe an einer Reportage über das Kriegsende in Bruchsal und Umgebung.«

»Ach Gott«, sagte sie, »das ist ja schon so lange her.«

Sie schlug die Hände zusammen.

»Ja«, sagte Dengler, »erinnern Sie sich noch an diese Zeit?«

Sie blickte an ihm vorbei und dachte nach. Dann wandte sie sich wieder Dengler zu und nickte.

»Ich war damals ein junges Ding«, sagte sie, »und auch hübsch.«

Sie lächelte.

»Erinnern Sie sich, was Sie taten, als die Amerikaner kamen?«

»Die Amerikaner?«

Sie blickte ihn fragend an.

Dann sagte sie: »Die Amerikaner lagen mit ihren Panzern im Forster Wald. Aber sie kamen nicht in die Stadt. Auch nicht nach Gündlingen. Sie ließen den Franzosen den Vortritt.«

»Den Franzosen?«

Sie nickte.

Er sagte: »Nach meinen Informationen kamen die Franzosen vom Schwarzwald her über das Schlosshotel hinunter nach Gündlingen.«

Sie schüttelte energisch den Kopf und mit entschiedener Stimme widersprach sie Dengler: »Nein, sie kamen von Phillipsburg. Die Amerikaner marschierten bis zum Norden von Bruchsal. Sie lagen auch vor Gündlingen, direkt am Ortsrand. Dann warteten sie auf die Franzosen. Die Franzosen rückten dann in den Ort ein. Erst normale Franzosen, wissen Sie?«

Dengler sah sie an.

Sie sagte: »Später kamen dann die Marokkaner und Algerier. Da war es nicht immer leicht.«

Sie schwieg eine Weile.

»Für uns Mädchen«, sagte sie dann und sah zu Boden.

»Sie kamen also nicht über das Schlosshotel? Wissen Sie, wem das Hotel damals gehörte?«

»Ja, natürlich. Volker Sternberg. Dem gehörte das Schlosshotel.«

»Kannten Sie ihn?«

»Ja sicher, jeder kannte ihn in Gündlingen.«

»Warum?«

Dengler erschien es, als würde sich die alte Frau versteifen. Sie saß ihm nun gerade gegenüber in dem grün bespannten Sessel. Sie blickte in seine Richtung, aber wieder schien es Dengler, als wären ihre Gedanken weit weg.

»Kannten Sie ihn gut?«, fragte er.

»Ach, das ist alles schon lange her.«

»Kennen Sie auch die Familie Roth?«

Hedwig Weisskopf nickte.

»Ihnen gehört das Hotel heute«, sagte Dengler, »Kurt Roth kennen Sie sicher schon sehr lange.«

»Den kleinen Kurt habe ich schon ewig nicht mehr gesehen«, sagte sie.

»Er hat das Hotel 1947 erworben. Da war er noch ein Kind«, fügte er hinzu, mit beiläufigem Unterton, als referiere er nur bisher ermittelte Informationen.

Sie schwieg.

Dengler spürte, wie sich die Frau ihm entzog.

»Wissen Sie, warum er das Hotel bekam?«, fragte er.

Die Frau sah ihn an.

Sie schüttelte den Kopf.

»Ich will jetzt gehen«, sagte sie.

Sie stand auf und lief mit kleinen trippelnden Schritten auf eine der beiden Treppen zu, die in den Lichthof mündeten.

***

»Opa, da ist jemand von der Zeitung für dich«, schrie ein etwa zehnjähriger Junge von der Haustür ins Wohnungsinnere. Ein kleiner, etwa achtzigjähriger Mann trat in den Flur. Mit der Rechten stützte er sich auf einen Stock. Bei jedem Schritt schwenkte sein linkes Bein aus und beschrieb einen kleinen Halbkreis. Erst dann setzte er es auf dem Boden auf. Dadurch ging der Mann leicht nach rechts gebeugt. Er schob den Jungen zur Seite.

»Um was geht's?«, fragte der alte Mann.

Dengler wiederholte seine Legende.

Der Mann überlegte einen Augenblick.

Dann drehte er sich um und winkte ihn herein.

»Kommen Sie«, sagte er und schlurfte in die Küche.

Dengler folgte ihm.

Auf dem Küchentisch lag eine aufgeschlagene Zeitung mit dem Kreuzworträtsel, dessen Kästchen zur Hälfte ausgefüllt waren. Ein Kugelschreiber lag auf dem Tisch und in der Mitte stand ein überquellender Aschenbecher. Daneben zwei Schachteln Ernte 23.

Dengler setzte sich.

Der Mann rief laut: »Petra!«

Nach einer Weile wiederholte er den Ruf, diesmal lauter. Dengler hörte, wie jemand geräuschvoll die Treppe zum ersten Stock herunterlief, und eine Frau – Dengler schätzte sie auf Mitte dreißig – betrat die Küche. Ohne Gruß. Sie leerte den Aschenbecher und wischte mit einem feuchten grünen Tuch kurz über den Tisch.

»Mach uns einen Kaffee«, sagte der alte Mann zu ihr, »der Herr hier ist von der Zeitung.«

Nun erst sah sie Dengler an und brummelte ein knappes »Grüß Gott«. Dann ließ sie Wasser in eine kleine Kaffeemaschine laufen, ersetzte den gebrauchten Filter durch einen neuen, füllte Pulver hinein und knipste den Schalter der Maschine an. Sofort gab das Gerät gurgelnde Geräusche von sich. Die Frau stellte zwei Tassen mit Untertassen auf den Tisch, öffnete eine Schublade, kramte zwei Löffel hervor und legte sie neben die Tassen.

»Ich geh dann wieder nach oben«, sagte sie unwirsch.

Der zehnjährige Junge stand währenddessen an den Türpfosten gelehnt und beobachtete, was in der Küche geschah. Auf einen Wink des Alten kam er zu ihm hin und setzte sich neben ihn auf die Küchenbank. Der Alte steckte sich eine Zigarette an, wartete und beobachtete, wie sich die Glaskanne unter der kleinen Kaffeemaschine rasch füllte.

Dengler wurde unruhig. Er zog die Liste mit den Namen aus seiner Brieftasche und notierte hinter Hedwig Weisskopf erst ein Häkchen, dann ein Fragezeichen.

»Was wollen Sie denn wissen?«, fragte der Alte plötzlich, und ebenso unvermittelt schrie er wieder in Richtung Tür: »Petra!«

Die Frau polterte erneut die Treppe hinunter. Sie füllte die

Tassen, goss den Rest in eine Thermoskanne, die sie auf den Tisch knallte, nahm aus dem Kühlschrank einige kleine runde Kunststoffdöschen mit Kaffeemilch, legte sie auf den Tisch und verließ die Küche.

Dengler riss die Stanniolfolie von einem der Kaffeemilch-Behälter ab und goss den Inhalt in seine Tasse. Das waren die gleichen Portionsbehälter, wie Dengler an der Aufschrift »Gehring Verpackungsmaschinen GmbH« feststelle, die seine Mutter in der Pension benutzte. Heute Morgen hatte er noch nicht in der Klinik angerufen.

Dengler sah auf und blickte den Alten an. Er entschloss sich für den direkten Weg.

»Ich suche Informationen über Volker Sternberg.«

»Volker Sternberg«, sagte der alte Mann und rührte im Kaffee.

»Sie kannten ihn sicher«, sagte Dengler. »Mochten Sie ihn?«

Der Alte rührte weiter in seinem Kaffee.

»Volker war ein guter Kerl«, sagte er schließlich, »egal, was andere über ihn sagen: Er war ein guter Kerl.«

Dengler schoss einen Pfeil ins Unbekannte: »In dieser Richtung möchte ich den Artikel auch schreiben. Ich möchte endlich mal seine Verdienste hervorheben.«

Der Alte sah ihn über den Tisch hinweg an.

»Er hat viel für die Stadt getan.«

Dengler nickte.

»War lange im Stadtrat. Für die CDU. Hat sich auch immer für uns eingesetzt.«

»Waren Sie in seiner Firma angestellt?«

»Als Pförtner. Bis zu meiner Pensionierung.«

»Eine Sache ist mir unklar«, sagte Dengler. »Warum hat er das Schlosshotel an Kurt Roth abgegeben?«

Der alte Mann setzte die Tasse abrupt zurück. Der Kaffee schwappte über und bildete eine Lache auf dem Unterteller. Er schien es nicht zu bemerken. Der Junge sah seinen Großvater erschrocken an.

Georg Dengler kam die Situation bekannt vor. Er kramte in seiner Erinnerung, aber er fand nichts.

»Das ist lange her ...«, sagte der Alte.

»1947. Warum verschenkt man 1947 ein Hotel?«

Der Mann starrte in seine Kaffeetasse.

»Das war eine andere Zeit damals. Wer das nicht selbst erlebt hat ...«

Er unterbrach sich: »... der kann das alles nicht verstehen.«

»Versuchen Sie es. Vielleicht kann ich es doch verstehen. Warum hat Sternberg das Hotel hergegeben?«

Da brach es aus dem alten Mann heraus: »Wenn wir den Krieg gewonnen hätten, wäre heute alles anders. Dann würden wir heute im Osten leben und hätten ...«

»... ein großes Gut«, sagte Dengler.

Der Alte nickte grimmig.

Das alles hatte Dengler schon einmal gehört, und jetzt fiel ihm auch ein, wann und wo.

Damals, als sein Vater noch lebte, kamen sonntags immer die drei Schwestern seiner Mutter zu Besuch auf den Dengler-Hof, und sie brachten ihre Männer mit, später auch die Kinder. Die Mutter kochte in riesigen Töpfen. Meist gab es ein einfaches Essen, aber immer musste Fleisch dabei sein. Badische Schäufele mit Kartoffelsalat. Die Tanten wohnten alle in Freiburg. Dengler erinnerte sich noch, wie er sich gerne zu den Männern gesetzt und ihnen zugehört hatte. Einer von ihnen, Onkel Peter, fuhr Lkws für die französische Armee, und immer wenn er Lebensmittel geladen hatte, brachte er etwas davon mit. Onkel Bernhard arbeitete als Vorarbeiter bei der Rhodia, einem Chemiewerk, und der dritte war Hausmeister auf dem Arbeitsamt. Die Männer ließen ihn bei sich sitzen und unterhielten sich, tranken Rothaus-Bier, und der kleine Georg kam sich erwachsen vor. Es war ein gutes Gefühl gewesen.

Alle drei Onkel waren im Krieg gewesen, doch davon erzählten sie nie. Nur einmal lag eine seltsame Atmosphäre über ihrem Tisch, als Onkel Peter gesagt hatte: »Wenn wir den Krieg gewonnen hätten …« Im Zimmer herrschte plötzlich eine andere Stimmung, und der kleine Georg Dengler fühlte sich unwohl. Er wusste nicht mehr, warum, aber die Männer sahen sich nicht an, einer nickte versonnen, der andere lachte bitter.

»… würden wir alle auf einem riesigen Gut im Osten sitzen«, hatte Onkel Peter den Satz beendet.

Die Bitterkeit der Onkel, die plötzlich nur noch alte Männer waren, hatte ihn damals unangenehm berührt. Er hatte »Ich muss mal« gesagt, nur um schnell die Stube verlassen zu können.

Das Gut im Osten. Da war es wieder. Das Gut, das ihnen versprochen worden war, um dessentwillen sie Hitler gefolgt waren und um das sie sich bis an ihr Lebensende betrogen fühlten. Dieses böse Gemisch aus Brutalität und Selbstmitleid, längst vergessen geglaubt, saß ihm nun wieder gegenüber.

»Gott sei Dank haben Sie es nicht bekommen«, sagte er.

Der Alte schwieg, und Dengler ging.

29. Er beschloss, im Schlosshotel zu essen

Er beschloss, im Schlosshotel zu Mittag zu essen. Zu seiner Überraschung saß Robert Sternberg an einem der Fenstertische. Er winkte ihm zu, und Georg Dengler setzte sich zu ihm.

»Dieser Spießbraten ist wunderbar«, sagte Sternberg, doch seine Augen folgten Maria Roth, die zwei schwer beladene Teller am Nachbartisch absetzte.

Wieder war das Lokal gut besucht. Nur der Tisch direkt an der Eingangstür war noch frei, und auf anderen sah Dengler »Reserviert«-Schilder. Über dem offenen Feuer drehten sich zwei große Braten. Kurt Roth stand hinter der Theke. Der alte Mann mit der Schiebermütze, offenbar ein Stammgast, saß wieder an dem runden Tisch, ein Glas Bier vor sich und die dazugehörige Flasche in einem Wärmebad.

Sternberg streckte sich.

»Eine richtige Entdeckung, diese Kneipe. Kaum zu glauben, dass sie einmal Großvater gehört hat.«

»Und möglicherweise Ihnen und Ihrer Schwester gehört«, sagte Dengler.

»Na ja, diese ganze Aktion mit Ihnen geht mehr von Ilona aus«, sagte Robert Sternberg. »Ich will den Leuten eigentlich nicht ihr Haus und ihr Restaurant wegnehmen.«

Seine Augen strahlten plötzlich. Maria Roth war an ihren Tisch getreten und fragte Dengler nach seiner Bestellung. Er orderte eine Portion Spießbraten und ein Glas Mineralwasser. Sie notierte seine Wünsche und ging sofort.

»Verständlich, dass sie sauer ist«, sagte Dengler, »wir beide müssen für die Familie Roth wie eine Provokation wirken.«

Während des Essens sagte Sternberg kein Wort. Hin und wieder sah er zu Maria Roth, die die beiden Männer jedoch ignorierte.

»Ich lade Sie ein«, sagte Sternberg, nachdem Dengler Messer

und Gabel beiseite gelegt hatte, und winkte Maria an den Tisch.

Sie kassierte und setzte sich plötzlich.

»Warum lassen Sie uns nicht endlich in Ruhe?«, fragte sie.

30. Auf einem Leiterwagen

Auf einem Leiterwagen brachte Albert Roth die Leichen seiner Schwiegereltern nach Gündlingen. Er hatte sie sorgfältig mit zwei Decken zugedeckt. Zweimal musste er sich vor Tieffliegern verstecken. Nach vier Stunden kam er in Gündlingen an.

Drei Tage später begruben er und seine Frau die beiden alten Leute auf dem Gündlinger Kirchacker. Er hatte die beiden Särge aus Latten zusammennageln müssen, die er aus ihrem Gartenzaun herausriss. Särge waren Mangelware seit der Vernichtung von Bruchsal. Seine Frau hielt den Sohn an der Hand und schluchzte laut, wegen des Verlustes ihrer Eltern, aber auch, weil sie sich keine angemessene Beerdigung leisten konnte.

Während der Pfarrer davon sprach, dass den Seligen das Himmelreich gehöre, flog ein viele hundert Fliegende Festungen umfassender Bomberstrom über sie hinweg in Richtung Stuttgart, und die amerikanische Artillerie wummerte von der nahe gelegenen Front her. In den Radionachrichten hatte Roth gestern gehört, dass die Amerikaner auf der rechten Rheinseite gestern »nur einen schmalen« Brückenkopf bei Remagen eingerichtet hatten.

Hoffentlich ist der Albtraum bald vorüber, dachte er.

Er trug immer noch die Wehrmachtsuniform. Bei den Kämpfen in der Eifel hatte ihn ein Querschläger in die rechte Wade getroffen. Trotzdem sollte er in wenigen Tagen zur Truppe zurück.

Er würde es nicht tun.

Mit Edith hatte er über seinen Plan noch nicht gesprochen.

In der Pfalz würde er in der Mausefalle sitzen.

Ich gehe nicht zurück.

Er konnte sich bei der »Kampfgruppe Kullmann« melden,

die hinter dem Schloss lag und Bruchsal verteidigen sollte.
Dann würde er aber gegen die anrückenden Amerikaner
kämpfen müssen.

Auch das würde er nicht tun.

Oder er könnte sich dem Gündlinger Volkssturm anschließen.

Und sich irgendwie durchmogeln, bis alles vorbei war.

Was sollte der Volkssturm schon ausrichten.

Dort würden sicher einige so denken wie er.

Während der Pfarrer die Toten segnete und die beiden arm-
seligen Särge mit Weihwasser besprengte, fasste Albert Roth
den Entschluss: Er würde sich beim Volkssturm melden.

★★★

1931 hatte Albert Roth Edith Bender geheiratet, die Tochter des Bruchsaler Juweliers Bender. Roth stammte aus Idar-
Oberstein an der Nahe, war Edelsteingraveur und hatte seinen Beruf bei *Groß & Quenzer* gelernt, einer der größeren
Edelsteinschleifereien seiner Heimatstadt. Da er die meisten
Steine für die Benders schliff, viele Achate, einige Topase,
aber auch Smaragde, kam es vor, dass er hin und wieder die
Ware in Bruchsal selbst auslieferte. Eine Zeit lang ging er sogar mit einem Bruchsaler Mädchen. Ihr schliff er eine wunderschöne Gemme.

Wenn er nach Bruchsal kam, blieb er meist über Nacht, und
die Benders reservierten ihm ein Zimmer im ersten Stock
ihres Hauses. Bei diesen Besuchen lernte er Edith kennen,
ihre Tochter.

Nachdem sie geheiratet hatten, fand er in Idar eine kleine
Zweizimmerwohnung in der Hauptstraße, die nun Adolf-
Hitler-Straße hieß. Hier kam ihr Sohn Kurt zur Welt.

Im Juni 1933, kaum ein Vierteljahr nach der Machtübernah-
me Adolf Hitlers, war nachmittags ein Meister zu ihm gekommen und sagte, er solle gleich hinüber zum *Wirtshaus
Dreher* kommen, da sei etwas los. Da der Meister auch die an-

deren Schleifer von *Groß & Quenzer* dorthin schickte, musste es eine dienstliche Anweisung sein.

Dachte er.

Albert Roth stellte die Schleifscheibe ab und zog seinen Kittel aus. Es war erst zwei Uhr nachmittags, die Mittagspause gerade vorbei, also musste tatsächlich etwas Besonderes vorgefallen sein.

Jeder wusste, dass sich die SS bei *Dreher* traf. Aber auch die Fachgruppe der Schleifer innerhalb der NSDAP traf sich dort.

Es waren nur wenige Schritte, aber sobald er aus dem Tor der Firma trat, sah er schon andere die Straße hinaufeilen.

Vor dem Lokal herrschte Volksfeststimmung. Bierkrüge kreisten. Es waren mehr als hundert Menschen, die dort herumstanden.

»Sie haben den Aronheim«, sagte einer zu ihm und wies auf die Eingangstür.

Zwei SS-Leute standen davor.

Den Effgen haben sie auch, sagte ein anderer.

Roth verstand.

Walter Aronheim war Jude. Richard Effgen war Sozialdemokrat und Mitglied im Reichsbanner. Beide besaßen sie eine kleine Schleiferei wie viele andere in Idar.

»Gebt den Juden raus!«

Die ersten Sprechchöre formierten sich.

»Hängt ihn auf«, schrien welche dazwischen.

Jemand knuffte Albert Roth in die Seite. Er sah in ein gerötetes bierseeliges Gesicht.

»Sie haben den Juden«, sagte das Gesicht lachend und wies auf die Eingangstür vom *Dreher*.

»Und einen Sozi«, sagte der Mann daneben. Auch sein Gesicht leuchtete.

Albert Roth wandte sich ab.

Vielleicht hätte er sich eine Arbeit in Oberstein suchen sollen. In Idar hatten die Nazis schon früh die Mehrheit bekommen. In dem Land Oldenburg, zu dem die Städte Idar und Oberstein gehörten, hatte die NSDAP nach den Landtagswahlen am 25. Mai 1932 die Mehrheit übernommen – zum ersten Mal in Deutschland.

Roth war in Oberstein aufgewachsen. Im Unterschied zu Idar mit seinen unzähligen kleinen Schleifereien gab es hier einige mittlere und größere Fabriken. Betriebe wie *Groß & Quenzer*. Die Arbeiter wählten mehrheitlich Sozialdemokraten und Kommunisten. Die Nazis bekamen in Oberstein keinen Fuß auf den Boden.

In zwei Monaten würde Roth seinen 23. Geburtstag feiern. Zweimal hatte er bei Reichstagswahlen wählen können, und beide Mal hatte er links gewählt, beide Male die Sozialdemokraten. Er erinnerte sich noch gut, wie die Nazis vor zwei Jahren im September 1931 in seiner Heimatstadt ihre »Gautagung« abgehalten hatten. Sie waren nicht nach Idar gegangen, wo sie schon die Mehrheit hatten, sondern sie wollten das »rote« Oberstein brechen.

Durch die 11 000 Einwohner große Stadt zogen damals 5000 uniformierte Nazis. Wen diese Horden auf der Straße erwischten, der musste »Heil Hitler« schreien oder wurde zusammengeschlagen. Die meisten Bewohner schlossen sich an diesen beiden Tagen zu Hause ein. Einige Idarer Nazis bildeten mit ihren braunen Kumpels Stoßtrupps und suchten die Kneipen auf. Im *Wirtshaus Wenzel*, wo sich die Kommunisten meistens trafen, weigerten sich die Gäste, die SA-Patrouille mit »Heil Hitler« zu grüßen. Sofort hieß es »Spaten raus!« Die Nazis schlugen auf die an den Tischen sitzenden Männer ein und demolierten das Lokal.

Die Braunen sind immer stark, wenn sie in der Überzahl sind, dachte Roth, eigentlich nur dann. Und er beobachtete angewidert die johlende Menge vor dem *Wirtshaus Dreher*.

31. Dengler betrachtete Sternbergs Gesicht

Dengler betrachtete Sternbergs Gesicht.

Der Mann öffnete den Mund und schloss ihn wieder, ohne ein Wort zu sagen.

»Warum lassen Sie uns nicht einfach in Ruhe?«, wiederholte Maria Roth.

Sie sah Sternberg an. Dengler würdigte sie keines Blickes.

»Sie wollen unser Haus. Hab ich Recht?«, sagte sie.

Sternberg ruderte mit den Armen, sein Gesicht war tiefrot, und er rang nach Worten.

»Nein«, brachte er schließlich heraus.

Und dann: »Wir wollten doch nur …«

»Zahlen«, sagte Dengler und stand auf.

Maria sah Robert Sternberg immer noch an, und Dengler begriff, dass er sich nicht entscheiden konnte, aufzustehen.

Er zog ihn am Arm hoch.

»Sie haben das nicht richtig verstanden«, sagte Sternberg zu Maria, die sitzen blieb.

»Tatsächlich?«

Dengler zog ihn zum Ausgang und durch die Tür. Draußen atmete Sternberg tief durch.

Sie gingen zum Wagen. Unterwegs rutschte Sternberg im Schnee aus, Dengler fing ihn auf.

»Kommen Sie. Wir fahren in die Firma. Wir müssen reden.«

★★★

Eine Dreiviertelstunde später saßen sie am Tisch in Ilona Sternbergs Büro.

Die Sekretärin, Frau Howling, trug heute ein dunkelblaues Kostüm. Sie lächelte Dengler an, als sie einen doppelten Espresso vor ihm auf den Tisch stellte. Daneben platzierte sie ein silbernes Kännchen mit warmer Milch. Er lächelte zurück.

Dazu stellte sie einen großen Teller mit fünf Butterbrezeln und einen kleinen Stapel Servietten.

Als sie den Raum verlassen hatte, sagte Robert Sternberg: »Ilona, warum brauchen wir das Hotel?«

Sie sah ihren Bruder an.

»Wie meinst du das?«, fragte sie und zog eine Augenbraue hoch.

Er schwitzte.

»Ich meine … da wohnen Leute drin, seit ewigen Zeiten. Warum lassen wir nicht einfach alles, wie es ist.«

»Spinnst du?« Ihre Stimme klang laut und schrill.

Robert Sternberg nahm eine Serviette vom Tisch und wischte sich das Gesicht ab.

»Kann es nicht einmal auch nach meinem Willen gehen?«, sagte er.

Sie lachte abfällig: »Immer wenn es nach deinem Willen geht, geht alles schief.«

Er wischte sich erneut das Gesicht ab.

»Oder sind deine Stäbchen jetzt serienreif?«

Er sah zu Boden.

»Nein, noch nicht, aber das wird schon.«

»Wann, Robert, wann? Wann wird das sein?«

In diesem Augenblick klingelte Denglers Handy.

Er zuckte entschuldigend die Schultern und nahm das Gespräch an.

»Hi! Hier ist Leopold Harder.«

Der Wirtschaftsjournalist.

Dengler sagte: »Hallo. Haben Sie etwas herausgefunden?«

»Ja. Aber nichts Besonderes.«

»Erzählen Sie.«

Dengler stand auf und verließ den Raum. Er lächelte der Sekretärin zu, die hinter dem Computer saß und mit atemberaubender Schnelligkeit Zahlen in die Tastatur hämmerte.

»Das Schlosshotel ist schuldenfrei. Keine Hypothek. Machen nicht viel Umsatz, aber es reicht gerade so, dass drei Generationen in Ruhe dort leben können. Sagen wir mal so: keine großen Sprünge, aber auch keine Sorgen.«

»Drei Generationen?«

»Das Hotel gehört einem gewissen Kurt Roth. Er lebt dort mit seiner Frau und seiner Tochter.«

»Das sind erst zwei Generationen.«

»Es gibt noch den Großvater. Den Vater von Kurt Roth. Er heißt Albert Roth und wohnt im gleichen Haus.«

War das der alte Mann mit der Schiebermütze und dem warmen Bier?

Dengler bedankte sich für die Informationen.

»Macht ein Bier. Wie versprochen. Heute Abend?«

»Ja, kommen Sie ins *Basta*.«

»Sind Sie auch offen für eine neue Erfahrung?«

Dengler lachte: »Sicher.«

»Dann hole ich Sie um acht ab.«

Dengler ging zurück in Ilona Sternbergs Büro.

Die beiden Geschwister saßen schweigend in ihren Sesseln.

»Nachrichten vom Hotel«, sagte Dengler, »es ist schuldenfrei und macht genügend Umsatz, dass die Familie Roth davon leben kann. Keine großen Sprünge, aber ohne Sorgen, sagt mein Informant.«

»Wir wollen, dass Sie Ihre Arbeit fortführen«, sagte Ilona Sternberg.

»Vorläufig und nur …«, sagte Robert Sternberg, aber ein strenger Blick seiner Schwester brachte ihn zum Schweigen.

Dengler schaute ihn an. Er war nun völlig nass geschwitzt und sah zu Boden. Er tat Dengler Leid.

»Die angeforderten Unterlagen erhalten Sie morgen per Mail«, sagte Ilona Sternberg. Sie lehnte sich im Sessel zurück. Die graue Strähne in ihrem Haar leuchtete.

Er verabschiedete sich.

Als er im Wagen saß, zog er sein Funktelefon heraus und suchte die Nummer, die ihn zuletzt angerufen hatte. Er wählte. Harder meldete sich nach dem ersten Läuten.

»Georg Dengler hier noch einmal. Herr Harder: Wollen Sie sich ein zweites Bier verdienen?«

Der Mann am anderen Ende der Leitung lachte.

»Der Freund von Martin Klein ist auch mein Freund«, sagte er.

»Ich brauche Informationen über eine bestimmte Firma.«

»Name?«

»*Sternberg Befestigungssysteme.*«

»Sitz?«

»Gündlingen.«

»Gündlingen? Noch nie gehört. Wo liegt das?«

»Bei Bruchsal«, sagte Dengler.

★★★

Den Nachmittag verbrachte Dengler bei zwei alten Damen in Gündlingen. Sie erzählten ihm von den schwierigen Zeiten nach dem Krieg. Eine hatte ihren Mann in Russland verloren und danach nie wieder geheiratet. Der Mann der anderen kam 1953 aus russischer Gefangenschaft zurück. Es sei zwischen ihnen aber nie wieder so gewesen wie vorher, sagte sie. Trotzdem, ihre Ehe habe gehalten bis zu seinem Tode sechzehn Jahre später.

Sobald Dengler aber auf Volker Sternberg zu sprechen kam, schwiegen sie alle.

Dengler war zumute, als liefe er gegen eine Mauer.

Er war kein Jota weiter als zuvor.

32. Als er gehen wollte

Als er gehen wollte, flog die Tür des *Wirtshaus Dreher* auf. Zwei SS-Leute stießen Walter Aronheim und Richard Effgen heraus.

Die Menge johlte.

»Aufhängen, den Jud«, schrie einer, und viele klatschten.

Albert Roth blieb stehen.

Er kannte die SS-Leute. Es waren ein Schleifer und ein Edelsteinhändler aus Idar. Beide hatten kleine Geschäfte am Ende der Adolf-Hitler-Straße.

Walter Aronheim war leichenblass. Er blickte in die Menge, und seine Mundwinkel verzogen sich zu einem verächtlichen Ausdruck. Roth sah, dass ihm jemand ein Schild umgebunden hatte. »Rizinus-Indianer« stand darauf, in ungelenker Handschrift.

Effgens Blick war wütend. Auch ihm hatte die SS ein Schild umgehängt. »Industrieschädling«, las Roth.

Ein dritter SS-Mann trat hinter die beiden Männer und gab Aronheim einen Stoß in den Rücken. Er flog nach vorne, stolperte bei der ersten Treppenstufe und stürzte beinahe.

Roth hielt die Luft an.

Doch Walter Aronheim konnte sich mit der rechten Hand am Geländer festhalten. Er knickte ein, hielt sich aber fest. Effgen trat einen Schritt vor, nahm ihn bei der Hand und half ihm wieder auf die Beine.

Die beiden SS-Leute schrien auf Effgen ein, aber Roth konnte sie im lauten Gejohle der Menge nicht verstehen.

Dann wurden die beiden Männer die Treppe hinabgestoßen.

Die Menge bildete ein Spalier.

Weitere SS-Männer erschienen. Es waren nun acht.

Die Leute wurden still.

Aronheim und Effgen gingen durch das Spalier. Vier SS-Leute vor und vier hinter ihnen.

Immer noch kein Ton zu hören.

Der Vorderste winkte plötzlich mit dem Arm.

Die Menge brach los. Die Leute beschimpften die beiden Männer. Erst einige, dann mehrere spuckten sie an.

Eine Frau neben ihm fragte jemanden: »Was ist ein Rizinus-Indianer?«

Und ein Mann mit grobem, rotem Gesicht antwortete ihr: »Die haben denen Rizinusöl zu trinken gegeben.«

Alle, die es hörten, lachten laut und gemein.

Und dann hieß es: zum Bahnhof. Sie werden zum Bahnhof gebracht.

Eine Prozession setzte sich in Bewegung. In der Mitte der Straße.

Im Zentrum keine Monstranz, sondern zwei Männer mit absurden Schildern um den Hals. Mit Gläubigen, die keine Andacht hielten, sondern schrien und spuckten.

Albert Roth folgte dem Zug. Er ging nicht in der Straßenmitte, sondern auf dem Bürgersteig.

Er wusste, dass er eingreifen sollte.

Ich müsste den Herrn Aronheim am Arm nehmen und wegführen.

Es muss ein Albtraum für Aronheim sein. Sein Gesicht sieht noch immer aus, als glaube er nicht, was ihm geschieht. Effgen sieht eisern nach vorne. Seine Backenzähne mahlen.

Aber ich kann allein nicht gegen die SSler losgehen.

Die SS-Leute führten die beiden Männer die Hauptstraße entlang, die jetzt Adolf-Hitler-Straße hieß. Sie gingen am Stadthaus vorbei in Richtung Oberstein.

Vielleicht hilft ihnen jemand in Oberstein, dachte Roth. *Wenn ihnen jemand hilft, mache ich sofort mit.* Dieser Gedanke gab ihm Mut.

Doch es half niemand.

Als sie vor der Post ankamen, wollten zwei SS-Leute nach

rechts abbiegen, am Schlosscafé vorbei, dem kürzesten Weg zum Bahnhof.

Kurze Debatte unter den SS-Leuten.

Dann wandten sie sich nach links.

Mein Gott, sie ziehen durch Oberstein. Sie veranstalten einen Triumphzug durch unsere Stadt.

Eine Horde Schulkinder schloss sich dem Zug an. Die Jungs quetschten sich an den Erwachsenen und an den Uniformierten vorbei, spuckten die beiden Männer an und liefen schnell weg. Das machten sie zwei Mal, drei Mal, dann merkten sie, dass sie dafür gelobt wurden. Nun produzierten sie sich erst recht. Auch einige Frauen traten vor und spuckten. Vor allem Aronheim spuckten sie an. Sie taten es mit einem fast feierlichen Ernst. Dem Juden rann der Speichel von der Backe auf das Jackett.

Effgen machte eine Bewegung mit der Hand, als wolle er einen der Jungs schnappen. Zwei SS-Männer schlugen ihn in den Magen. Sein Oberkörper schnellte vor Schmerz nach vorne, er ging in die Knie, rappelte sich aber sofort wieder auf. Straffte sich. Aronheim streckte den Arm aus und half ihm. Zum ersten Mal sah Roth Effgen kurz lächeln.

Bis zum Marktplatz wurden die beiden geführt.

Dann begann das Rizinus zu wirken.

Roth sieht, wie Aronheim sich mit der Rechten an den Bauch greift. Wie sein Gesicht sich zusammenzieht. Wie er die Zähne aufeinander beißt und sich nichts anmerken lassen will.

Plötzlich erfasst Roth eine tiefe Mutlosigkeit. Wo ist die Polizei? Warum unternimmt niemand etwas? Warum wage ich nichts? Er geht zur Nahebrücke und sieht ins Wasser.

Die Horde zieht an ihm vorbei und biegt in die Wasenstraße ein. Als Roth sich umdreht, sieht er, dass auch Effgens Gesicht schmerzverzehrt ist.

Das Rizinus.

Die Menge hat mitbekommen, dass die Männer Krämpfe haben.

Es stachelt sie an.

Sie johlen lauter.

Einige Frauen kreischen laut.

Der Jud, der Jud – so säuselt es in der Luft.

Effgen kann es als Erster nicht halten. Die Scheiße färbt seine Hose dunkel. Dann das rechte Hosenbein. Dann läuft sie über die Schuhe auf die Straße.

Johlen. Begeisterung.

Hämisches Gelächter.

Alles drängt sich. Jeder will es sehen.

Effgens Augen flackern. Er geht aufrecht. Als ob nichts geschehen wäre.

Mit dem Jud konnte das nicht gut gehen, sagt jemand zu Roth.

Jeder will es sehen.

Auch Aronheim kann es nicht halten. Kurz vor dem Bahnhof färbt sich auch seine Hose. Die Scheiße läuft ihm beide Beine hinab.

Die sollen die Straße sauber machen, schreit einer.

Effgen laufen die Tränen aus den Augen.

Aronheim geht wie in Trance weiter.

Auf dem Bahnhofplatz stehen einige feixende Polizisten.

Da bahnt sich ein Mann den Weg durch die Menge.

Roth kennt ihn.

Es ist Karl Weyand, der Betriebsleiter bei der Firma Elias Neuhäuser.

Soll ein strenger Vorgesetzter sein.

Weyand will wissen, wer verantwortlich ist. Man soll die beiden Männer sich säubern lassen.

Ein betrunkener SA-Mann tritt ihm entgegen und schreit ihn an, er sei ein Sozialist, sei noch schlimmer als der Jud. Und schlägt ihn mitten ins Gesicht. Weyand stolpert zurück. Die SS-Leute drängen Aronheim und Effgen in die Bahnhofshalle. Sie werden nach Birkenfeld gebracht, heißt es, ins Gefängnis. Der Kreisleiter Herbert Wild würde sie schon erwarten.

Der macht denen richtig Feuer unterm Arsch, sagt jemand.

Roth sieht, wie einer der Umstehenden zu einem SS-Mann rennt. Er sagt ihm, Weyand habe die SS- und die SA-Leute »Lumpen« genannt.

Der bespricht sich mit einem anderen SS-Mann. Und noch einem.

Dann gehen sie zu dritt zu Weyand. Der blutet aus Lippen und Nase.

Sie greifen ihn und schleppen den heftig sich Wehrenden mit in den Bahnhof hinein.

Mit dem nächsten Zug werden die drei Männer nach Birkenfeld gebracht.

Roth geht nach Hause.

Noch am Abend schrieb er einen Brief an seine Schwiegereltern in Bruchsal.

Die Antwort kam prompt. Er solle nach Bruchsal kommen. Sie würden ihm helfen. Bald, ja bald solle er kommen.

Und nun stand er an ihrem Grab.

33. Als Georg Dengler kurz vor acht ins *Basta* kam

Als Georg Dengler kurz vor acht ins *Basta* kam, standen Martin Klein und Leopold Harder schon mit einem Glas Grauburgunder an der Theke. Er stellte sich zu ihnen. Die beiden Männer tranken den Rest ihres Weines aus. Dann gingen sie.

Es schneite schon wieder. Die Temperatur lag unter dem Gefrierpunkt. Harder führte sie an der *Cantina Toskana* vorbei. An der Ecke Rosenstraße blieb Martin Klein vor einem kleinen Modeladen stehen. Im Schaufenster standen einige Puppen, nur mit weiten, modernen Hosen eingekleidet, schwarzen Shirts und schwarzen Jacketts. Hier kaufst du also deine Klamotten, sagte Harder, und Klein nickte. Sie bogen in die Olgastraße und überquerten die mächtige Hohenheimer Straße, liefen durch das Gerichtsviertel zur Urbanstraße und standen dann vor einer Kneipe, die *Becher* hieß.

Drinnen war es brechend voll.

Harder erklärte ihnen, hier kämen die Schauspieler der nahe gelegenen Theater nach der Vorstellung zum Essen, ebenso wie die Studenten der Musikhochschule nebenan. Der *Becher* sei eines der wenigen Lokale in Stuttgart, in denen das Essen nicht nur gut, sondern auch für Normalverdiener, Studenten und sogar für Künstler bezahlbar sei. Er deutete auf den Nebentisch, an dem vier ältere Herren Skat spielten. Links der Mann sei der pensionierte Kammergerichtspräsident, der wohl einige Jahrhunderte Gefängnis in seiner Dienstzeit verteilt habe. Eine mittlerweile geläuterte Juristenrunde, sagte Harder.

Eine attraktive dunkelhaarige Frau brachte ihnen die Speisekarte. Es gab hauptsächlich schwäbische Gerichte: Maultaschen, Gaisburger Marsch, Zwiebelrostbraten und Linsen mit Spätzle und Saitenwürstle. Die schwäbische Weinkarte war um einige ausgezeichnete Italiener und Franzosen ergänzt.

Sie bestellten jeder ein Pils.

Ein freundlicher, südländisch wirkender Mann mit einem kleinen Pferdeschwanz brachte ihnen die Biere und nahm ihre Bestellung auf. Harder empfahl ihnen Linsen mit Spätzle.

»In Stuttgart verlangen alle Gastronomen hohe Preise, aber selten liefern sie auch die entsprechende Qualität«, sagte Harder. »Lokale mit bezahlbaren Preisen brummen dagegen, sind jeden Tag voll, stehen aber selten in der Zeitung.«

Dengler wollte sich nicht über schwäbische Gastronomie unterhalten. Er bedankte sich bei Harder für die Informationen über das Gündlinger Schlosshotel.

»Ich wusste nicht mal, dass es ein Gündlingen bei Bruchsal gibt«, sagte Harder. »Geschweige denn ein Restaurant namens Schlosshotel. Ist das Essen dort gut?«

Dengler nickte. »Auch ein Geheimtipp. Sehr zu empfehlen. Gar nicht schlecht und äußerst preiswert. Mit einer Spezialität: Spießbraten. Schmeckt sehr gut. Ist aber, soweit ich weiß, keine schwäbische Spezialität.«

»Kommt aus Idar-Oberstein«, mischte sich Martin Klein ein, »hab ich da schon mal gegessen.«

Dengler lehnte sich zurück und sah Harder an.

»Haben Sie etwas über die Firma *Sternberg Befestigungssysteme* erfahren können?«, fragte er.

Harder nickte.

»Alteingesessene Firma«, sagte er, »fertigt Spezialschrauben und Spezialdübel. Und Spielzeug aus Kunststoff. Spielzeug aus dem gleichen Material wie die Dübel. Fügt sich klug zusammen. Sie verdienen viel Geld mit einem Laufrad für Kleinkinder, in blauer Farbe, das man in jedem Spielzeugladen kaufen kann. Ist seit Jahren der Renner.«

»Also gesund, alles in Ordnung?«

»Na ja«, sagte Harder.

In diesem Augenblick servierte der Mann mit dem Pferdeschwanz das Essen.

Dengler schmeckten die Linsen mit Spätzle vorzüglich. Sie waren frisch zubereitet. Auch Klein und Harder nickten sich anerkennend mit vollem Mund zu.

Schließlich trank Harder einen Schluck Bier.

»Wie ich gehört habe, steht die Firma Sternberg vor der Markteinführung eines neuen Produktes. Ein Großprojekt. Im Bereich Spielzeug, sagt man.«

Die Stäbchen.

Harder fuhr fort: »Sie haben viel Geld auf diese Karte gesetzt. Für ein mittelständisches Unternehmen bedeutet die Einführung eines neuen Produktes ein weitaus höheres Risiko als für ein großes.«

»Wie hoch schätzen Sie das Risiko?«

»Das weiß ich noch nicht genau. Ich brauche dazu noch ein oder zwei Tage.«

»Fein«, sagte Martin Klein, »dann gehen wir wieder hierhin.«

Die drei Männer wandten sich ihren Tellern zu.

34. Zwischen den beiden Tunneln

Zwischen den beiden Tunneln und links der Brücke über dem Fluss entdeckte Blackmore einen allein stehenden Bauernhof. Er bestand aus dem Wohnhaus, einem Stallgebäude mit einer Tenne darüber sowie einem Geräteschuppen. Die drei Gebäude standen einander zugewandt, und auf dem Hof in der Mitte war deutlich eine große Hundehütte zu sehen.

Mit einem großen Hund an der Kette.

Ein deutscher Schäferhund.

Der Köter bellte sofort, als Blackmore sich näherte.

Blackmore zog sich in die nahen Büsche zurück und wartete die Dunkelheit ab.

Doch in dieser Nacht wurde es nicht dunkel.

Der Horizont war erleuchtet vom brennenden Bruchsal. Die Flammen zeichneten orangefarbene Muster an den Himmel, die ganz anders aussahen als die Sonnenuntergänge, die Blackmore kannte. Gemischt mit dunklem Rauch.

Bedrohlich sah diese Farbe aus.

Der Hund bellte, als Blackmore sich im Dunkeln erneut anschlich.

Diesmal zog er sich nicht zurück. Er zerrte seine Pistole aus dem Halfter. Und wartete.

Ein Mann kam aus dem Wohnhaus. Er redete in beruhigendem Ton auf den Kettenhund ein.

Doch der Schäferhund bellte weiter. Wie von Sinnen.

Blackmore zog sich erneut in das angrenzende Unterholz zurück, und der Hund wurde still.

Auf der Wiese saß eine Katze geduldig vor einem Mauseloch. In der orange gefärbten Dunkelheit sah Blackmore ihre Silhouette.

Er rief die Katze.

Das Tier drehte nur kurz und desinteressiert den Kopf in seine Richtung. Dann konzentrierte es sich wieder auf das Mauseloch.

Blackmore sang für sie den Blues, den er als Kind schon gerne gesungen hatte.

I'm broke and I'm hungry

Bäuchlings kroch er auf die Katze zu.

Als sie wieder den Kopf hob, hielt er inne, aber er sang weiter. Die Katze konzentrierte sich wieder auf das Mauseloch, und Blackmore robbte weiter in ihre Richtung.

Als er noch drei Meter von der Katze entfernt war, schob er sich nur noch Zentimeter für Zentimeter vor.

Dann war sie in seiner Reichweite. Er streckte die linke Hand aus, als wolle er die Katze streicheln. Sie ließ es sich gefallen. Er packte sie. Mit der Rechten schlug er ihr mit aller Kraft auf das Genick. Das Tier war sofort tot.

★★★

Diesmal näherte er sich dem Anwesen in schnellen Sprüngen. Den Geräteschuppen als Deckung nutzend.

Der Hund war außer sich, bellte wie verrückt und rannte auf ihn zu, doch die Kette riss ihn wieder zurück.

Blackmore kannte nun den Bewegungsradius, den die Kette dem Schäferhund ließ.

Direkt vor das bellende Tier warf er einen Fleischbrocken.

Kein Bellen mehr. Nur noch Schmatzen und Schlingen.

Er warf ein zweites Stück hinterher.

Schmatzen und Schlingen.

Er wartete.

Der Schäferhund blickte ihn erwartungsvoll an und jaulte leise.

Still! Blackmore presste beschwörend den Zeigefinger auf die Lippen.

Es wird lange her sein, dass dieser Hund das letzte Mal mit Fleisch gefüttert worden ist.

Er warf dem Tier ein drittes Stück hin.

Dann lief er hinüber zum Kuhstall.

Der Hund blieb ruhig.

Vorsichtig betrat er den Stall. Die Kühe standen dampfend da und wendeten ihm interessiert den Kopf zu. Er sah im Dunkel des Stalles eine Leiter und kletterte hinauf auf den Heuboden. Die Reste des Katzenkadavers versteckte er zwischen zwei Holzbalken. Dann ließ er sich in einer Ecke nieder, deckte sich völlig mit Heu zu.

Er dachte an Chicago.

An Koko und seinen Sohn.

Er brauchte hier nur zu warten, bis die Infanterie kam.

Dann schlief er ein.

Am Morgen wurde er wach, als die Bäuerin die Kühe molk. Die Tiere muhten und bewegten sich unruhig hin und her. Nach einer Stunde war alles wieder still.

Gegen zehn Uhr hörte er den Hund bellen, Stimmen ertönten auf dem Hof. Er schlich zu der gegenüberliegenden Seite des Scheunendaches und spähte durch einen Spalt in der Holzwand. Unten standen vier Soldaten mit geschulterten Gewehren, sie sprachen mit dem Bauern und seiner Frau. Neben ihnen in kurzen Hosen warteten die beiden Buben, die er gestern im Wald beim Cockpit angetroffen hatte.

Sie suchten ihn.

Langsam zog er sich wieder in seine Ecke am anderen Ende des Scheunenbodens zurück.

Er legte die Pistole vor sich und wartete.

Nach einigen Minuten war es auf dem Hof wieder ruhig. Sie waren weg.

35. Am Morgen rief er im Krankenhaus an

Am Morgen rief er im Krankenhaus an. Seine Mutter war wach, aber er konnte nicht mit ihr sprechen, da sie gerade untersucht wurde. Er bat die Schwester, ihr auszurichten, dass er sie morgen besuchen würde. Sie versprach es.
Dengler hatte kaum aufgelegt, als das Telefon klingelte.
Ilona Sternberg meldete sich.
»Sie wollten doch mit meinem Vater sprechen«, sagte sie.
»Ja«, sagte Dengler.
»Können Sie um 16 Uhr in der Firma sein? Wir fahren dann zu ihm.«
»Ja«, sagte er, und Frau Sternberg legte auf.
Dengler dachte nach und blätterte in seinem Notizbuch. Was wusste er über diesen Fall?
Ein Hotel wechselt kurz nach dem Krieg den Besitzer. Niemand schert sich darum. Oder doch? Der alte Besitzer hat das Objekt einem 15-jährigen Jungen übertragen. Und er hat gegenüber seiner eigenen Familie offenbar nie darüber ein Wort verloren. Nicht einmal seinen geliebten Enkeln davon erzählt. Seinem Sohn? Dem Schweiger?
Gab es eine Gegenleistung von den Roths? Wo war diese verdammte Zusatzvereinbarung? Schuldete Volker Sternberg den Roths etwas?
Niemand im Ort wollte ihm etwas darüber sagen.
Er überlegte.
Eine Person gab es, die wissen müsste, was da vorgefallen war.
Kurt Roths Vater.
Harder hatte doch von drei Generationen gesprochen, die im Schlosshotel leben: Es gibt noch den Großvater. Den Vater von Kurt Roth. Er heißt Albert Roth und wohnt in dem gleichen Haus, hatte Harder gesagt.

Der alte Mann mit der Schiebermütze.
Heute Mittag würde er wieder einen Spießbraten essen.

★★★

Maria Roth nahm seine Bestellung gleichmütig entgegen. Eine Portion Spießbraten. Gerne. Mit Rettichsalat. Gerne. Und eine Flasche Wasser. Mit oder ohne Kohlensäure. Mit, bitte. Wird gemacht.

Dengler sah sich um. Kurt Roth stand hinter der Theke und zapfte ein Bier. Dengler nickte in seine Richtung, aber Roth schien ihn nicht zu sehen. Seine Frau brachte gerade zwei Teller an einen Tisch am Fenster. Der alte Mann mit der Schiebermütze war nicht da.

»Ist Ihr Großvater heute nicht da?«, fragte er Maria Roth, als sie ihm das Mineralwasser brachte.

»Nein«, sagte sie und ging zu ihrem Vater an die Theke. Die beiden flüsterten.

Dengler trank einen Schluck.

Dann stand Kurt Roth vor ihm.

»Darf ich mich setzen?«

Dengler deutete mit der Hand auf einen Stuhl.

Roth setzte sich.

Seine Tochter brachte ihm eine Tasse Kaffee.

»Unser Spießbraten scheint Ihnen zu schmecken«, sagte Roth.

»Ausgezeichnet«, antwortete Dengler, »gibt es ein Geheimnis – wie Sie diesen besonderen Geschmack erzeugen?«

»Ein Geheimnis! Geheimnisse sind wohl Ihre Spezialität, nicht?«, sagte Roth. »Manchmal gibt es aber auch gar keine.«

»Und beim Spießbraten?«

»Kein Geheimnis. Das Fleisch muss gut abgehangen, das heißt entwässert sein. Wenn noch Wasser im Fleisch ist, bekommt der Braten niemals diesen reinen Fleischgeschmack.«

172

»Besondere Zutaten?«

»Nur Zwiebeln. Die Zwiebeln werden geschnitten und dann an das Fleisch angedrückt. Der Zwiebelsaft soll durch das Fleisch fließen, es tränken.«

»Mmh.«

»Salz und Pfeffer unterstützen die Wirkung der Zwiebel. Mehr kommt nicht an den Spießbraten.«

Dengler war überrascht.

Roth sagte: »Kein Geheimnis. Gutes Fleisch, Zwiebeln, Salz und Pfeffer. Alles ganz einfach.«

»Und wie lange braten Sie das Fleisch?«

»Es wird gerollt und kommt auf den Spieß. Dann etwa zwei Stunden über der Glut drehen. Man darf nur Buchenholz nehmen. Buchenholz gibt dem Spießbraten eine rauchige, würzige Aromahaut, und drinnen ist das pure Fleisch. Im Grunde alles ganz einfach. Mein Vater hat das Rezept aus seiner Heimatstadt mitgebracht.«

»Spießbraten ist eine Spezialität aus Idar-Oberstein, habe ich gehört.«

»Aus Oberstein«, sagte Roth, »mein Vater stammt aus Oberstein.«

Die beiden Männer sahen sich an.

Aus der Nähe betrachtet wirkte Roth älter als von weitem. Er musste das Pensionsalter schon lange überschritten haben. Da er jedoch schlank geblieben war, wirkte er hinter der Theke jünger, als er in Wirklichkeit war.

»Wie ist Ihre Familie zu dem Hotel gekommen?«, fragte Dengler.

Roth lehnte sich zurück.

»Sie kennen doch den Vertrag«, sagte Roth, »er ist gültig. Es gibt einen Eintrag im Grundbuch. Nachdem Sie aufgetaucht sind, haben wir uns extra noch einmal bei einem Rechtsanwalt erkundigt.«

»Nun, wenn alles in Ordnung ist, dann können Sie mir sicher eine Kopie dieser Zusatzvereinbarung geben.«

»Ich habe sie nicht. Und wenn ich sie hätte, würde ich sie Ihnen auch nicht geben. Wir wollen nur unsere Ruhe …«

Durchs Fenster sah Dengler, dass draußen ein Taxi vorfuhr. Der Fahrer half einem alten Mann beim Aussteigen und führte ihn zur Tür des Lokals. Der alte Mann trug eine Schiebermütze – das musste Kurt Roths Vater sein.

Als die Tür aufging, lief Maria Roth sofort zu ihrem Großvater. Sie hakte ihn unter und führte ihn an den runden Tisch direkt an der Theke. Der alte Mann ließ sich schwer atmend fallen. Er wand sich im Sitzen aus seinem Mantel und reichte ihn Maria zusammen mit seinem Stock. Die trug beides zur Garderobe. Dann kam sie zurück und brachte ihrem Großvater eine Flasche Bier, die in einem Wasserbad erwärmt wurde.

Kurt Roth erhob sich.

»Wir wollen nur unsere Ruhe. Wir leben hier seit …«

»1947«, sagte Dengler.

»Genau. Wir haben unser Auskommen. Und das Schlosshotel soll auch noch meiner Tochter ein sorgenfreies Leben ermöglichen. Mehr will ich nicht.«

Dann wandte er sich um und setzte sich zu seinem Vater an den Tisch. Die beiden Männer redeten leise, und hin und wieder nickte der ältere der beiden mit dem Kopf.

Kurz danach brachte Maria einen dampfenden Teller. Kurt Roth hatte Recht: Der Spießbraten verbarg unter einer festen, rauchigen Kruste den Geschmack reinen Fleisches.

Als Maria den Teller wieder abgeräumt hatte, stand Dengler auf und trat an den runden Tisch vor der Theke.

»Darf ich mich setzen?«, fragte er Albert Roth.

Der alte Mann lud ihn mit einer Handbewegung dazu ein.

»Wie Sie wissen, versuche ich herauszufinden, welches die Gründe waren, die zu dem Vertrag führten, der Ihrem Sohn dieses Hotel einbrachte. Sie können mir sicher genau das erzählen, was ich wissen will. Ansonsten spricht hier im Ort niemand über diese Zeit.«

Der alte Mann sah ihn traurig über den Rand seiner Brille an.

»Sie kommen von den Sternberg-Kindern«, sagte er. Es war mehr eine Feststellung als eine Frage.

»Ja.«

»Sagen Sie ihnen, sie sollen aufhören, in den alten Geschichten herumzuwühlen. Für sie sind die Folgen schlimmer als für uns. Ihnen wird es Leid tun, den alten Dreck aufzuwirbeln. Mir nicht. Es ist ihr Dreck.«

Dengler war hellwach.

»Welcher Dreck, Herr Roth? Von welchem Dreck reden Sie?«

Aber der alte Mann hatte sich seinem warmen Bier zugewandt und redete kein Wort mehr.

Dengler ging an seinen Platz zurück und setzte sich. Er winkte Maria Roth.

»Ich möchte zahlen.«

»Das macht 14,80.«

Er gab ihr 20 Euro.

»Behalten Sie den Rest und sagen Sie mir, welches Geheimnis auf diesem Hotel lastet.«

Sie setzte sich.

»Ich weiß von keinem Geheimnis«, sagte sie. »Seit ich hier lebe, gibt es meinen Vater und meinen Großvater, das Hotel und kein Geheimnis. Das gibt es erst, seitdem Sie hier aufgekreuzt sind.«

»Und Sie möchten das Lokal fortführen – die Familientradition fortführen, gewissermaßen?«

Maria überlegte.

»Ich weiß nicht«, sagte sie, »nicht unbedingt. Aber meinem Großvater zuliebe kann ich hier nicht weg. Er hängt am Schlosshotel. Es würde ihm das Herz brechen, wenn ich wegginge. Aber irgendwann einmal …«

Sie stand auf und machte eine Bewegung, die Dengler wie die Andeutung eines Tanzschrittes vorkam.

»Wer weiß«, sagte sie und ging.
In diesem Augenblick stieß Robert Sternberg die Tür auf.

36. Drei Wochen nach der Rizinus-Affäre

Drei Wochen nach der Rizinus-Affäre kündigte Albert Roth die Stelle bei *Groß & Quenzer* und nahm eine Arbeit im Geschäft seiner Schwiegereltern in Bruchsal an. Sie liehen ihm das Geld für eine Gravier- und eine Schleifmaschine. In einem Hinterzimmer richtete er sich eine kleine Werkstatt ein und schliff nun ihre Steine auf eigene Rechnung. Er gewann vier Juweliere aus Karlsruhe und drei aus Mannheim hinzu und begann den Schwiegereltern den Kredit zurückzuzahlen. In Gündlingen hatten die Schwiegereltern Edith und ihm eine kleine Wohnung besorgt.

Dann hatten auch im katholischen Bruchsal die Nazis die Macht übernommen. Er wurde zur Wehrmacht einberufen, war der Einberufung freudlos gefolgt und zog mit der Wehrmacht bis Südfrankreich. Dann wurden sie von Amerikanern und französischen Partisanen wieder zurückgetrieben. In der Eifel traf ihn ein Querschläger in die rechte Wade. Die Wunde war verheilt, und er müsste sich bald bei seiner Truppe melden. Doch er wollte den Krieg überleben.

Er würde sich zum Volkssturm melden und warten, bis der Irrsinn endlich vorbei war.

Im letzten Jahr, am 25. September 1944, hatte Hitler den Führererlass über die Bildung des deutschen Volkssturms unterschrieben, am 20. Oktober wurde dieser Erlass im Reichsgesetzblatt veröffentlicht und damit Gesetz. Alle deutschen Männer im Alter von 16 bis 60 Jahre waren *volkssturmpflichtig*, das heißt 6 Millionen Mann der Jahrgänge 1884 bis 1928. 1944 gab es im Reichsgebiet 5 Millionen »uk-gestellte« Männer, von ihren zivilen Diensten unabkömmliche Personen. Das Feldheer umfasste 4,4 Millionen Mann, das Ersatzheer 2,5 Millionen. Angesichts der aussichtslosen militärischen

Lage wollten die Nazis auch das Reservoir der *UK-Leute* noch im Krieg verfeuern.

Da nicht alle Männer gleichermaßen ihre zivilen Posten verlassen konnten, gliederten sie das Gesamtreservoir in vier Aufgebote.

Das erste Aufgebot erfasste alle Männer zwischen 20 und 60, die in ihrer zivilen Funktion entbehrlich waren. Das Durchschnittsalter dieser Gruppe betrug 52 Jahre.

Das zweite Aufgebot bestand aus den Männern, die wichtige zivile Aufgaben erfüllten und *bis zur Annäherung des Feindes* auf ihren Posten bleiben sollten.

Das dritte Aufgebot, junge Männer zwischen 16 und 19, stand meist schon an der Front.

Das vierte Aufgebot umfasste alle Männer, die für den Waffendienst untauglich waren. Sie sollten Wach- und Sicherungsaufgaben übernehmen.

In Bruchsal bildete sich das Volkssturmbataillon 21/43; das Bataillon 43 im Gau 21. Sein Kommandeur war Phillip Streib.

Albert Roth rechnete damit, dass sich die Volkssturmgruppen vor Annäherung des Feindes auflösen würden. Er überlegte, ob er sich dem Bruchsaler Volkssturm anschließen sollte. Doch er verwarf diese Idee wieder. Er fürchtete sich vor der Rekrutierungsstelle der Armee, dem Erfassungsstab der Wehrmacht, im Volksmund *Heldenklau* genannt. Die Angehörigen dieser Dienststelle durchforsteten Krankenhäuser, Betriebe und Verwaltungen nach halbwegs kampffähigen Jungen und Männern. Vor allem verletzte Soldaten, die nicht mehr in den verlorenen Kampf zurückwollten.

Soldaten wie er.

Im Herbst 1944 war sein Sohn mit anderen Kindern der Bruchsaler Hitlerjugend zum Schanzeinsatz in die Burgundische Pforte gebracht worden. Zwischen Belfort und Delle mussten sie Panzergräben ausheben. Sein Schwiegervater wurde einen Monat später gezwungen, mit mehreren tausend anderen älteren Männern aus Bruchsal, Karlsruhe und Pforzheim bei Senones und St. Diè Schussschneisen in die Wälder der Westvogesen zu schlagen.

Im Gündlinger Volkssturm würde ihm Ähnliches erspart bleiben.

37. Sternberg sah Dengler nicht

Sternberg sah Dengler nicht. Er ging an ihm vorbei und setzte sich, den Rücken zu Dengler gewandt, an den Nachbartisch. Dengler, der gerade gehen wollte, blieb sitzen. Er sah, dass Maria zu Sternberg an den Tisch kam.

Sie setzte sich.

»Was wollen Sie noch hier?«, fragte sie.

»Mit Ihnen reden.«

Maria sagte etwas, aber Dengler konnte es nicht verstehen.

»Ich weiß nicht, was zwischen unseren Familien vorgefallen ist, aber ich habe kein Interesse, den Streit fortzuführen.«

Maria sah sofort zu Dengler hinüber.

»Und – was ist mit dem?«, sagte sie und wies mit dem Daumen auf Dengler.

Sternberg drehte sich und sah Dengler. Er erschrak, dann überlegte er kurz und kam zu ihm an den Tisch.

»Herr Dengler«, sagte er, »Ihr Auftrag ist zu Ende. Ich kündige den Auftrag.«

Dengler rührte sich nicht.

»Vorbei. Haben Sie mich verstanden?«, sagte Sternberg.

»Wir sind um 16 Uhr verabredet«, sagte Dengler, »im Büro Ihrer Schwester. Wir wollen Ihren schweigenden Vater besuchen.«

Dann stand er auf und verließ das Schlosshotel.

38. Die Frau in dem gläsernen Empfangsbüro

Die Frau in dem gläsernen Empfangsbüro winkte ihm zu. Mit großen Schritten stieg er die Treppe hinauf. Auch Frau Howling, Ilona Sternbergs Sekretärin, hatte ihn schon erwartet. Wortlos führte sie ihn in das Büro von Ilona Sternberg.

Die beiden Geschwister saßen am Besprechungstisch. Sie wirkten erschöpft, als hätten sie sich gestritten. Auf der Tischplatte standen einige schiefe Gebilde, zusammengesteckt aus den von Robert Sternberg erfundenen Stäbchen.

»Sieht ein bisschen müde aus«, sagte Dengler und wies auf die Stäbchen-Konstruktionen.

Ilona Sternberg stand auf und gab ihm die Hand. Auf ihre graue Strähne fiel etwas Sonnenlicht, sodass ihr Haar zu glitzern schien.

Robert Sternberg blieb sitzen und ignorierte ihn.

Dengler setzte sich.

»Was haben Sie herausgefunden?«, fragte Ilona Sternberg.

Dengler berichtete von der Unterhaltung mit Albert Roth.

»Roth sagte, es käme Dreck zutage, wenn ich die Umstände des Vertrages ans Tageslicht befördern würde. Und zwar Dreck, der Ihre Familie beträfe, wahrscheinlich Ihren Großvater. Ich weiß noch nicht, was er konkret gemeint hat. Aber Sie sollten sich darauf gefasst machen, dass es unangenehm sein kann.«

»Angenehm wäre mir, wenn der Vertrag nichtig wäre«, sagte Ilona Sternberg und sah ihn an. Dengler bemerkte, dass ihre Kiefern wie unter großer Anspannung mahlten.

»Ilona, ich will das nicht. Warum sollen wir den Leuten das Haus wegnehmen? Wir haben doch genug. Wir haben die Firma und ...«, er machte eine Geste mit der rechten Hand.

Ilona Sternberg maß ihren Bruder mit einem verächtlichen Blick.

»Halte du dich da raus«, sagte sie in einem eisigen Ton.

Robert Sternberg sprang auf: »Ich halte mich da nicht raus. Ich will das nicht.«

Er wandte sich Dengler zu.

»Ich widerrufe meine Unterschrift unter dem Ermittlungsvertrag.«

»Ich unterschreibe einen neuen«, sagte Ilona Sternberg.

»Das wirst du nicht«, schrie Sternberg.

»Sorge du dafür, dass deine Scheißstäbchen funktionieren«, schrie sie ihn an.

Robert Sternberg betrachtete traurig die krummen Gebilde auf dem Tisch.

»Wir müssen sie um zehn Prozent verstärken«, sagte er, »nur um zehn Prozent.«

»Und weiß du, was das kostet?«

Sie warf sich in den Sessel zurück.

»Haben Sie den Vertrag Ihren Anwälten gezeigt?«, fragte Dengler, um die beiden Geschwister von ihrem Streit abzubringen.

Ilona Sternberg sagte: »Nein, wir wollten zunächst einmal prüfen, was 1947 wirklich geschehen ist. Wenn man das Ganze rückabwickeln kann, wäre das gut.«

»Ich mach da nicht mit, Ilona«, sagt Robert Sternberg.

Seine Schwester fauchte ihn an: »Dann sorg du doch dafür, dass ...«

Sie hielt inne, als besänne sie sich darauf, dass Dengler im Raum war.

»Sie wollten mit meinem Vater sprechen«, sagte sie.

Dengler nickte. »Außerdem brauche ich endlich diese Liste, über die wir am Telefon gesprochen haben: Nachbarn, Mitarbeiter, Leute aus dem Umfeld Ihres Großvaters.«

Ilona Sternberg sagte: »Es gibt niemanden mehr. Es gibt nur noch die Witwe eines Buchhalters.«

Sie blätterte in dem Papierstoß, der vor ihr auf dem Tisch lag, und zog ein Blatt hervor. Sie reichte es Dengler, der sich bedankte, das Blatt zusammenfaltete und in sein Jackett steckte.

»Gehen wir«, sagte Ilona Sternberg.

»Du bist genau wie Großvater«, stieß Robert Sternberg hervor.

Dann rannte er aus dem Raum, wobei er vergeblich versuchte, die dick gepolsterte Tür zuzuschlagen.

★★★

Der Vater von Ilona und Robert Sternberg wohnte am Rande von Gündlingen in einer großen Wohnung. Er hieß Fritz Sternberg, war 1933 geboren und würde im Sommer 72 Jahre alt werden. Dies erklärte sie Dengler während der Fahrt zur Wohnung ihres Vaters.

Sie hatten Ilona Sternbergs Wagen genommen, einen Porsche Boxter. Der Motor war laut, und eine Unterhaltung wollte nicht recht in Gang kommen.

Georg Dengler erkundigte sich nach ihrem Verhältnis zu ihrem Großvater.

»Er war der Hero meiner Jugend«, rief sie, die Fahrgeräusche übertönend, »er kümmerte sich um mich. Er nahm mich schon als Kind mit in die Firma. Er sorgte dafür, dass ich in Mannheim Betriebswirtschaft studieren konnte.«

»Sollte nicht Ihr Bruder in seine Fußstapfen treten?«

»Ja, wahrscheinlich. Frauen gegenüber hatte mein Großvater extrem konservative Ansichten. Kinder, Küche und so weiter, Sie wissen schon. Aber er wurde mit Robert nicht so richtig warm. Er war ihm zu verspielt. Und da blieb ja nur noch ich.«

Sie lachte, aber glücklich klang das Lachen nicht.

»Und Ihre Mutter? Sie hatte doch sicher bei der Erziehung ihrer Kinder das erste Wort?«

Sie dachte nach.

»Meine Eltern haben spät geheiratet. Meine Mutter kommt aus sehr einfachen Verhältnissen. Für sie war die Heirat mit meinem Vater der Aufstieg in eine andere Liga.«

»Und sie widersprach Ihrem Großvater nie?«

»Undenkbar.«

Sie parkte den Porsche am Rand einer Seitenstraße.

»Da oben steht mein Vater.«

Sie wies mit der Hand auf das Fenster eines großen Wohn-hauses. Dahinter stand regungslos die Gestalt eines Mannes, der auf die Straße hinuntersah.

»So steht er schon vierzig Jahre da«, sagte Ilona Sternberg. »Am Küchenfenster. Tag für Tag. Er kennt jede Maus auf der Straße mit Namen.«

Sie steckte den Schlüssel in die Haustür.

»Manchmal hab ich ihn dafür gehasst«, sagte sie.

»Und in diesem Jahr wird er 72 Jahre alt«, sagte Dengler.

Sie nickte.

»Wie feiern Sie den Geburtstag eines Mannes, der nicht spricht?«, fragte Dengler, als sie die Haustür aufschloss.

»Papa, ich bin's. Ich bringe Besuch mit«, rief Ilona Sternberg laut und munter, als sie die Wohnung betraten. Sie öffnete die Tür zur Küche.

Georg Dengler sah den zusammengefallenen Rücken eines alten Mannes.

»Guten Tag, Herr Sternberg«, sagte er.

Die Gestalt am Fenster rührte sich nicht.

»Ich soll Ihnen die besten Grüße von Kurt ausrichten. Grüße von Kurt Roth«, sagte Dengler laut.

Der Mann am Fenster drehte sich um.

Langsam. Mit kleinen, tippelnden Schritten, wie eine Mario-nette.

»Von Kurt Roth. Den kennen Sie doch«, sagte Dengler.

Der Mann sah ihn an, aber er sagte kein Wort.

39. Morgens wurde der Schäferhund gefüttert

Morgens wurde der Schäferhund mit gekochten Kartoffeln
gefüttert. Der Bauer kam aus dem Haus und stellte dem
Tier einen alten Emailletopf hin. Blackmore sah, wie ein
wenig Dampf aus dem Topf aufstieg.
Blackmore hatte Hunger.
Der Hund fraß sofort und gierig.
Morgen werde ich die Kartoffeln essen.
Als die Bäuerin die Kühe gefüttert hatte, stieg er vom Scheunenboden in den Kuhstall hinab und untersuchte die Futter-
krippen der Rinder. Sie fraßen ein Gemisch aus Stroh und
gehäckselten Futterrüben. Blackmore klaubte die Rübenstü-
cke aus dem Trog und steckte sie in den Mund. Doch die
Kühe waren schneller. Bevor er kaum mehr als eine Hand
voll davon essen konnte, leckten die Tiere den Trog bereits
mit ihren großen Zungen aus.
Blackmore kletterte zurück auf den Scheunenboden.
In einer Ecke lagen einige Bündel Stroh. Hin und wieder
hatte eine Ähre das Dreschen unbeschadet überstanden,
und auch ringsum und unter dem Stroh fanden sich einzelne
Weizenkörner.
Ich mache den Mäusen Konkurrenz.
Den Rest des Tages suchte er Weizenkörner zusammen und
steckte sie in den Mund. Noch am Abend, als er einschlief,
dachte er an die warmen Kartoffeln.
Als der Bauer am nächsten Morgen den Topf mit den dampfenden Kartoffeln auf den Hof stellte, wartete Blackmore
hinter der Ecke des Stalles. In der Hand hielt er eine Hin-
terkeule der Katze. In der Nacht hatte er den Rest des Felles
abgezogen.
Kaum war der Bauer wieder im Haus verschwunden, rief
Blackmore den Hund, der gierig an den Kartoffeln fraß.

Blackmore wedelte mit dem Fleisch.

Der Hund ließ von dem Topf ab und rannte auf ihn zu. Blackmore warf die Katzenkeule auf den Boden. Der Hund sprang auf sie zu und schnappte sie, während Blackmore gleichzeitig losspurtete, den Topf nahm und ihn hinüber in die Scheune trug.

Ihm schien, er habe noch nie in seinem Leben so gute Kartoffeln gegessen. Später schlich er sich wieder in den Hof und stellte den Topf zurück. Der Hund, den er Billy getauft hatte, kam sofort und steckte die Schnauze hinein, zog sie aber gleich wieder enttäuscht zurück.

Am nächsten Tag zögerte der Hund einen Augenblick, bevor er die Kartoffeln stehen ließ. Vom Rest des Katzenfleisches ging bereits ein übler Geruch aus, obwohl Blackmore es nachts mehrmals in der Tränke der Kühe abgespült hatte. Blackmore wurde nervös. Je länger er sich auf dem Hof aufhielt, desto größer wurde die Gefahr, dass er entdeckt wurde. Doch auch an diesem Morgen entschied sich Billy schließlich für das Katzenfleisch – jetzt war nichts mehr davon übrig.

40. Die Augen des alten Mannes glänzten

Die Augen des alten Mannes glänzten.

»Kurt Roth – den kennen Sie doch«, wiederholte Georg Dengler.

Der alte Mann blickte ihn interessiert und wach an.

Der versteht jedes Wort.

»Ich soll Ihnen einen schönen Gruß von Kurt ausrichten«, sagte Dengler.

Fritz Sternberg starrte ihn an, als warte er auf etwas.

Er will, dass ich weitererzähle.

»Ich bin Privatdetektiv«, sagte Dengler.

Der Mann sah ihn weiter mit diesen glänzenden Augen an.

»Ich arbeite für Ihre Tochter und Ihren Sohn.«

Keine Reaktion. Aber zuhörendes Interesse.

Einer plötzlichen Eingebung folgend, sagte Dengler: »Erinnern Sie sich noch an das Schlosshotel? Sie haben doch als Kind immer mit Ihren Freunden beim Schlosshotel gespielt, wissen Sie noch?«

Fritz Sternbergs Gesicht fing an zu leuchten, ein Lächeln überzog sein Gesicht.

Dann nickte er.

»Mein Gott«, hörte Dengler Ilona Sternberg leise neben sich sagen.

»Das war eine gute Zeit, nicht wahr?«, sagte Dengler.

Wieder nickte der alte Mann.

»Ihre beiden Kinder wollen herausfinden, warum Ihr Vater das Schlosshotel an die Familie Roth abgegeben hat.«

Sofort legte sich ein Schatten über das Gesicht des alten Mannes. Er lächelte nicht mehr.

Er weiß es. Er weiß alles.

»Bitte helfen Sie uns. Was ist damals geschehen?«

Sein Gesicht spiegelte nichts als Trauer.

»Herr Sternberg. Hören Sie mich?«

Der alte Mann streckte die rechte Hand nach der Stuhllehne aus und hielt sich daran fest.

Ilona Sternberg, die hinter Dengler gestanden hatte, trat hervor.

»Papa«, sagte sie leise, »bitte hilf uns dieses eine Mal. Nur dieses eine Mal. Es ist sehr wichtig. Warum hat Opa das Hotel weggegeben?«

Fritz Sternberg schaute seine Tochter an, als sehe er sie zum ersten Mal.

Aber er sagte keinen Ton.

Sie verpfuscht es.

»Verdammt nochmal, Papa, kannst du uns nicht ein einziges Mal helfen, ein einziges Mal?«

Der alte Mann sah seine Tochter an. Dann drehte er sich um und bewegte sich mit kleinen, trippelnden Schritten zum Fenster zurück.

Ende der Audienz.

Dengler hörte, wie Ilona Sternberg wütend und laut Luft einzog.

Sie wird den alten Mann beschimpfen.

Dengler legte ihr beruhigend die Hand auf den Arm. Sie atmete zischend aus.

In diesem Augenblick drehte sich ein Schlüssel in der Wohnungstür. Dengler wandte sich um. Robert Sternberg stand im Türrahmen, schweißgebadet und schwer atmend. Er trat in die Küche und sah sich um. Ohne seine Schwester und Dengler zu beachten, lief er ans Fenster zu seinem Vater.

Er nahm den alten Mann in den Arm.

»Papa, was haben sie mit dir gemacht?«

Fritz Sternberg ließ es sich gefallen, ohne eine Reaktion zu zeigen.

»Raus hier«, schrie Robert Sternberg, »alle beide. Sofort raus hier.«

Ilona Sternberg drehte sich um und rauschte aus der Wohnung.

Robert Sternberg sah Dengler an: »Ihr Job ist erledigt. Schreiben Sie eine Abschlussrechnung. Aber jetzt verschwinden Sie.«

Georg Dengler wandte sich ab und ging hinunter auf die Straße.

Ilona Sternberg war mit dem Porsche weggefahren.

Zu Fuß ging er die Gündlinger Hauptstraße entlang bis zu Sternbergs Firma. Den Schlüssel und die Papiere des Audi gab er der Frau am Empfang.

Dann stapfte er durch den Schnee zum Bahnhof und fuhr nach Stuttgart zurück.

41. In der vierten Nacht

In der vierten Nacht schoss Steven Blackmore einen jungen Fuchs, der am Fluss entlangstreifte. Er trug das Tier ins Unterholz und wartete eine Ewigkeit, ob jemand käme, der den Schuss gehört hatte, aber es zeigte sich niemand. Er zog das Fell ab und vergrub es im Waldboden. Dann zerlegte er den Tierkörper. Fuchsfleisch. Vielleicht könnte er davon selbst...? Diesen Gedanken verwarf er sofort wieder: Ein Feuer hier mitten im Wald würde ihn sofort verraten. Aber Billy würde sich freuen.

Und Billy freute sich. Den Kartoffeltopf rührte er erst gar nicht an, denn längst hatte er die Witterung aufgenommen, die ihm verriet, dass sein dunkler Freund heute etwas ganz Besonderes für ihn mitgebracht hatte. Schwanzwedelnd und mucksmäuschenstill erwartete er Blackmore, der ihn mit einem großen Happen belohnte.

Am fünften Tag – Billy hatte sich gerade über eine weitere große Portion Fuchsfleisch hergemacht – hörte Steven Blackmore hinter sich einen Schrei.

Der Bauer kam auf ihn zugelaufen. Mit einer Mistforke in der Hand.

Der Mann war klein, untersetzt, mit einem runden Gesicht und einer kräftigen Nase, die an der Spitze von einem Geflecht von roten und blauen Adern überzogen war. Er erinnerte Blackmore auf den ersten Blick an die *Red Necks* aus dem Süden der Vereinigten Staaten, die großen Hasser seines Volkes. Er erschrak. Und instinktiv verhielt er sich, als wäre er im Süden. Blackmore hob die Linke, um seine friedlichen Absichten zu demonstrieren. Der Farmer aber glaubte, er sei der Stärkere, und hob die Forke. Blackmore zog seine Pistole, entsicherte sie und zielte auf den Kopf des Mannes. Dieser hielt jäh in der Bewegung inne.

Mit einer knappen Bewegung der Pistole forderte Blackmore den schwer atmenden Bauern auf, die Mistgabel beiseite zu legen. Der Mann ließ die Forke fallen.

Billy hatte derweil die Kartoffeln aufgefressen und kam schwanzwedelnd zu dem schwarzen Soldaten. Blackmore warf ihm das letzte Stück Fleisch vor die Schnauze, und der Hund schnappte selig und stumm danach.

Langsam, Schritt für Schritt, ging Blackmore rückwärts. Den zitternden Farmer ließ er nicht aus den Augen.

Dieses Versteck ist verloren.

Als er hinter die Scheune trat, sicherte er die Waffe, dann rannte er, so schnell er konnte, über die Straße, die Böschung hinauf ins Unterholz.

Er rannte, bis ihm die Lungen zu platzen schienen. Bis er nicht mehr konnte. Dann blieb er stehen.

Erst einmal nachdenken.

Er lehnte sich mit dem Rücken gegen einen Baumstamm.

Blackmore keuchte.

Die Krauts würden ihn suchen.

In diesem Augenblick hörte er von Ferne schwere Artillerie donnern. Die Front kam immer näher. In wenigen Tagen würden amerikanische Truppen hier sein. So lange musste er sich noch verstecken.

Aber wo?

Ein Eichelhäher schlug Alarm und ließ sich auf den Ast einer Fichte wenige Meter von ihm entfernt nieder.

Ob der Vogel essbar ist?

Vorsichtig zog er seine Pistole. Doch der Eichelhäher flog schimpfend auf, bevor Blackmore zielen konnte.

Auf den Baum. Auf dem Baum werde ich mich verstecken.

Geduckt lief er zu der Fichte hinüber und griff nach den unteren Ästen.

Er zog sich hoch. Dann wand er sich um die eng stehenden Äste des Baumes, deren Nadeln ihn bald versteckten. Er kletterte bis dicht unter den Wipfel.

Den nagenden Hunger bekämpfte er, indem er Kiefernnadeln kaute, bis sie wie ein bitterer Brei in seinem Mund lagen. Dann schluckte er sie herunter.

Gegen Nachmittag hörte er einen Hund bellen. Das Gebell schien weit weg. Dann war wieder Stille. Blackmore überlegte, ob er die Nacht über auf dem Baum bleiben sollte. Für einen Augenblick dachte er sogar daran, für die eine Nacht in die Scheune zurückzukehren. Dort würden sie ihn bestimmt nicht mehr vermuten.

Dann hörte er erneut den Hund bellen.

Diesmal viel näher.

Stille.

Wieder bellte das Tier. Ganz nah.

Dann stand das Tier unter seinem Baum und jaulte.

Blackmore kletterte langsam den Stamm hinunter. Die Äste standen eng am Stamm, und er brauchte für den Abstieg länger, als er angenommen hatte.

Dann konnte er den Hund sehen.

Billy.

Blackmore zog die Pistole, legte den Lauf auf den Arm und zielte auf den Kopf des Hundes.

Er zögerte.

Dann sprang er einfach auf den Boden.

Billy war außer Rand und Band.

Er schien sich zu freuen, seinen Fleischlieferanten wiedergefunden zu haben.

Blackmore hielt ihm die Schnauze zu, aber der Köter riss sich wieder los und bellte erneut laut vor Freude.

Es gibt kein Fleisch mehr, Billy.

»Hands up!«, sagt eine Stimme.

Steven Blackmore sieht auf und schaut in die Mündung eines deutschen Karabiners.

Ein junger Mann in Uniform wiederholt die Aufforderung:

»Hands up!« Dann ruft er etwas laut auf Deutsch, und gleich danach sind weitere Soldaten da und zielen auf Blackmore. Er hebt die Hände.

O. k., dann eben Kriegsgefangenschaft.

***

Es sind fünf Soldaten, die ihn durch den Wald führen. Die Pistole und das Messer haben sie ihm abgenommen. Fünf Karabiner bedrohen ihn.

Keine Chance zu fliehen.

Sie führen ihn hinunter auf die Straße und zurück zu dem Bauernhof. Sie rufen den Bauern. Der sieht sich den schwarzen Soldaten an und nickt. Nicht feindselig. Aber wie jemand, der sagt: Dieses Huhn schlachten wir heute.

Der jüngere Kraut scheint die Befehle zu geben. Er schreit etwas, und die anderen konzentrieren sich.

»Go on«, sagt er zu Blackmore und deutet mit der Mündung des Gewehrs auf die Schienen.

Blackmore geht langsam. Er sieht sich um. Die anderen vier Soldaten folgen.

Sie betreten die Eisenbahnbrücke.

»Go on«, schreit der Junge, zeigt mit der Waffe auf den Tunneleingang.

Vielleicht kann ich im Tunnel fliehen?

Er geht.

Als sie zwanzig Meter vor dem Tunnel angekommen sind, hört Blackmore ein tiefes, brummendes Geräusch.

Motoren.

Gleichzeitig schreien seine Bewacher und rennen los.

Sie suchen die Deckung des Tunnels.

Blackmore bleibt stehen.

Er sieht drei Lightnings im Tiefflug das Tal entlangrasen. Sie biegen in eine Linkskurve. Genau auf die Brücke zu.

Er reißt die Hände nach oben.

Er jubelt.

Er winkt den Kameraden zu.

Die eleganten doppelrümpfigen Flugzeuge gehen noch etwas tiefer.

Aus den Augenwinkeln sieht Blackmore die deutschen Soldaten im Tunnel stehen. Der junge Soldat, der etwas Englisch sprechen kann, gibt ihm Handzeichen, er solle sich hinwerfen und auf der Brücke Deckung suchen.

Dann sind die Lightnings da.

Sie eröffnen das Feuer auf ihn, kaum hundert Meter von der Brücke entfernt.

Blackmore sieht das Mündungsfeuer von neun Maschinengewehren gleichzeitig und lässt sich zwischen die Gleise fallen. Rechts und links von ihm schlagen die Geschosse ein. Als die drei Maschinen über ihn hinwegrasen, regnet es leere MG-Hülsen auf ihn herab.

Er springt auf, und sofort durchfährt ihn ein höllischer Schmerz. In der Wade des rechten Beines. Er knickt ein und fällt auf die Schienen. Er sieht zum Fuß hinunter. Wade und Knie sind in rote Farbe getaucht. Er blutet stark. Steckschuss.

Er sieht, wie die drei Lightnings eine enge Linkskurve fliegen, dann ziehen die Piloten ihre Maschinen hoch.

Er kennt dieses Flugmanöver.

Sie werden gleich wieder da sein.

Er rappelt sich auf. Tritt auf mit dem rechten Fuß und knickt sofort wieder. Er schlägt mit dem Kopf auf die Schiene und verliert für Sekunden das Bewusstsein. Als er sich wieder hochzieht, kann er die Lightnings wieder sehen. Sie befinden sich erneut im Anflug.

Können die denn nicht sehen, dass sie gerade einen Kameraden umbringen? Mich, einen Schwarzen?

Plötzlich ist der junge deutsche Soldat bei ihm. Er greift mit dem rechten Arm unter seine Schulter und zieht ihn hoch. Dann schleppt er ihn in den Tunnel. Hinter ihnen erklingt hell das Metall der Schienen unter den Treffern der Maschinengewehre.

Beide gehen zu Boden.

Der Schmerz in seiner Wade ist höllisch. Ein pulsierender Schmerz. Das Blut aus seinem Bein färbt den Schotter dunkel.

Nun erkennt er, dass er und seine Bewacher sich nicht allein im Tunnel befinden. In einiger Entfernung haben sich Frauen mit ihren Kindern an die feuchten Wände gedrückt. Keines der Kinder sagt einen Ton. Alle scheinen sie übernatürlich große Augen zu haben. Alle starren sie ihn an, aber niemand sagt ein Wort.

Ein Junge, der an der Tunnelöffnung Wache gehalten hat, schreit etwas auf Deutsch. Die Frauen greifen die Kinder fester und ziehen sie näher zur Wand hin. Auch die Soldaten, die ihn bewachen, drücken sich an die Wand.

Blackmore sieht zum Tunnel hinaus. Er sieht zwei Lightnings direkt über den Schienen, so tief, dass Blackmore für einen Augenblick annimmt, sie wollen in den Tunnel fliegen.

Sie geben eine Salve ab, schießen in den Tunnel hinein. Dann ziehen die Maschinen hoch und sind verschwunden.

Im Tunnel wird niemand verletzt. Die Menschen warten einige Minuten, dann gehen sie wort- und grußlos auseinander.

Der junge Soldat gibt seinen Kameraden einige Befehle. Zwei Männer greifen Blackmore unter die Arme. Die anderen richten ihre Waffen auf ihn. So humpelt er mit seinen Bewachern aus dem Tunnel hinaus.

Sie führen ihn nun ein kleines Stück die Schienen entlang. Dann steigen sie mit ihm die Böschung hinab auf eine Straße und führen ihn nach Gündlingen.

Sie bringen den amerikanischen Gefangenen ins Spritzenhaus. Die Feuerwehr ist immer noch in Bruchsal und wird dort noch zu tun haben.

Im Spritzenhaus binden sie ihn an ein Gestell, an dem einige ältere Spritzen und andere Gerätschaften hängen.

Der junge Soldat verbindet Blackmore behelfsmäßig und verschwindet. Wenig später kommt er mit einem Arzt zurück, der Blackmores Wunde säubert und verbindet.

Keiner spricht ein Wort mit ihm.

Als die beiden Männer gegangen sind, bleibt er allein im Spritzenhaus zurück. Er blickt sich um. Sein Gefängnis ist kaum mehr als ein alter Holzschuppen mit fest gestampftem Sand- und Lehmboden.

Er versucht, an den Fesseln zu rütteln, aber sie sind fest gebunden. Er kann sich nicht befreien.

Plötzlich öffnet sich die Tür und zwei Buben huschen ins Spritzenhaus. Sie betrachten scheu den gefesselten Amerikaner.

Blackmore erkennt die beiden Buben wieder. Er hat sie zuletzt an dem Cockpit seiner abgestürzten Mustang gesehen.

»Help me«, sagt er zu ihnen und rüttelt an seinen Fesseln.

Da laufen die beiden Buben erschrocken aus dem Spritzenhaus.

Draußen, auf dem Platz vor dem Spritzenhaus, ertönt ein Kommando.

42. Das ist doch kein Kriminalfall

»Das ist doch kein Kriminalfall«, sagte Martin Klein, nachdem Dengler ihnen das Ende des Falles Sternberg erzählt hatte.

Sie saßen im *Becher*: Georg Dengler, Olga, Martin Klein – und etwas später stieß auch Leopold Harder dazu.

Harder verblüffte die Runde mit seinen wirtschaftspolitischen Thesen.

»Es gibt keine Krise in Deutschland«, sagte er.

Und er rechnete vor: »Seit 1970 hat sich das Sozialprodukt der Bundesrepublik, also die Summe aller produzierten Waren und Dienstleistungen, mehr als verdoppelt. Aber aus nur wenigen Arbeitslosen 1970 wurden bis 2002 mehr als vier Millionen – in Gesamtdeutschland. 1979 gab es knapp 1,5 Millionen Sozialhilfeempfänger, im Jahr 2000 waren es in Gesamtdeutschland mehr als 4,5 Millionen. Was ist das für eine Wirtschaft, in der die Verdoppelung des Wirtschaftsertrages Armut in die Gesellschaft bringt?«

»Mhm, aber du wirst doch nicht bestreiten, dass wir eine Wirtschaftskrise haben?«, sagte Martin Klein kopfschüttelnd.

»Nun«, sagte Harder, »bloß, weil alle Zeitungen das schreiben, weil alle Nachrichten es wiederholen, weil alle Politiker das sagen, ist das noch lange nicht wahr. Die absoluten Zahlen sprechen da eine ganz deutliche Sprache. Es stellt sich eine ganz andere Frage.«

»Wo ist die Kohle hin«, sagte Dengler.

»Wir beide wissen, wo sie ist«, sagte Klein und deutete auf Dengler.

»Bei den Milliardären«, sagte dieser.

»Genau.«

Olga nahm Georg zur Seite.

»Du siehst furchtbar müde aus«, sagte sie, »vielleicht solltest du mal in Urlaub fahren.«

Sie schien eine Weile zu überlegen: »Was ist mit deiner Chicago-Reise?«

»Da brauche ich noch ein paar Fälle, bei denen ich mehr verdiene als mit dem abgebrochenen Fall Sternberg«, sagte er.

Auf das Stichwort »Sternberg« hin sah Harder zu ihnen hinüber.

»Übrigens, Georg«, sagte er, »von dieser Befestigungsfirma habe ich die restlichen Informationen.«

»Das interessiert doch nicht mehr«, sagte Martin Klein, »die haben ihn doch rausgekickt.«

»Doch. Das interessiert mich«, sagte Georg.

»Die führen ein neues Produkt ein.«

»Ja, ein Spielzeug. Man steckt Stäbchen zusammen, ähnlich wie Legosteine«, sagte er.

Nur funktionieren diese Stäbchen leider noch nicht.

»Die Kosten für die Markteinführung sind enorm. Nicht nur die Herstellung, Maschinen, Verpackung, sondern auch Fernsehspots, Prospekte, Aufbau eines Vertriebs. Sie sind dafür bis an die Grenze ihrer Kreditfähigkeit marschiert. Die Firma hat alles auf diese Karte gesetzt. Wenn das nicht klappt, sind sie pleite.«

Deshalb braucht Ilona Sternberg also das Schlosshotel so dringend.

»Es ist nicht mehr mein Fall. Aber vielen Dank für deine Mühe«, sagte Dengler, »ich schulde dir noch einige Biere, fürchte ich.«

Harder lachte und winkte ab. »Kein Problem.«

Dann wandte sich Dengler wieder Olga zu.

Er blickte in ihre Augen.

Hoodoo, Hoodoo Man

Make this woman understand

sang Junior Wells in seinem Hinterkopf.

Sie sah ihn an und legte ihre Hand auf seinen Arm.

»Irgendwann kommen die ganz großen Aufträge«, sagte sie, »das weiß ich. Aber in Urlaub solltest du jetzt fahren. Ich werde dir das Geld leihen. Du gibst es mir zurück, wenn die großen Aufträge kommen.«

Georg lachte und schüttelte den Kopf.

»Wer weiß, ob die überhaupt kommen.«

Aber er freute sich sehr über ihr Angebot.

43. Am nächsten Tag

Am nächsten Tag nahm er einen frühen Zug. Er stieg in Karlsruhe in den Eurocity und hatte in Freiburg sofort Anschluss nach Neustadt.

Wieder hätte er sie fast nicht erkannt, als er das Vierbettzimmer betrat und die dort liegenden Frauen erblickte. Seine Mutter lag in dem äußersten Bett neben der Wand. Drei Fernseher hingen an der Wand, den Betten gegenüber, sie waren eingeschaltet, liefen jedoch ohne Ton.

Sie hatte die Augen geschlossen und schien zu schlafen. Ihr Gesicht war blass und ihr Mund eingefallen, wie bei einer Greisin, die ihr Gebiss herausgenommen hatte. Besaß seine Mutter ein Gebiss? Er wusste es nicht.

Sie trug ein hellbeiges Nachthemd.

Wann habe ich meine Mutter zuletzt im Nachthemd gesehen?

Er konnte sich nicht erinnern.

Nie.

Sie war immer als Erste aufgestanden. Dann der Vater, und später hatte sie ihn geweckt. Resolut.

Sie kam in mein Zimmer und riss das Fenster auf, klappte die Läden zurück und ließ Helligkeit und kalte Luft ins Zimmer.

»Aufstehen, Georg – Gott hat dir einen neuen Tag geschenkt«, das hatte sie jeden Tag gesagt.

Später konnte ich diese Phrase einfach nicht mehr ertragen.

Wenn sie ihn wecken kam, hatte sie schon die Kühe gemolken und den Kaffee gekocht.

Sie hat mir das frühe Aufstehen beigebracht.

Nach dem Tod seines Vaters frühstückte er jeden Morgen zusammen mit seiner Mutter. Sie erzählte ihm von den Kühen, von Erlebnissen des letzten Tages. Jeden Morgen. Georg schwieg.

Ich rede heute noch morgens ungern.

Und jeden Morgen wollte sie von ihm wissen, was sie zu Mittag kochen sollte. Auch diese Frage hatte er gehasst.

Sie kochte doch ohnehin immer das, was sie sich ausgedacht hatte.

Um ihrem Redefluss zu entgehen, hatte Georg sich früh in seine innere Welt zurückgezogen. Flog als Pilot durch die Welt. Raubte als Pirat die Schiffe der Weltmeere aus.

Und lernte lesen.

Um selbst am frühen Morgen nicht reden zu müssen, hatte er auf die Buchstaben der Caro-Kaffee-Dose gestarrt, so lange, bis er sie auswendig konnte. Dann fragte er seine Mutter nach der Bedeutung der Buchstaben. Mehr sagte er nie.

Meine erste Morgenlektüre: die Caro-Kaffee- oder die Kathreiners-Dose. Nur um nicht reden zu müssen.

Und die Angaben auf der Köllnflocken-Packung konnte ich auch bald lesen.

Später, wenn ihre Schwestern mit ihren Männern zu Besuch kamen und sie beim Kaffee saßen oder nach dem Mittagessen die ersten Underberg aufgeschraubt hatten, rief sie ihn manchmal:

»Hol mal die Kathreiners-Dose.«

Er rannte dann in die Küche und kam mit der Dose zurück.

»Jetzt lies uns mal was vor.«

»Kinder werden gesund und kräftig durch Kathreiners.«

Georg drehte die Dose ein wenig, um besser lesen zu können: »Kathreiners Kneipp-Malzkaffee.«

Onkel Peter wollte es nicht glauben. Er nahm die Dose, nahm die Brille ab und las selbst laut vor.

»Tatsächlich«, brummte er dann.

Sah seinen Neffen an und schüttelte den Kopf.

»Der wird nochmal Pfarrer, wenn das so ein schlaues Kerlchen ist«, sagte er und zog seinen Geldbeutel aus der Gesäßtasche. Meist gab er ihm einen Groschen.

Und zu den anderen Onkels sagte er: »Jetzt gebt dem Buben

doch auch mal was. Der muss doch schon mal die Kollekte üben, wenn er später Pfarrer ist.«

Seine Mutter strahlte vor Stolz.

★★★

Nun liegt sie mit geschlossenen Augen vor ihm in einem Nachthemd, das aussieht wie ein Leichenhemd, und atmet kaum noch.

Sie war so froh, dass ich Polizist wurde.

»Georg, bist du's?«, stöhnt sie leise.

Mit geschlossenen Augen.

»Ja, Mutter. Ich bin's.«

»Ich muss aufs Klo.«

»Ich rufe die Schwester. Warte einen Augenblick.«

»Nein.«

»Kannst du allein gehen?«

»Bring du mich. Ich mag keine wildfremden Leute.«

Wie leise ihre Stimme klingt.

Ihre rechte Hand hängt an dem Tropf. Deshalb zieht sie mit der linken langsam die Decke zur Seite.

Das Nachthemd ist ihr fast bis zur Hüfte hochgerutscht. Ihm ist, als sieht er ihre Beine zum ersten Mal. Sie sind dünn, ihre weißlich gelbe Hautfarbe wirkt auf ihn abstoßend. Das welke Fleisch hängt von ihrem Oberschenkelknochen herab. Als sie sich aus dem Bett schwingt, gibt das Nachthemd ihm für einen kurzen Moment den Blick auf ihre nahezu kahle Scham frei.

Alles in ihm drängt danach, sofort aus dem Zimmer zu fliehen. Doch sie steht schon neben ihm und hält sich mit der linken Hand an der Stange des fahrbaren Tropfes fest. Mit der anderen Hand sucht sie seinen Arm.

Sie ist deine Mutter, hört er Olgas Stimme flüstern.

Er nimmt behutsam ihre linke Hand, und sie hakt sich unter. Langsam führt er sie um das Bett herum, auf den Gang des Krankenzimmers und zu der Tür der Toilette.

Die wenigen Schritte haben sie erschöpft.

Vor der Toilettenschüssel zieht sie das Nachthemd hoch, als wäre er nicht da. Und setzt sich.

Als sie drückt, zieht sich ihr Gesicht schmerzhaft zusammen. Er weiß nicht, was sie peinigt, aber er hält ihr die Hand.

Er will davonlaufen. Er will seine Mutter nicht nackt sehen, den alten, abgearbeiteten Körper will er nicht sehen, und trotzdem geht er neben ihr in die Hocke, spricht zu ihr mit Worten, die er selbst nicht für möglich hielt. Dieser einfache natürliche Vorgang ist für die alte Frau mit peinigenden Schmerzen verbunden, mit Schmerzen, die so stark sind, dass sie die Scham vor ihrem einzigen Sohn verliert, und die sie so sehr martern, dass auch er alle Scham vergisst.

Als sie es endlich erledigt hat, wäscht er sie mit einem feuchten Waschlappen und bringt sie wieder hinüber in ihr Bett. Sie stöhnt laut, als sie sich ausstreckt.

***

Georg Dengler bleibt eine Woche in Altglashütten. Er steht früh auf und hilft Frau Willmann in der Pension. Zweimal am Tag fährt er mit dem Zug hinüber ins Krankenhaus, und am Abend geht er früh zu Bett. Im Fernsehen sieht er, dass die Parteien den Gipfel zur Arbeitslosigkeit dazu benützt haben, die Steuern für Unternehmen zu senken, genau, wie Leopold Harder es vorhergesagt hat. Manchmal ruft er abends Olga an. Sie ermuntert ihn, bei seiner Mutter zu bleiben und sie zu versorgen. Er spricht mit ihr über seine Scham, den ausgemergelten Körper seiner Mutter nackt zu sehen, und ihr Zuhören hilft ihm mehr in diesen Tagen, als ihm bewusst wird.

Erst als seine Mutter in die Reha-Klinik nach Radolfzell gebracht wird, reist er aus Altglashütten ab. Als er in Freiburg in den ICE steigt, bemerkt er, dass kein Schnee mehr auf dem Bahnhof liegt. Die Sonne scheint. Der Frühling ist da.

44. Am Abend

Am Abend sind alle seine Freunde im *Basta* versammelt. Martin Klein thront am Kopfende des großen Tisches, Olga sitzt zwischen ihm und Leopold Harder, der ihnen mit großen Gesten irgendwelche farbigen Tabellen erläutert. Olga schaut konzentriert zu und unterbricht ihn hin und wieder mit einer Zwischenfrage. Klein schüttelt zuweilen den Kopf und füllt die Gläser nach.

Georg Dengler bleibt an der Bar stehen und sieht zu ihnen hinüber.

Dies ist nun meine Familie, denkt er, und ein Gefühl tiefer Dankbarkeit durchflutet ihn.

Olga ist schöner denn je.

Als sie für einen Augenblick hochschaut, sieht sie ihn an der Bar stehen. Sie lacht und winkt ihm, springt auf, kommt zu ihm und küsst ihn auf die Wange. Dann nimmt sie seine Hand und führt ihn an den Tisch zu seinen Freunden. Der kahlköpfige Kellner hat schon ein weiteres Glas gebracht, und Klein schenkt ihm einen Grauen Burgunder ein.

Dengler setzt sich, nimmt einen Schluck, und dann erzählt er von seiner Mutter: Ja, es geht ihr besser. Sie ist nun in einer Reha-Klinik. Dort wird sie mindestens vier Wochen bleiben. Vielleicht auch sechs.

»Das passt ja sehr gut«, sagt Martin Klein.

»Wir haben nämlich was für dich«, platzt Olga heraus.

»Etwas mit Verfallsdatum«, sagt Leopold Harder mit geheimnisvoller Stimme.

Dengler sieht seine Freunde erstaunt an.

»Hokuspokus Fidibus«, sagt Olga, »schau mal in der Innentasche deines Jacketts nach.«

»Meines Jacketts?«

Georg Dengler greift verblüfft in die Innentasche und zieht

einen weißen Umschlag heraus, von dem er nicht weiß, wie der dorthin gekommen ist.

»Komm, mach's auf«, ruft Olga aufgeregt.

Dengler reißt den Umschlag auf und zieht ein Ticket heraus. Stuttgart–Chicago. Für zehn Tage.

»Das – das kann ich nicht annehmen«, sagt er, aber seine Freunde lachen ihn aus, und Martin Klein erhebt das Glas.

»Auf Chicago!«

»Und die Milliardärsparty«, flüstert Olga so leise, dass Georg es nicht hören kann.

45. Sweet Home Chicago

Come on, baby don't you want to go
Come on, baby don't you want to go
To the same old place, sweet home Chicago

Now, one and one is two, two and two is four
I'm heavy loaded baby, I'm booked, I gotta go
Cryin' baby, honey, don't you want to go
Back to the same old place, my sweet home Chicago

Come on, baby don't you want to go
Come on, baby don't you want to go
To the same old place, sweet home Chicago

Der Airbus zog eine große Kurve über den Michigan-See und nahm Kurs auf den O'Hare International Airport im Norden von Chicago.

Der große Turm, direkt am See, das musste der Hancock Tower sein, weiter hinten, der noch größere, konnte nur der Sears Tower sein. *Chicago Downtown* lag unter ihm. Die Downtown mit den imposanten Hochhäusern machte nur einen Bruchteil der riesigen Stadt aus. Tatsächlich bestand Chicago aus einer Ansammlung von Dörfern und Kleinstädten, jede mit ihrer eigenen ethnischen Zusammensetzung, ihren eigenen Stadtkernen, ihrem eigenen Leben.

Und er sah den See, groß wie ein Meer, der sich an die Stadt schmiegte, den Streifen Sandstrand sah er, der sich weiß an den Wolkenkratzern vorbeizog und sich am Horizont verlor. Und dahinter, nahezu unendlich in einer blau-grauen Farbe, die *South Side*, das Getto der Schwarzen. Dort irgendwo lag *Theresa's Lounge*. Vielleicht würde er heute Abend schon dort sein.

Das Flugzeug landete sanft und rollte aus. Aber es brauchte fast eine halbe Stunde, bis es seine endgültige Position erreicht hatte. Die Passkontrollen liefen erstaunlich schnell ab. Dengler stellte sich in die Schlange der Wartenden, die sich an einer blauen Linie auf dem Boden ausrichtete. Schließlich stand er vor einem schwergewichtigen schwarzen Zöllner, und dieser fragte ihn nach dem Grund seines Aufenthaltes in den Vereinigten Staaten.

»Ich will den Blues hören.«

Der Zöllner fixierte ihn überrascht und fragte ihn, ob er deshalb den Ozean überquert habe. Er winkte Dengler sofort weiter, als dieser die Frage mit einem Kopfnicken beantwortete.

★★★

Durch die Tür der Ankunftshalle trat Dengler unvermittelt ins Warme. Er blieb einen Augenblick stehen, die Tür des Flughafens zischte hinter ihm zu.

Die sommerliche Hitze überraschte ihn. Er schätzte die Temperatur auf 28 Grad. Aus dem Reiseführer wusste er, dass ihn vom O'Hare eine Bahnlinie nach Downtown bringen würde. Tatsächlich fand er eine kleine Bahn, wunderte sich, dass man dafür keine Tickets lösen musste, stellte jedoch nach der zweiten Rundfahrt fest: Dies war eine Linie, die die verschiedenen Teile des riesigen Flughafens miteinander verband. Er stieg beim nächsten Stop aus, verlief sich, fand die gesuchte Bahn nicht und setzte sich schließlich in ein Taxi.

Der gewaltige, grün lackierte Wagen schaukelte ihn einen endlosen Freeway hinunter und setzte ihn vor dem Hotel ab, das er über das Internet von Stuttgart aus gebucht hatte. Er zeigte das Reservierungsformular vor, das er in seinem Büro ausgedruckt hatte, und bekam sofort die kleine Chipkarte ausgehändigt, die ihm als Zimmerschlüssel diente. Wenig später stand er in einer kleinen Suite im neunten Stock des Hotels und sah durch eine Panoramascheibe hinaus.

Kurz nach acht Uhr fischte er sich vor dem Hotel eines der großen grünen Taxis aus dem Verkehr. Bevor er dem Fahrer, einem jungen Pakistani, erklären konnte, wo er hin wollte, war dieser schon losgefahren.

»Bringen Sie mich bitte in die Indiana Avenue, Ecke 47th Street«, sagte er zu dem Fahrer.

Der Pakistani fuhr sofort an den Straßenrand und hielt. Er drehte sich zu Dengler um.

»Sir, diese Gegend ist viel zu gefährlich für einen Touristen. Was wollen Sie dort?«

Dengler wunderte sich.

»Ich möchte in einen Bluesclub.«

»Zu gefährlich diese Gegend. Ich bringe Sie zu einem Club hier in der Nähe. Nicht so gefährlich.«

Dengler lachte: »Nein, ich will in einen bestimmten Club.«

»Sorry – ich fahre nicht in die Indiana Avenue.«

Dengler stieg aus.

Hielt das nächste Taxi an.

»Indiana Avenue, Ecke 47th Street?«, sagte er, bevor er einstieg.

Der Fahrer gab wortlos Gas und ließ ihn am Straßenrand stehen.

Verblüfft sah Dengler dem verschwindenden Wagen nach.

Erst das dritte Taxi nahm ihn mit.

Der Fahrer brachte ihn durch ein Gewirr von Straßen und erreichte dann die große Straße am See.

Der *Lake Shore Drive*.

Dengler kannte diese berühmte Straße aus den Romanen von Sara Paretsky. Ihre Heldin, die Privatdetektivin Warshawski, fuhr häufig diesen Weg auf der Jagd nach üblen Typen, meist irgendwelchen Ganoven aus der Wirtschaftswelt. Dengler mochte die Abenteuer seiner weltberühmten Kollegin. Eine Zeit lang hatte er alle Bücher von Sara Paretsky verschlungen, doch dann schien die Autorin die Freude an ihrer Figur verloren zu haben. Die Romane erschienen seltener, in Erinnerung blieben Dengler zwei wesentliche Schauplätze, der Lake Shore Drive und der Loop.

Er sah zum Fenster hinaus. Auf der linken Seite lag die Seepromenade, der Jachthafen, auf der rechten Seite schob sich immer wieder der Hancock Tower zwischen die Gebäude an der *Sea Side*. Er sah das *Shedd Aquarium*, das *Field Museum* auf der linken Seite und rechts die unzähligen Eisenbahnstränge, die einst Chicago zur Drehscheibe zwischen den Agrarstaaten des Ostens und den großen Städten im Westen gemacht hatten. Das Taxi kam am *Station Soldier Field* vorbei, und Dengler erinnerte sich an eine Liveaufnahme von *Greatful Dead*, die an diesem Ort aufgenommen wurde.

Dann änderte sich das Straßenbild. Die Promenade war nicht mehr beleuchtet, der See lag nur dunkel auf der linken Seite, Industrieanlagen auf der rechten. Irgendwann bog das Taxi nach rechts in eine breitere Straße ein. Dann links in eine schmalere. Der Taxifahrer ließ die Scheiben hochschnurren, und mit einem metallenen Geräusch verriegelte er die Wagentüren.

Diese Straße war kaum ausgeleuchtet. Auf den Bürgersteigen hockten Gruppen von Männern. Dengler sah einen erleuchteten *Liqueur Shop*. Davor eine Traube von Schwarzen. Große Wohnblocks säumten nun die Straßen. Einige der Blocks waren zerstört, die Fenster zerschlagen oder herausgerissen, andere Blocks waren völlig ausgebrannt.

Dengler kam es vor, als führen sie durch ein Kriegsgebiet. Durch ein Gebiet, das unter schwerem Artilleriebeschuss gelegen hatte.

Nun bog der Fahrer in die *South Indiana Avenue* ein. Georg Dengler konzentrierte sich. An der nächsten Ecke kreuzte die *41st Street*. Hier, das wusste er aus seinen Vorbereitungen, hörten die meisten Stadtpläne von Chicago auf, als würde das Getto nicht mehr zur Stadt gehören.

Endlich hielt der Fahrer. Dengler bezahlte und bat ihn, einige Minuten zu warten, falls er *Theresa's Lounge* nicht finden sollte. Doch kaum hatte er die Wagentür zugeschlagen, gab der Fahrer Gas und fuhr davon.

Dengler sah sich um.

Die Straße war belebt.

Er war der einzige Weiße auf der Straße.

Gruppen von Schwarzen gingen an ihm vorbei. Zwei junge Männer fragten ihn etwas in einem englischen Idiom, das er nicht verstand.

Furcht beschlich ihn.

Kam er hier jemals wieder weg?

Er wechselte die Straßenseite.

Und sah das Schild.

Theresa's Lounge – Live Entertainment.

Fri.–Sat.–Sun.–Mon.: Featuring Junior Wells Band

Er war angekommen.

46. Der Volkssturm war in Reih und Glied angetreten

Der Volkssturm war in Reih und Glied angetreten.
Etwa dreißig Männer hatten sich vor dem Gündlinger Spritzenhaus eingefunden. Albert Roth brauchte sie nur anzusehen: Hier wollte keiner mehr Krieg führen. Zwei Drückeberger aus der Gemeindeverwaltung, einige Pensionäre der Bruchsaler VEW-Werke, ein anderer leicht verletzter Soldat und weitere Männer, die nichts anderes wollten, als ihr Leben in den nächsten Tagen behalten.
Neben Albert Roth stand sein Sohn, der das Geschehen neugierig betrachtete. Für ihn war das Ganze ein Abenteuer. Auch einige andere Männer hatten ihre Söhne mitgebracht, selbst wenn diese noch nicht im Volkssturmalter waren. Aus dem gleichen Grund wie Roth: Sie wollten, das sie selbst und ihre Söhne die letzten Tage des Krieges lebend überstanden.
Hier sind wir beide vor dem Heldenklau sicher.
Allein die Bewaffnung war vollkommen lächerlich: Sie hatten einige Gewehre, davon zwei aus tschechischer Kriegsbeute, fünf italienische *Fucile Modello 41*, drei MP 44 Sturmgewehre, von denen er sich eines gesichert hatte, einige Handgranaten und drei Panzerfäuste.
Mit dem Kompanieführer des Gündlinger Volkssturms schien Roth Glück zu haben. Es war der Besitzer einer hiesigen kleinen Fabrik, und dessen Sohn Fritz war der Freund von Albert Roths Sohn Kurt. Die beiden Buben hatten die Fallschirmlandung eines amerikanischen Fliegers beobachtet und dies der Polizei gemeldet. Eine Belohnung wurde ihnen versprochen. Kurt, der ältere und wagemutigere der beiden, hatte gefragt, wann sie die Belohnung bekämen. Der Bürgermeister hatte etwas von »Nach dem Endsieg« gemurmelt – und sich dann klammheimlich abgesetzt.
»Stillgestanden!«

Der Kompanieführer legte einen forschen Ton an den Tag.

Eine kaum merkliche Spannung zog sich durch die Reihe des Gündlinger Volkssturms. Die beiden Buben, die nebeneinander standen, feixten. Kurt hielt ein Bein hoch, und Fritz grüßte militärisch, konnte sich aber ein Lachen nicht verkneifen.

»Ruuuhe«, brüllte der Kompanieführer.

Der schien es ernster zu meinen als die meisten anderen hier.

Er fixierte die Reihe und starrte wütend die beiden Jungen an.

»Der Größe nach antreten!«, kommandierte er nun.

Müde gruppierte sich der Haufen um.

»Schneller. Schlaft nicht ein!«

Die Buben standen nun ganz vorne in der Reihe. Roth war der Zweitletzte.

»Wir werden die Amerikaner mit einer Panzersperre empfangen.«

Albert Roth dachte, er habe sich verhört.

47. Dengler schaute überrascht auf eine kleine Treppe

Dengler schaute überrascht auf eine kleine Treppe. Sie führte nur vier Stufen hinunter zu einer einfachen Holztür. Es sah aus wie der Zugang zu einer schwäbischen Kellerwohnung. Dengler konnte sich nicht vorstellen, dass dies der Eingang zu einem der wichtigsten Musikclubs der Welt sein sollte. Er ging vorsichtig die vier Stufen hinab, als die Tür aufgestoßen wurde. Zwei Männer stießen einen dritten durch die Tür hinaus.

Genau auf Dengler.

Der stürzte zu Boden. Ein Körper fiel über ihn.

Der Mann roch nach Alkohol.

Lag schwer auf ihm und rührte sich nicht.

Plötzlich wurde der Trunkene von ihm weggezogen.

Einer der beiden Männer, der eine Art Phantasie-Polizeiuniform trug, half Georg auf und entschuldigte sich bei ihm.

Bat ihn in den Club.

Aus dem Augenwinkel sah Georg noch, wie der andere Mann den Trunkenen am Kragen schnappte und ihn die vier Treppenstufen nach oben auf die Straße schleifte.

Der Uniformierte fuhr fort, sich wortreich bei Dengler zu entschuldigen.

Sie gingen durch einen kleinen Vorraum und dann – stand er endlich in *Theresa's Lounge*.

Wie klein die Kneipe war!

Rechts sah er eine Bar mit nicht mehr als sechs Barhockern, die Lehnen hatten, links standen einige Tische. Hinter der Bar standen drei weitere Tische. Barhocker und Tische waren besetzt. Es lag dichter Rauch in der Luft.

Dengler ging an der Bar vorbei. Dahinter standen weitere sechs Tische, an denen die Gäste dicht gedrängt saßen. Und an den Holzbalken der Decke hing, merkwürdig genug, eine Art Weihnachtsschmuck: goldenes Lametta.

Im hintersten Winkel die Bandstage.

Im Grunde nur eine Ecke mit einigen Steckdosen.

Ein Schlagzeug stand bereit, einige Verstärker, zwei Mikrophone. Und ein elektrisches Klavier.

Das Publikum war schwarz. Nur an dem Tisch direkt neben der Bar saß eine Gruppe japanischer Touristen, und an der Bar standen zwei weiße Amerikaner. Einer trug zwei Kameras vor der Brust.

Nun war er am Ziel. Trotzdem fühlte er sich verloren. Niemand nahm von ihm Notiz. Eine schwarze Frau prostete ihm zu. Sie mochte um die Fünfzig sein, war füllig, und ihre Körpermasse wirkte wie zusammengehalten von einem engen weißen Kleid. Auf dem Kopf trug sie einen schwarzen Hut mit weißem Federschmuck.

Dengler grüßte sie mit einem Lächeln zurück. Das Gefühl der Verlorenheit wich.

Vor der Bühne, die keine war, erhoben sich vier Männer von ihrem Tisch. Steif betraten sie die Bandstage. Ein kleinerer Mann mit einem Tirolerhut setzte sich hinter das Klavier, ein wuchtiger Schwarzer hockte sich auf den Hocker hinter dem Schlagzeug. Die anderen nahmen ihre Gitarren auf.

»Ladiiies and Gentlemeeen«, schrie der Musiker am elektrischen Klavier ins Mikro, »Williie Keeeeent!« und deutete auf einen hünenhaften Schwarzen, der sich den Bass umschnallte.

Der Schlagzeuger schlug zweimal die Stöcke zusammen, dann setzte die Band ein.

Dengler hatte einmal gelesen, dass die elektrische Gitarre in Chicago erfunden worden sei, weil die schwarzen Musiker mit ihren akustischen Gitarren, die sie im Süden gespielt hatten, nicht mehr gegen den Kneipenlärm ankamen. Willie Kents Band brauchte sich um dieses Problem nicht zu kümmern. Sie waren laut genug, jede Unterhaltung sofort zu übertönen.

Dengler erkannte den Song sofort. Sie spielten «*One More Mile*«, einen Muddy-Waters-Song.

Oh you know it has been such a hard hard journey,
I don't have to cry no more
Keep your light up burnin', so I can know the score
I got one more mile, oh you know I only got one more mile to go

Kent hatte eine Stimme wie ein Vulkan. Schleuderte den Blues aus sich heraus.

Oh you know my journey was so hard,
but I don't have to worry 'bout you no more

Die Paare eilten auf die kleine freie Fläche vor der Band, und Dengler hatte das Gefühl, ihnen im Weg zu stehen. Er sah sich um und stellte sich neben die beiden Weißen an der Bar. Eine junge Frau hinter der Theke fragte ihn, was er trinken wolle, und er bestellte ein Bier.
Willie Kent spielte mittlerweile ein neues Stück.

Then the Blues is good, not always sad,
The Blues is a feeling

Die Frau hinter der Theke brachte ihm sein Bier. Auf der Tanzfläche drehten sich die Paare ….

Ain't nothing but a good man
Good man feeling bad

Der junge weiße Amerikaner mit den beiden Kameras ging zum Rand der Tanzfläche und schoss einige Fotos von der Band und dem Publikum. Dann kam er zur Theke zurück. Er fragte Dengler, wo er herkomme. Ah, Germany, sagte er, als Dengler ihm geantwortet hatte. Er stellte sich mit seinem Vornamen vor. Er hieß Mark und sei Fotograf. Seit vielen Jahren fotografiere er die Bluesclubs in Chicago.
»Aber für diese Fotos interessiert sich niemand in der Stadt«, sagte er und lachte.

»Wann spielt Junior Wells?«, fragte Dengler und erzählte Mark, dass er hauptsächlich wegen Junior über den Ozean geflogen sei.

»Um elf Uhr«, sagte Mark, »vor elf spielt er nie.«

Hinter der Theke erschien eine hochgewachsene ältere schwarze Frau mit grau-schwarzen Haaren, die sie zu einer Art Dutt hochgebunden hatte. Sie trug eine Brille, hinter der zwei rabenschwarze Augen freundlich die Gäste musterten. Von der Frau ging etwas Geheimnisvolles aus, das Dengler sofort für sie einnahm.

»Theresa, hier ist ein Gast, der nur wegen deiner Kneipe den Atlantik überquert hat«, rief Mark ihr zu.

Theresa sah freundlich zu ihnen hinüber und kam langsam auf sie zu. Sie gab Georg Dengler die Hand und sagte: »Fühlen Sie sich wie zu Hause.« Dengler wollte etwas sagen, aber brachte nichts heraus. Er fühlte sich wie ein Pilger, der am Ende seiner Reise angelangt ist. Alle Verlorenheit wich von ihm.

Willi Kent spielte mittlerweile den Howlin'-Wolf-Song »The Red Rooster«, der einst unter dem Titel »Little Red Rooster« die Rolling Stones berühmt gemacht hatte. Dengler hatte lange Zeit geglaubt, dieses Lied, einer der ersten Nummer-Eins-Hits der Stones, sei eine Jagger-Richard-Komposition. Erst später hatte er auf den frühen Platten entdeckt, dass sie Songs von Dixon, Howlin' Wolf und Chuck Berry nachsangen. Er erinnerte sich noch an eine Ausgabe der Musikzeitschrift »Rolling Stone«, die er am Stuttgarter Bahnhof gekauft hatte, weil darin ein Interview mit Keith Richards abgedruckt war. Der Stones-Gitarrist erzählte von seiner ersten Reise nach Chicago: *»Unser erster Trip nach Chicago gehörte natürlich auch dazu (zum ersten Aufenthalt in den USA), als wir in den Chess Studios aufnahmen und all die großen Bluesmänner trafen, deren Musik wir immer und immer wieder gehört hatten. Und dass sie solche Gentlemen waren. Natürlich haben wir sie verehrt. Aber es hätte ja sein können, dass sie sagen: ›Was glauben die-*

se weißen Grünschnäbel eigentlich, dass sie einfach unsere Songs spielen?‹ Dazu kamen wir noch aus England. Aber sie nahmen uns freundlich auf, waren sehr großzügig und ermutigten uns sogar.«

Theresa brachte ihm ein zweites Bier. Er stieß mit Mark an. Der Amerikaner wollte wissen, ob er den *Delta Fish Market* kenne. Dengler verneinte.

Auch dort spiele man noch den richtigen Chicago Blues, sagte Mark. Mitten im Getto habe einer der Bewohner Heimweh gehabt nach dem Mississippi-Delta, das er vor vielen Jahren verlassen habe. Deshalb sei er häufig übers Wochenende hinuntergefahren und habe frischen Catfish mitgebracht, den seine Frau dann während der Woche gekocht oder gebraten habe. Hin und wieder habe er auch einige Fische im Auftrag der Nachbarn mit nach Chicago gebracht. Dies wurde zunächst ein Nebenverdienst, aber irgendwann gab er seinen Job als Truckfahrer in einem Stahlwerk auf und wurde Fischhändler. Heute fährt er einmal in der Woche mit einem großen Truck hinunter ins Delta, kauft Fische ein und verkauft sie während der Woche auf einem Parkplatz. Und am Wochenende spielen auf der Ladefläche seines Lkws Bluesbands, manchmal welche aus der Nachbarschaft, aber auch berühmte Musiker traten schon auf dem Lkw auf, *Sunnyland Slim* habe er dort gehört und *Little Littlejohn* auch.

»Komm doch morgen Abend dort hin«, sagte Mark und schrieb ihm die Adresse auf einen Zettel: *Ecke Kensington und Kedzie Street.*

Dengler sagte zu.

48. Kurz nach elf betrat Junior Wells die Bühne

Kurz nach elf betrat Junior Wells die Bühne. Der kleine Mann am Klavier war außer sich.

»Laaaadies aaaaand Geeeeentlemen, the Goooooodfaaaather of Bluuuuuues, Miiiiiister Juuuuuuunioooooor Weeeeeells!« Wieder und wieder schrie er diese Ankündigung ins Mikrophon.

Die Band spielte das Thema von *Broke And Hungry*.

Plock – ein Schlag auf die *Snaredrum*.

Die Band stoppte.

Junior stand mit geschlossenen Augen vor dem Mikro.

Er trug weiße, enge Jeans mit breitem Gürtel und eine weiße Jeansjacke, verziert mit silbernen Nieten in Mond- oder Sternenformen. Auf dem Kopf ein ebenfalls weißer Stetson. An den Fingern blitzten Brillanten. Wells war überraschend klein und schmal, und Dengler verstand jetzt, warum dieser Musiker früher »Little Junior Wells« genannt wurde.

Auf der Bühne der Royal Albert Hall hatte er größer gewirkt.

Er dachte an die Zeit zurück, als er noch Zielfahnder beim Bundeskriminalamt war und den Terroristen Roman Greschbach jagte.

Das Ticket für mein erstes Junior-Wells-Konzert bezahlte das BKA.

Doch das war lange her. Dengler schien es, wie aus einem anderen Leben.

Die Band konzentrierte sich nun ganz auf Junior. Sie wiederholte nun die wenigen Takte des Intros ganz leise, und alle sahen auf den kleinen Mann, der immer noch mit geschlossenen Augen vor dem Mikrophon stand. Die Konzentration der Musiker übertrug sich auf das Publikum. Die Tänzer blieben stehen und starrten Junior an. Still wurde es in *Theresa's Lounge*, fast feierlich.

Auch Mark, der Fotograf, schien die Welt um sich herum vergessen zu haben. Er stand an die Theke gelehnt und blickte auf den Mann in der weißen Kleidung.
Junior schlägt die Augen auf.

I'm broke and I'm hungry

Nun setzt die Band ein, mächtig, schnell, laut und präzise. Junior singt eine Strophe, dann ein kleiner Wink an die Band, und sie wird leise. Der Bassist reicht ihm eine kleine Mundharmonika, Junior wiegt sie kurz in der Hand und bläst dann eine kurze silberne Melodie, die sich über den Rhythmus der Band erhebt, in dieser Höhe verharrt, um dann wieder zurückzufallen und dem Gitarristen für ein Solo Platz einzuräumen. Dann nimmt die Mundharmonika das Thema der Gitarre auf, und für einen kleinen Augenblick kann Dengler den Klang der beiden Instrumente nicht unterscheiden, aber dann teilen sie sich, und Juniors BluesHarp klettert und fällt, wird laut und manchmal sehr leise, aber immer ist dieses kleine Instrument tonangebend für den Sound der Band. Schließlich singt Junior Wells noch eine Strophe, und dann beendet er das Lied.
In *Theresa's Lounge* sprangen die Leute auf und applaudierten. Doch die Band spielte schon den nächsten Song.

Hoodoo Man.
Hoodoo
I buzzed your bell this morning, elevator running slow
I buzzed your bell this morning, take me up to your third floor.
But I'm holding my hand, Lord I'm trying to make my baby understand

Jetzt hielt es niemand mehr auf den Plätzen. Alle drängelten sich auf die kleine Fläche vor der Bandstage. Alle tanzten. Ein schmaler schwarzer Arm streckte sich nach Denglers Arm aus, fasste ihn und zog ihn auf die Tanzfläche. Eine hochgewachsene junge Frau in einem weißen Kleid und mit langen bunten Ohrringen lachte ihn an. Dengler grinste zurück. Jemand schubste ihn. Es war so eng. Wie ein Sog, der erst nachließ, als die Band eine Pause einlegte. Die junge Frau lächelte noch einmal freundlich und verschwand, und Dengler trottete an seinen Platz an der Bar zurück, wo auch Mark sich wieder einfand, ebenso nass geschwitzt wie er auch.

Die beiden Männer grinsten sich an.

Dengler bickte sich nach der jungen Frau um, die ihn auf die Tanzfläche gezogen hatte, und sah sie an der anderen Seite der Bar stehen. Vertieft in ein Gespräch mit einem jungen Mann mit schwarzer Rappermütze.

Ob sie wohl noch einmal mit ihm tanzen würde?

Mark spendierte ihm ein Bier, und sie stießen an und tranken.

Als die Band wieder einsetzte, lief Dengler zu dem anderen Ende der Bar hinüber, aber die junge Frau zog bereits den jungen Mann mit der Rappermütze zur Tanzfläche. Als sie Denglers enttäuschtes Gesicht sah, lachte sie laut und ihre Lippen formten einen Kuss. Er schlich an seinen Platz an der Theke zurück. Mark, der die Szene beobachtet hatte, schlug ihm auf den Rücken.

»Das ist der Blues«, rief er ihm ins Ohr. Dann bestellte er bei Theresa eine Flasche Jim Beam.

49. Am nächsten Morgen

Am nächsten Morgen erinnerte Georg Dengler sich nicht mehr daran, wie er zurück ins Hotel und ins Bett gekommen war. Er wusste noch, dass die Flasche um zwei Uhr leer gewesen war, als die Junior-Wells-Band ihren Set beendet hatte und die Gäste das Lokal verließen. Die meisten waren zu Fuß gegangen, wohnten in der Nachbarschaft, für Mark und ihn hatte Theresa ein Taxi bestellt. Das Letzte, an das er sich erinnerte, war das riesige grüne Fahrzeug, das langsam herangeglitten war.

Er sah auf die Uhr.

Elf.

So spät!

Mit einem Satz sprang er aus dem Bett. Keine Kopfschmerzen.

Nur großer Durst.

Er duschte, zog sich an und fuhr hinunter in den Frühstücksraum im Erdgeschoss des Hotels. Er trank eine Flasche Mineralwasser. Aß nichts. Dann trat er hinaus auf die Straße.

Die Sonne blendete ihn, und es dauerte einen Augenblick, bis sich seine Augen an die Helligkeit gewöhnt hatten.

Er lief zur berühmten Börse in der La Salle Street, ließ sich durch die Straßenschluchten treiben bis zum Buckingham Brunnen im Grant Park, den er aus dem Vorspann der Fernsehserie »Eine schrecklich nette Familie« mit Ed O'Neill alias Al Bundy kannte. Am Nachmittag besuchte er das Art Institute Of Chicago.

Er wunderte sich, dass man in dieser Stadt die besten europäischen Impressionisten sehen konnte, es aber kein Museum für schwarze Kultur gab.

Nach zwei Stunden Rundgang durch das Museum schmerzten seine Füße. Er verließ das Art Institute, lief noch einige

Häuserblocks weiter und setzte sich dann in ein China-Restaurant. Als er sein Geld überprüfte, fand er den Zettel, den Mark ihm am Vorabend gegeben hatte.

Ecke Kensington und Kedzie Street, las er.

Der *Delta Fish Market.*

Seine Verabredung für den Abend.

★★★

Bleib cool, sagt er sich, um die aufkeimende Furcht zu unterdrücken. Wieder sieht er ausgebrannte Wohnungen und zerborstene Fensterscheiben in offensichtlich bewohnten Gebäudeblöcken. Die Straßen sind schlecht beleuchtet, es sind kaum Autos und nur wenige Fußgänger unterwegs. Über eine Stunde lang schaukelt er in einem der großen grünen Taxis durch das Getto von Chicagos West Side.

Allein kommst du hier nicht mehr raus, denkt er, und dass sich der Fahrer ständig in uralten, völlig zerfledderten Karten neu orientieren muss, stimmt ihn nicht gerade hoffnungsvoller.

Schließlich hält das Taxi an einer Kreuzung unter einer altersschwachen trüben Laterne. Der Fahrer macht eine unmissverständliche Handbewegung: Schnell bezahlen und schnell aussteigen. Dengler glaubt, auf der gegenüberliegenden Seite der Straße im Dunkeln mehrere Gruppen von Menschen zu sehen, die alle in eine bestimmte Richtung laufen. Freundlich bittet er den Fahrer, drei Minuten zu warten, und steigt aus, nachdem er ihm dreißig Dollar gegeben hat. Doch kaum ist Dengler ausgestiegen, gibt der Fahrer Gas, und der grüne Chevrolet verschwindet mit einem großen Satz in der Dunkelheit.

Hier finde ich nie wieder raus.

Er überquert langsam die Straße und betritt einen mit Glassplittern übersäten Parkplatz. Erst als er unmittelbar vor dem Schild steht, kann er die handgeschriebene Aufschrift »Delta Fish Market« lesen. Er sieht das Skelett einer ehema-

222

ligen Tankstelle, und da vorne steht tatsächlich – wie Mark
es berichtet hat – ein alter Lastwagen, auf dessen Ladefläche
ein Schlagzeug montiert ist.

Der Platz selbst ist völlig unbeleuchtet. Die einzigen Licht-
schimmer kommen von den trüben Lichtern, die hin und
wieder über der Straße hängen, und von den rückwärtigen
Fenstern einer schlecht beleuchteten Bar. Aus diesem Grund
kann Dengler auch die in kleinen Gruppen herumstehenden
Schwarzen nicht erkennen, derer er erst gewahr wird, als er
weiter auf die Platzmitte schlendert. Männer, Frauen und
Kinder stehen dicht beieinander und unterhalten sich. Hin
und wieder lacht ein Frau. Über dem Gelände der ehemaligen Tankstelle liegt eine entspannte Erwartung.

Trotzdem fühlt er sich fremd. Mittlerweile haben sich seine
Augen an die Lichtverhältnisse gewöhnt, und Dengler re-
gistriert, er ist der einzige Weiße auf diesem Platz. Aber es
gibt keinerlei Grund zur Sorge, beschwichtigt er sich: Die
Atmosphäre ist friedfertig, und wenn es überhaupt etwas
Störendes gibt, dann ist das sein weißes Gesicht, an dem sich
aber offensichtlich niemand stört.

Dennoch bleibt er angespannt. Es ist die Angst vor dem
Fremden, sagt er zu sich selbst, er findet sein Verhalten al-
bern und bleibt trotzdem wachsam.

Er ist erleichtert, als er Mark entdeckt. Der junge Fotograf
montiert ein Stativ neben der Lkw-Bühne, auf dem ein Blitz-
licht befestigt ist. Er bittet Dengler, seine Kameratasche zu
halten, damit er ein zweites Stativ auf der anderen Seite installieren kann.

Wenig später tritt ein dicker Mann auf die Ladebühne des
Lkws. Mit einem Handzeichen bittet er um Aufmerksam-
keit. Dann spricht er davon, dass die Stadtverwaltung diese
Veranstaltung verbieten will.

»Vor drei Wochen gab es hier eine Schießerei«, erklärt Mark,
während er Kabel und Anschlüsse prüft, »dumme jugendliche Gangboys.«

Niemand sei verletzt worden, aber nun könne es sein, dass die Polizei die Veranstaltung auflöse.

Der dicke Mann klettert umständlich von dem Lkw herunter. Sein riesiger Bauch ist ihm dabei so sehr im Wege, dass er Mühe hat, sich an der Ladepritsche festzuhalten, und er wäre gefallen, wenn ihn eine ebenso hünenhafte Frau nicht gestützt hätte. Er bedankt sich bei ihr mit einem breiten Lachen.

Vier Musiker springen nun auf die Pritsche und legen sofort los.

Ein rauer Blues ertönt. Der Sänger liegt einige Töne zu hoch, das Schlagzeug scheint ein Zehntel zu schnell, die Gitarre klingt zu schrill, aber all dies tut der Begeisterung des Publikums keinen Abbruch. Die einzelnen plaudernden Gruppen verwandeln sich von einem Augenblick auf den nächsten in eine kompakte, tanzende Masse.

Dengler staunt.

Die Frauen stehen breitbeinig und wiegen sich in den Hüften. Viele beugen sich weit nach vorne, und einige berühren mit den ausgestreckten Händen den Boden. Dabei schwenken sie den Hintern ungeniert hin und her. Und es sind große Hintern dabei. Die Männer stehen hinter ihnen, und einige halten die Frauen an den Hüften fest und bewegen ihre eigenen Hüften im Gleichklang zur Musik und vor allem im Gleichklang mit den Frauen. Hin und wieder zieht ein Mann von dannen und sucht sich eine Position bei einer anderen Frau, oder eine Tänzerin wendet sich ab und streckt ihren Hintern einem anderen Tänzer entgegen, der sich diesem Angebot zumeist sofort und erfreut widmet.

Dengler hat noch nie einen Tanz gesehen, der so sexuell aufgeladen ist. Es ist nicht nur ein Paar, das dieses kaum verhüllte Begattungsritual auf diesem gottverlassenen Parkplatz vollzieht, es ist eine kompakte Masse von Menschen, und von diesen geht eine solche Energie, eine solche Macht aus, dass sie auch den Stuttgarter Privatdetektiv in ihren Bann schlägt.

Er sieht eine spindeldürre Frau, die sich aufrichtet, den Kopf verzückt nach hinten geworfen, und sich dann ruckartig im Kreise dreht. Bei jeder Drehung zieht sie den Rock eine Handbreit höher. Um sie herum bildet sich sofort ein Kreis von Tänzern. Zwei weitere Frauen tun es ihr nach. Nun wird der Ring um die Frauen so dicht, dass Dengler die Sicht versperrt wird. Schließlich löst sich der Kreis unter Lachen und Applaus auf.

Plötzlich ergreift jemand seine Hand. Dengler erschrickt, doch dann erkennt er die schlanke Frau, die ihn gestern Abend in *Theresa's Lounge* auf die Tanzfläche gezogen hat. Sie trägt heute schwarze Hosen und eine Bluse in der gleichen Farbe. Die Frau lässt seine Hand nicht los, sondern zieht ihn durch die wogende Menge der Tanzenden in die Mitte dieses Hexenkessels.

Wird sie von ihm verlangen, dass er auf die gleiche Art und Weise mit ihr tanzt? Er betrachtet ihre Hüften. Sie sind viel schmaler als die der meisten Frauen hier. Wie sie sich anfühlen werden? Doch die Unbekannte mustert ihn mit einem Blick, als ob sie prüfen wolle, ob er für diese Art von Tanz überhaupt taugt. Falls es so ist, hat er die Prüfung nicht bestanden, denn seine Tanzpartnerin denkt nicht daran, sich vor ihm zu bücken, sondern tanzt aufrecht ihm gegenüber, schnell und elegant, dass es ihm eine Freude ist, ihr zuzusehen. Sie scheint es zu bemerken und lächelt.

★★★

Später saßen sie zu dritt in der schummrigen Bar neben dem Fish Market, die ihr weniges Licht mit den draußen Tanzenden teilte.

Marie-Louise, seine Tanzpartnerin, arbeitete an der Universität von Chicago. Sie schreibe an einem Buch über den Blues, sagte sie.

»Und du?«, fragte sie.

Dengler erzählte von seiner Liebe zu dieser Musik, seit er

Junior Wells zusammen mit Buddy Guy in einem Konzert mit Eric Clapton in der Londoner Albert Hall zum ersten Mal gesehen hatte. Er erzählt nicht, dass er damals noch Zielfahnder beim Bundeskriminalamt war und nach dem Konzert einen Terroristen festnahm, den er mehrere Jahre lang gejagt hatte. Er hatte gewusst, dass die Zielperson Clapton-Fan war. Und musste dort nur auf ihn warten. So hatte er den Blues auf dem Dienstweg kennen gelernt.

All das erzählte er nicht.

Ein Blues-Pilger aus Europa, sagte Marie-Louise bewundernd und sah ihn an.

Dann erzählte sie, dass der große Muddy Waters in Europa immer große Hallen gefüllt habe, während er in den USA nur in kleinen Clubs aufgetreten war. Die bekannteren Blues- und Jazzmusiker könnten ohne Europa kaum leben, sagte sie, dort werden sie gut bezahlt …

»… und man behandelt sie wie Künstler und nicht als verdammte Nigger«, sagte eine Stimme, die Dengler bekannt vorkam.

Er drehte sich um.

Junior Wells stand hinter ihnen.

★★★

»Junior, setz dich zu uns. Wir haben einen Pilger aus Europa hier.«

»Nur, wenn es Jim Beam gibt«, sagte Junior und setzte sich. Ein Kellner brachte im gleichen Augenblick die Whiskeyflasche mit vier Gläsern.

Dengler starrte den Musiker ehrfurchtsvoll an.

Das ist der Mann, dessen Musik seit langem mein Leben mit all seinen Höhen und Tiefen begleitet. Vor allem die Tiefen. Seine Stimme höre ich täglich, noch bevor ich irgendeinen anderen Menschen spreche. Um seine Musik live zu hören, bin ich um die halbe Welt geflogen.

Ob er das Junior Wells erzählen konnte?

Skeptisch betrachete Dengler die Whiskeyflasche: schon wieder Jim Beam!

Junior schraubte die Flasche auf und füllte die Gläser.

Sie stießen an.

»Eine deutsche Sitte«, sagte Dengler, und er erzählte ihnen, dass das Anstoßen eine Vorsichtmaßnahme der Ritter gewesen sei. Wenn sie zusammen tranken, hätten sie die Kelche so fest zusammen gestoßen, dass das Bier oder der Wein aus den Kelchen in die anderen übergeschwappt sei. Wenn eines der Biere vergiftet gewesen wäre, dann wäre das Gift auf diese Weise in alle anderen Kelche gelangt. Das Anstoßen sei also nichts anderes gewesen als eine mittelalterliche Methode, sich vor Giftanschlägen der Gäste oder Gastgeber zu schützen.

»Jim Beam ist nie vergiftet«, brummte Junior Wells und trank das Glas aus.

50. Die nächsten Tage

Die nächsten Tage verbrachte Dengler in aufregender Gleich-
förmigkeit. Tagsüber zog er, bewaffnet mit einem Reiseführer, durch Chicago,
Mittags setzte er sich an den Sandstrand vor dem Hancock-
Tower, zweimal schwamm er sogar weit in den See hinaus.
Abends jedoch saß er mit Mark und Marie-Louise in *Theresa's
Lounge* und lauschte Junior Wells' Blues. Nach seinem Konzert schloss Theresa den Club, brachte eine Flasche Jim Beam
und setzte sich zu ihnen. Hin und wieder kam Junior Wells
zu ihnen und erzählte ihnen Geschichten: von seiner Jugend
in den Chicagoer Jugendgangs, als er 1970 zusammen mit
Buddy Guy als Vorgruppe der Rolling Stones durch die Welt
tourte, von seiner Filmrolle in Blues Brothers II.
Wenn sie das Lokal verließen, teilte sich Georg mit Mark, der
in der Nähe der Endstation Kimball der *brown line* wohnte,
ein Taxi. Sie umarmten Marie-Louise, die ein Cap in Richtung Universität nahm, wo sie in einem Apartment wohnte,
das der Hochschule gehörte.
Als sie am vorletzten Abend von Denglers Aufenthalt vor
Theresa's Lounge auf die Taxis warteten, sagte Marie-Louise
zu ihm, sie wolle, dass er mit ihr fahre. Sie sah ihn dabei
nachdenklich an. Und abwartend. Dengler wurde von dieser
Einladung überrascht. Das erste grüne Cap schnurrte heran,
und Mark klopfte ihm lächelnd auf die Schulter. Dann hielt
er ihr die Tür auf. Marie-Louise glitt auf den hinteren Sitz.
»Nun mach schon, du Glückspilz«, sagte Mark und hielt wei-
ter die Tür auf. Dengler setzte sich vorsichtig neben Marie-
Louise, und sie griff nach seiner Hand. Von außen drückte
Mark vorsichtig die Wagentür zu.
Sie wohnte in einem typisch schmalen dreistöckigen Chica-
goer Stadthaus nahe der Universität.

»Pst!« Sie legte den Zeigefinger an die Lippen.

Sie drehte ihm den Rücken zu und schloss die Türe auf. Im Hausflur zog sie ihre Schuhe aus, und vorsichtig stiegen sie die Treppe hinauf zu ihrer Wohnung im ersten Stock. Sie öffnete die Wohnungstür und ließ ihn eintreten. Sie standen in einem langen Flur. An den Wänden hingen Bilder, Zeichnungen, gerahmte Fotos von Musikern und ein Gemälde, das Martin Luther King darstellte, die Hände zum Himmel erhoben. Sie zog ihn weiter in ihr Badezimmer.

»Zieh dich aus«, flüsterte sie ihm zu. Sie selbst entledigte sich ihrer Hose, ihrer Bluse und ihrer Wäsche mit atemberaubender Schnelligkeit. Dengler hatte sein Hemd noch nicht aufgeknöpft, als sie nackt vor ihm stand.

Sie lehnte sich an das Waschbecken.

»Gefalle ich dir?«

★★★

Er kann nur nicken. Sie ist hochgewachsen, und sie steht da wie eine ägyptische Königin. Durch das Badezimmerfenster fällt etwas Mondlicht auf die dunkle Haut ihrer Schultern und lässt diese Stelle in einem eigentümlichen Silberglanz erscheinen. Ihre Brüste liegen im Schatten dieses Lichts, das nur deren Konturen preisgibt. Dennoch sieht Dengler ihre beiden Knospen deutlich vor sich, noch dunkler als ihre dunkle Haut, und ihm ist, als leuchten sie trotz ihrer fast schwarzen Farbe.

Sie genießt seine Überraschung. Und obwohl sie ihn ansieht, ist ihr Blick auch selbstvergessen – ihm zugewandt und zugleich sich selbst.

Dengler rührt sich nicht. Zeige- und Mittelfinger umschließen noch immer den untersten Knopf seines Hemdes.

Sie löst die Spannung und gleitet in die Duschkabine. Er sieht noch ihren Arm, der ihm winkt, er solle endlich kommen, dann rauscht Wasser. Er will den Hemdknopf öffnen, doch der gibt sich widerspenstig und will nicht durch das enge Knopfloch. Georg Dengler sieht Marie-Louises Gestalt hinter der milchigen Glasscheibe der Duschkabine und zieht und drückt an dem Knopf. Schließlich reißt er den untersten Knopf des Hemdes ab und löst den Gürtel, kann kaum auf einem Bein stehen, so sehr zittert sein Knie, als er die Hose auszieht, dann endlich das T-Shirt, die Socken und zuletzt den Slip abstreift.

Sie steht unter dem prasselnden Strahl, als er zu ihr tritt, sie hat die Arme hinter dem Kopf verschränkt, die Augen geschlossen, um sie vor dem Wasser zu schützen. Als er vor ihr steht, nimmt sie die Seife und reibt seine Brust damit ein. Und er rührt sich nicht. Und er rührt sich nicht, als die Seife Kreise auf seinem Rücken zieht und Bahnen auf seinen Beinen. Sie geht nun vor ihm in die Hocke und nimmt sein Geschlecht in die rechte Hand. Er sieht, wie sie es aufmerksam, fast neugierig betrachtet.

Später trocknet sie ihn ab und führt ihn durch den Flur in ihr Schlafzimmer. Ihr Bett ist groß. Mit einer einzigen raschen Bewegung zieht sie die weiße Tagesdecke weg und drückt ihn vorsichtig auf das kühle Leintuch.

51. Sie streiften gemeinsam durch die Stadt

Am anderen Morgen streiften sie gemeinsam durch die Stadt. Sie zeigte ihm die Stadt, die Hochhäuser, nahm ihn mit der *red line* mit in das Getto der South Side, zeigte ihm die Taylor Homes, die von den Gangs beherrschten Hochhäuser in der West Side.

Erst am Nachmittag verabschiedete sie sich von ihm mit einem zarten Kuss.

»Ich muss zurück zur Uni.«

»Sehen wir uns heute Abend – bei Theresa?«

Sie schüttelte den Kopf.

»Ich kann nicht.«

»Es ist mein letzter Abend.«

»Ich weiß.«

Sie lief einfach los, drehte sich noch einmal um und winkte ihm. Lief weiter, mit großen Schritten, bis er sie aus den Augen verlor.

Als er am Abend neben Mark an der Bar stand, wartete er vergebens auf sie. Sie lauschten Junior, der in Höchstform sang und spielte. Und als es zwei Uhr nachts war, kam Theresa zu ihnen und stellte die Flasche Jim Beam auf den Tisch. Junior setzte sich dazu.

»Eigentlich mag ich Germany nicht besonders«, sagte der Musiker.

Dengler sah ihn fragend an.

»Mein Vater ist dort gestorben – während des Krieges.«

Schweigen am Tisch.

»Eigentlich ist er gar nicht richtig gestorben«, sagte er weiter, »er wird vermisst.«

»Und die Army hat nicht herausgefunden, was mit ihm passiert ist?«, fragte Mark.

»Die Army interessierte es 1945 einen Bullshit, was mit einem Nigger passiert. Und wenn es nicht gerade ein General ist, interessiert es sie heute genauso wenig.«

Er sah zu Dengler hinüber.

»Du bist doch ein *private eye*.«

Dengler nickte.

Er benutzt die gleiche Formulierung wie Martin Klein.

»Würdest du nach ihm suchen?«

»Das ist mein Beruf – und das, was ich am besten kann.«

Junior Wells schien zufrieden.

»Und wie viel Dollar nimmst du mir ab?«

Dengler dachte einen Augenblick nach.

»Wenn ich ihn finde, spielst du ein Konzert in Stuttgart.«

Junior lachte.

»O. k.«, sagte er, »aber nur, wenn du meinen Daddy gefunden hast. Und Flug und Hotel zahle ich niemals selbst.«

Sie reichten sich die Hände, und Wells füllte die Gläser mit Jim Beam nach.

Georg Dengler sah zur Tür.

Sie kommt nicht mehr.

Dann wandte er sich Junior Wells zu.

»Ich brauche noch einige Informationen. Ich muss noch einiges von dir wissen.«

Er zog sein Notizbuch aus der Tasche.

»Den Namen«, fragte er und gab sich selbst die Antwort, die er auch niederschrieb: »Wells – natürlich, aber wie lautet denn dein richtiger Vorname?«

»No«, sagte Junior.

»Was heißt ›No‹?«

»Ich heiße nicht Wells – ist bloß mein Künstlername.«

»Und wie lautet dein richtiger Name?«

»Blackmore – Amos Blackmore.«

»Und dein Vater? Wie ist sein Name?«

»Steven. Steven Blackmore.«

Georg Dengler notierte den Namen und stellte weitere Fragen.

3. Teil

52. Der Rückflug verlief ruhig

Der Rückflug verlief ruhig. Dengler saß in der riesigen Air-busmaschine in der mittleren Sitzreihe. Die Plätze rechts und links waren frei geblieben, und so konnte er die Armlehnen hochklappen und sich über die drei Plätze hinweg hinlegen. Erst über England wurde er wach. Benommen wankte er in die kleine Bordtoilette, wusch sich das Gesicht und putzte sich die Zähne.

In Paris stieg er um.

Drei Stunden später landete der Airbus der Air France in Stuttgart. Als er seinen Koffer durch den Ausgang zog, begrüßten ihn Olga und Martin Klein mit einer Flasche Veuve Clicquot. Olga umarmte ihn, und er spürte, wie sich ihre Brüste gegen seinen Oberkörper drückten. Martin entkorkte den Champagner und füllte die Gläser. Die Freunde tranken.

Sie fuhren mit der S-Bahn hinunter zum Bahnhof. Bereits in Vaihingen war die Flasche leer. Dengler erzählte ihnen von der Stadt, der Musik, dem Loop, den Wolkenkratzern, von Junior Wells, Theresa und Mark.

»Und die Frau ... Sag schon: Wer war die hübsche Frau, mit der du in Chicago zusammen warst?«, fragte Olga leise.

Dengler war völlig perplex. Woher konnte sie wissen ...?

Verdammt, ich werde rot.

Olga sah ihn immer noch prüfend an. Ihre rechte Augenbraue hob sich. Dann lachte sie leise und streichelte seine Wange mit einer kurzen, zärtlichen Bewegung.

»Es geht dir gut?«

Dengler nickte.

»Und Christiane ist ... überstanden?«

Einen kleinen Augenblick nur zögerte er, dann nickte er.

»Ja, Christiane ist überstanden.«

Olgas Gesicht wurde ernst.

»Das ist gut«, sagte sie leise und nahm seine Hand.

Die S-Bahn hielt am Hauptbahnhof, und sie stiegen aus. Zu dritt liefen sie die Königsstraße entlang. Martin Klein kaufte sich in einer Buchhandlung am Kleinen Königsplatz einen Kriminalroman.

»Ich muss ja die Konkurrenz studieren«, feixte er, »von dir bekomme ich ja keinen Stoff. Oder hast du einen neuen Fall aus Amerika mitgebracht?«

»Ja, habe ich«, sagte Dengler.

Als sie im *Basta* saßen, erzählte er ihnen, er werde den Vater von Junior Wells suchen, der seit 1945 in Deutschland als vermisst gilt.

Martin Klein verdrehte die Augen.

»Das ist auch nicht gerade der Stoff für einen Thriller«, sagte er.

Darauf stießen sie an.

***

In der Nacht träumte Dengler, durch die Straßenschluchten von Chicago zu fliegen. Unter ihm liefen die Menschen. Niemand nahm von ihm Notiz. Er flog zwischen den Wolkenkratzern hindurch, kreuzte den Oak Street Beach. Er sah die Sonnenanbeter, die Jogger, die Hundebesitzer, die Geschäftsleute, die die Schuhe ausgezogen und die Anzughosen hochgekrempelt hatten und durch das flache Wasser wateten. Er hielt Ausschau nach Marie-Louise, aber er konnte sie nirgends entdecken. Die Luft war warm, und ihn überwältigte ein berauschendes Glücksgefühl. Er breitete die Arme aus. Noch im Traum überlegte er, ob dieser glückliche Flug nur ein Traum sein könne. Aber die Wärme, die Bilder vom See und von den Menschen am Strand erschienen ihm so wirklich, dass er diesen Zweifel verwarf. Während er eine Brücke des Chicago River unterflog, sah er sich um und suchte die Fledermaus. Als habe sie nur darauf

236

gewartet, war sie plötzlich da und flatterte neben ihm am Wasser entlang.

Mit einer leichten Enttäuschung erwachte er. Er schloss noch einmal die Augen, rief sich die Bilder des Traumes in Erinnerung und wusste, dass es heute ein guter Tag werden würde. Barfuß schlappte er zu dem CD-Spieler hinüber, und kurz danach füllte Junior Wells raue Stimme sein Zimmer.

You got to help me, Baby,
I can't do it all by myself
You know if you don't help me this mornin'
I'll have to find myself somebody else.

Er überlegte, was Junior in diesem Augenblick wohl tat. In Chicago war jetzt Nacht, Junior würde auf der Bühne stehen und vielleicht in diesem Moment diesen Song singen. Und Theresa würde eine Flasche Jim Beam für ihn auf die Theke stellen.

Georg Dengler legte sich bäuchlings auf den Boden und stemmte sich wieder auf. Einmal, zweimal, dreimal. Nach zwanzig Liegestützen verließen ihn die Kräfte. Seine Kondition hatte sich dramatisch verschlechtert.

Zu viel Jim Beam in letzter Zeit.

Er biss die Zähne zusammen, doch nach der vierzigsten blieb er keuchend auf dem Fußboden liegen. Er blickte Hilfe suchend zur Madonna.

Sei's drum, dachte er und ging ins Bad.

Er frühstückte in der Espressobar. Um neun Uhr kehrte er ins Büro zurück und rief die Pressestelle des US-Hauptquartiers für Europa in Stuttgart-Vaihingen an.

Gibt es eine Dienststelle, die sich um die vermissten Soldaten des Zweiten Weltkrieges kümmert, wollte er von der weiblichen Stimme wissen, die seinen Anruf entgegennahm.

Sie wusste es nicht. Wir rufen sie zurück, versprach sie.

Dengler hinterließ seine Telefonnummer.

Er warf den Rechner an und loggte sich ins Internet ein.

Er probierte es zunächst mit dem Suchbegriff »Vermisste Flieger«. Es gab nur zwei Treffer. Er landete auf der Buchseite eines Autors, der im Selbstverlag ein Buch über einen Ort namens Longuich-Kirsch herausgab. Dengler las einige Seiten, die der Autor im Netz veröffentlicht hatte. Bei Luftkämpfen zwischen alliierten Lightnings und einigen deutschen Fw 190 starb ein amerikanischer Flieger. Sein Name war James O. Baxter, nicht Blackmore.

Fehlanzeige.

Der zweite Beitrag war ein Archivartikel der Osnabrücker Zeitung. Im November 1944 war eine B 24 Liberator auf eine Bahnlinie bei Erpen gestürzt.

Liegt zu hoch im Norden.

Der Suchbegriff »Vermisste US-Piloten« ergab einen Treffer. Es handelte sich um eine Sendung des WDR über vermisste US-Piloten im Irak-Krieg.

Nun versuchte er es auf Englisch.

Nach einer Stunde fand er eine amerikanische Einrichtung in Landstuhl bei Kaiserslautern. Es handelte sich um eine Einrichtung der US Army, sie hieß US Army Memorial Affairs Activities.

Das Telefon klingelte.

Eine Männerstimme meldete sich: »Föll hier. Haben Sie schon was rausbekommen?«

Da Dengler nicht reagierte, fuhr der Mann nach einer kleinen Pause fort:

»Wegen der Kondome …«

Anton Föll! Dengler griff sich an den Kopf. Scheiße, den hatte er völlig vergessen.

»Noch nicht«, erwiderte er rasch, »ich werde Ihnen aber in zwei oder drei Tagen mehr sagen können. Ihre Frau – sie arbeitet doch noch auf dem Kreiswehrersatzamt?«

»Ja, macht sie«, sagte Föll.

Er klang niedergeschlagen. Dengler hatte ein schlechtes Gewissen. Föll tat ihm Leid.

»Ich vermute aber, dass das Ganze ein Missverständnis ist. Wie beim letzten Mal«, sagte er.

»Wie beim letzten Mal«, echote der Mann mit brüchiger Stimme.

»Meistens gibt es ganz simple Erklärungen für Dinge, die einem anfangs merkwürdig vorkommen und beunruhigen.«

»Aber was will sie denn mit den Kondomen, wenn wir doch …«

»Noch weiß ich es nicht. Aber ich werde es Ihnen bald sagen.«

Er spürte, wie der Mann am anderen Ende der Leitung Mut schöpfte.

»Sie meinen: Alles findet … eine einfache Erklärung?«

»Oft«, sagte Dengler.

Dann legte er auf.

Das Telefon klingelte sofort wieder.

Es war die Pressestelle der US Army.

53. Die Frau sagte ihm zunächst, was er schon wusste

Die Frau sagte ihm zunächst, was er schon wusste.

»Die US Army unterhält in Landstuhl eine Dienststelle, die US Army Memorial Affairs Activities heißt. Diese Kollegen forschen nach vermissten amerikanischen Soldaten in ganz Europa.«

»Ich suche einen abgeschossenen Piloten aus dem Zweiten Weltkrieg.«

Er hörte die Frau in einigen Blättern rascheln.

»Da ist Major Hooker zuständig«, sagte sie schließlich und gab ihm eine Telefonnummer.

Dann legte sie auf.

Dengler wählte die Nummer.

Besetzt.

Er probierte es mehrmals, aber die Nummer war immer belegt.

Er sah auf die Uhr.

In einer halben Stunde hatten die Angestellten im Kreiswehrersatzamt Mittagspause.

***

Susanne Föll verließ ihre Arbeitsstelle zusammen mit einer Kollegin. Die beiden Frauen trugen sommerliche Kleidung und freuten sich wie alle Bewohner Stuttgarts über den warmen Frühlingstag.

»Hallo, Susanne«, sagte Dengler.

Susanne Föll hob kurz den Kopf, überlegte einen Augenblick, dann erkannte sie ihn.

»Aha, der falsche Doktor«, sagte sie spöttisch, »tut mir Leid, aber ich habe jetzt leider keine Zeit für dich.«

Und ging weiter.

Dengler lief neben ihr her und reichte ihr seine Visitenkarte.

Er beobachtete, wie sie im Gehen die Karte kurz überflog. Bei seiner Berufsbezeichnung blieb ihr Blick hängen.

»Du ... du bist Privatdetektiv?«, sagt sie gedehnt und blieb stehen.

»Ja. Und ich arbeite für deinen Mann.«

Sie drehte sich zu ihrer Kollegin um, die ebenfalls stehen geblieben war.

»Geh' schon vor. Ich komme gleich nach«, sagte sie zu ihr.

Susanne Föll wartete, bis ihre Kollegin im Verkehrsgewühl verschwand.

»Sag das nochmal.«

»Ich arbeite für deinen Mann. Er hat drei Kondome in deiner Handtasche gefunden und macht sich Sorgen um deine eheliche Treue.«

Sie biss sich auf die Lippen.

»Und jetzt haust du mich in die Pfanne?«

»Nein. Ich möchte, dass du ihm beiläufig eine vernünftige Erklärung für die drei Kondome präsentierst und in Zukunft vorsichtiger bist.«

Und dann: »Er liebt dich und macht sich Sorgen.«

»Und du verrätst mich nicht?«

»Das habe ich schon beim ersten Mal nicht getan.«

»Der Arme. Er hat es schwer mit seiner untreuen Ehefrau.«

Sie trat zu ihm und gab ihm einen Kuss auf die Wange.

Der Geruch eines süßen Parfüms stieg ihm in die Nase.

»Danke. Vielen Dank.« Sie drehte sich um und lief ihrer Kollegin nach.

54. Steven Blackmore saß gefesselt im Spritzenhaus

Steven Blackmore saß gefesselt im Spritzenhaus. Seine Hände waren auf dem Rücken zusammengebunden. Ein weiteres Seil band ihn an ein Holzgitter, das die gesamte hintere Wand des Schuppens bedeckte. In dem Holzgitter hingen an großen Haken Löscheimer, alte Feuerwehrmäntel und einige Ersatzspritzen. Feuerwehrwagen sah Blackmore nicht. Wahrscheinlich waren sie in Bruchsal und löschten die Flammen, die die US Air Force gelegt hatte.

Ein Arzt hatte ihm wortlos das Bein verbunden. Außer ihm und den beiden Buben hatte er keinen Deutschen mehr gesehen.

Er rieb vorsichtig das Seil an die Kante der Holzlatten. Vielleicht würde es ihm gelingen, die Taue mürbe zu schaben. Er zog an den Fesseln und spürte, wie das Holzgitter sich unter dem Druck verbog. Falls er es aus der Wand ziehen konnte, würden die herabfallenden Eimer und Spritzen einen Höllenlärm verursachen. Das war ihm zu riskant.

Das Gündlinger Spritzenhaus lag in einem dämmerigen Halbdunkel. Nur durch das große Dachfenster fiel das Licht gebündelt in die Halle. Genau an der beleuchteten Stelle hatten die Deutschen ihn angebunden.

Langsam und rhythmisch rieb er seine Fesseln an dem Holz.

55. Am Nachmittag

Am Nachmittag hatte Dengler Glück. Major Hookers Leitung war frei. Er meldete sich nach dem dritten Freizeichen.

Der Mann sprach deutsch mit starkem amerikanischen Akzent. Dengler erklärte ihm, wer er sei.

»Ich suche nach einem abgestürzten amerikanischen Piloten«, sagte er.

Major Hooker lachte laut.

»Das ist gut. Das Gleiche mache ich den ganzen Tag auch. Wie heißt Ihr Mann?«

»Steven Blackmore.«

»Vermisst seit dem 1. März 1945. Abgeschossen bei dem Angriff auf den Verladebahnhof von Bruchsal.« Hookers Stimme klang, als ob er einem Vorgesetzten Bericht erstattete.

»Sie kennen den Fall?«

»Ja, natürlich. Den Fall kenne ich.«

»Können Sie mir mehr darüber erzählen?«

»Am besten kommen Sie mich besuchen.«

»Morgen?«

»Fine.«

★★★

Die Amerikaner hatten zwar große Teile ihrer Truppen aus Deutschland abgezogen, doch den Flughafen Ramstein bei Kaiserslautern behielten sie und nutzten ihn als strategische Basis im Krieg gegen den Irak. Auch den Truppenübungsplatz Baumholder, nur wenige Kilometer entfernt, gaben sie nicht auf. Um Ramstein herum gruppierten sich verschiedene Einrichtungen der US Army, dazu zählte auch die Dienststelle der US Army Memorial Affairs Activities, die in einem schlanken zweistöckigen Gebäude in einem parkähnlichen

Viertel am Rande von Landstuhl untergebracht war. Major Hooker hatte Dengler per Mail eine präzise Anfahrtsskizze geschickt. Der Straßenname lautete George Washington Avenue. Georg Dengler war mit dem Zug nach Kaiserslautern gefahren und hatte sich dort ein Taxi genommen. Der Fahrer hielt auf dem Parkplatz vor dem Haus. Georg Dengler zahlte und stieg aus.

Im Vorzimmer des Büros saß eine junge Frau, die Dengler auf zwanzig schätzte. Sie fragte ihn im Pfälzer Dialekt nach seinem Wunsch und führte ihn in das Büro des Majors.

Hooker trug Uniform, die sich um einen erstaunlich dicken Körper spannte. Er saß hinter einem mit Papieren überladenen Schreibtisch und telefonierte. Er winkte Dengler herein und deutete auf einen Stuhl, der ebenfalls mit Papieren übersät war. Mit einer hektischen Handbewegung forderte er Dengler auf, die Papiere fortzuräumen und sich zu setzen. Vorsichtig nahm Georg Dengler mehrere DIN-A-4-Seiten, Faxe und Ausdrucke von E-Mails, bildete ordentlich einen Stapel und legte diesen sorgfältig auf den Schreibtisch.

Als der Major den Hörer auf die Gabel geworfen hatte, sprang er auf, eilte um den Schreibtisch herum und streckte Dengler die Hand entgegen. Dengler nahm sie, und der Major schüttelte sie, als seien sie zwei Freunde, die sich schon lange nicht mehr gesehen hatten.

»Sie wollen also meinen Job machen«, sagte der Major.

Dengler lachte.

»No, ich suche nur nach einem Vermissten.«

»Sie werden nichts finden«, sagte Hooker und ließ sich auf den Holzstuhl hinter seinem Schreibtisch fallen. Der Stuhl knirschte.

»Ich habe den Auftrag seines Sohnes, der zudem ein Freund von mir ist«, sagte Dengler.

»Steven Blackmore, sagten Sie am Telefon?«, rief Hooker.

Dengler nickte.

Hooker sprang auf, stürmte zu einem Büroschrank und ließ

eine Rolltüre mit lautem Knall bis zum Anschlag hochsau-
sen. Er stemmte seine Fäuste in die Taille und studierte die
Beschriftungen der unzähligen Aktenordner.

»Hier haben wir ihn«, rief er und zog einen schmalen Ordner
aus dem Schrank.

Er blätterte in den abgehefteten Papieren, lief mit schnellen
Schritten zurück an seinen Schreibtisch und ließ sich erneut
in den Stuhl fallen, der sich unter seinem Gewicht duckte
wie ein überladener Esel. Dann warf er den aufgeschlage-
nen Ordner mit einer schnellen Bewegung über den Tisch.
Dengler nahm ihn in die Hand.

Ein großes Foto. Eine Schwarz-Weiß-Aufnahme. Ein Porträt.
Ein junger Schwarzer mit Uniformmütze blickte ernst in die
Kamera. Die breiten Lippen deuteten ein Lächeln an. Aber
die Augen sahen ernst und würdevoll in die Kamera.

Wie ein Jugendbild von Junior.

Dengler beobachtete Major Hooker, der sich zurücklehn-
te, wogegen der Stuhl sich mit einem drohenden Knirschen
wehrte. Der Major sah plötzlich sehr ernst aus.

»Das ist der Mann, den ich suche«, sagte Dengler.

»Meine Einheit sucht diesen Kameraden schon uber, ueber,
über 60 Jahre lang – sorry, an das ›ü‹ in eurer Sprache gewohne ich mich nie.«

»Gewöhne, es heißt gewöhne und nicht gewohne.«

»Yes«, lachte Hooker, »und an das ›ö‹ gewohne ich mich auch
nicht.«

Er stand auf, und der Stuhl federte erleichtert nach oben.
Hooker kam dann um den Schreibtisch herum und setzte
sich mit einer Hinterbacke auf die Tischkante.

»Sehen Sie«, sagte er und nahm den Ordner in die Hand, »das
sind die Kopien der Einsatzbefehle der 379th, der 303rd und
der 384th Bomb Group.«

Er zeigte Georg Dengler eine Karte, in der die Route dreier
Bomberstaffeln in unterschiedlichen Linien aufgezeichnet
waren.

»Hier«, Hookers fleischiger Finger verfolgte die Linie auf der Zeichnung, »die Flugzeuge kommen von Straßburg, 118 insgesamt. Hier kamen einige Mustangs zum Schutz dazu, darunter auch die Maschine von Leutnant Blackmore. From Suden nach Norden flogen ...«

»Süden, es heißt Süden.«

»Yes, immer ›ü‹. I hate ›ü‹ – from Süden nach Norden. Die Flugzeuge machen dann einen Bogen, aber wir wissen: Blackmore flog weiter geradeaus nach Norden, weil dort auf der Bahnlinie ein Zug mit Flugabwehrkanonen war, die unsere Bomber beschossen. Das haben die Besatzungen gesehen. Hier bekam er einen Treffer und stieg aus. Seine Mustang flog noch weiter und knallte in einen Wald.«

Sein Finger deutete auf eine Stelle in der Karte. Er blätterte die Seiten des Ordners um und zeigte Dengler einige Schwarz-Weiß-Fotografien.

»Das ist die Absturzstelle und die Reste der Mustang.«

Ein Bild zeigte den Rumpf der Maschine, die sich bis zum Cockpit in das Erdreich gerammt hatte. Auf dem nächsten Foto sah Dengler einen bizarr verbogenen Propeller. Ein anderes Bild zeigte eine Luftaufnahme der Absturzstelle aus geringer Flughöhe. Dengler konnte die Schneise gut erkennen, die die abstürzende Mustang in dem Wald geschlagen hatte.

»Diese Fotos wurden von einer Lightning ein paar Stunden nach dem Absturz aufgenommen«, sagte Hooker.

Er nahm Dengler den Ordner wieder aus der Hand und blätterte darin.

»Das sind die Kopien der Flugbefehle, hier ist der Flugplan.« Er reichte Dengler den Ordner zurück.

Georg Dengler beugte sich über die Karte. »Track Chart – Date 1 March 1945«, las er. Mit akkuraten Linien und Pfeilen waren auf der Flugwegkarte die Wege der drei Bombergruppen aufgezeichnet. Der Start in Südengland, der Sammelpunkt in Küstennähe, der Weg von England über den Kanal, der Rendezvous-Punkt südlich von Straßburg, wo Juniors Vater zu dem Verband stieß. Dann löste sich der Bomberstrom mehr und mehr in einzelne Combat Wings auf, die ihre jeweiligen Ziele ansteuerten. Nach dem Angriff auf Bruchsal waren die drei Bombergruppen ostwärts geschwenkt, waren eine Schleife geflogen und dann auf dem geplanten Weg zurück zu den Flugplätzen nach Südengland gelangt. Kein Bomber war bei dem Einsatz verloren gegangen.

Hooker saß immer noch auf dem Schreibtisch vor Georg Dengler. Er nahm ihm nun erneut den Ordner aus der Hand und blätterte selbst darin. Jedes Mal, wenn er eine Seite umschlug, befreite sich eine kleine Staubwolke aus der Akte und floh ins Freie.

»Hier«, sagte Hooker und blies den Staub auf einer Seite weg, »sind die Berichte der Kommandanten über den Abschuss der Mustang. Ich lasse Sie eine Weile damit allein. Es gab auch Ermittlungen der deutschen Kriminalpolizei – unmittelbar nach dem Krieg. Diese Akten haben wir nicht. Aber von unseren wichtigsten Unterlagen zu diesem Fall mache ich Ihnen Kopien. «

Er gab Dengler den Ordner und verließ den Raum.

Die Kopien der Flugprotokolle waren noch gut zu lesen, obwohl das Papier bereits dunkelbraun geworden war und die Farbe der Schreibmaschinenschrift sich davon an einigen wenigen Stellen kaum mehr unterschied. Das Papier war bereits brüchig. Georg Dengler blätterte die Seiten mit großer Sorgfalt um.

Die Berichte der Kommandanten waren eindeutig und widersprachen sich nicht. Die hoch fliegende Einheit der zweiten Angriffswelle konnte ihre Bomben nicht abwerfen, weil sie zu nahe an der vor ihr fliegenden Einheit flog. Sie hatte eine 360-Grad-Kurve geflogen und sich dann hinter die Maschinen der dritten Angriffswelle gesetzt, um ihre tödliche Last abzuwerfen. Der Pilot der Mustang hatte das Manöver abgesichert. Dann hatte er nördlich eine deutsche Flakstellung entdeckt und war auf diese zugeflogen.

Die Tür ging auf. Major Hooker brachte ihm einen Kaffee.

»Major, schauen Sie. An dieser Stelle muss die Maschine getroffen worden sein. Der Pilot stieg dann aus. Das Flugzeug flog alleine weiter und muss etwa hier abgestürzt sein.«

Hooker beugte sich über die Karte und sagte: »Gundlingen, aber mit so einem verdammten ›ü‹.«

»Gündlingen«, sagte Georg Dengler.

»Yes, Gündlingen – lauter Nürnberg, Göttingen, Nördlingen und Gündlingen in Deutschland.«

»Diesen Ort kenne ich«, sagte Dengler, »ziemlich gut sogar.«

56. Wieder in Stuttgart

Wieder in Stuttgart, hörte Dengler zuerst den Anrufbeantworter ab. Der erste Anruf war von Anton Föll.
»Hallo, Herr Dengler.«
Seine Stimme klang fröhlich.
»Sie können Ihre Ermittlungen einstellen«, sagte er, »Susanne hat mir gestern Abend erzählt, ein Rekrut hätte ihr die Kondome auf den Schreibtisch gelegt. Sie arbeitet doch bei der Musterungsstelle, das wissen Sie doch, oder? Es war nur ein dummer Lausbubenstreich, und ich hab mich so aufgeregt. Also, der Fall ist gelöst.«
Föll lachte, dann legte er auf.
»*Security Services Nolte & Partners*, guten Tag, Herr Dengler, wir bitten um Ihren Rückruf. Herr Nolte möchte die Zusammenarbeit mit Ihnen fortsetzen. Bitte rufen Sie uns umgehend an. Danke.«
»Hallo, hier spricht dein Kollege Gerd Rümmlin. Georg, ich muss unbedingt mit dir …«
Das Wiesel.
Dengler drückte auf die Löschtaste. Das Wiesel verstummte mitten im Satz.
Ein Anruf von Mario, Denglers Freund, der seinen Vater in Italien besuchte. Er würde ein paar Wochen länger bleiben, sagte er, und einige neue Rezepte mitbringen.
Dann erklang die Stimme seiner Mutter. Sie rief aus der Reha-Klinik an und hinterließ eine Telefonnummer. Georg rief sie an. Sie erzählte ihm, dass es ihr gut gehe. Die Ärzte seien mit ihrem Herzen zufrieden. Sie machte bereits Pläne. Bald wolle sie nach Altglashütten zurück und die Pension wieder führen. Sie wollte Frau Willmann, Marios Mutter, anbieten, auf den Dengler-Hof zu ziehen. Und einige Umbauten am Dengler-Hof vornehmen. Ihre Stimme klang

kräftig, und so zuversichtlich hatte er sie schon lange nicht mehr sprechen gehört.

Dengler sah die Post durch. Werbung, Rechnungen, Werbung – nichts Wichtiges. Die Kontoauszüge. Nolte hatte das Honorar für die Milliardärsparty überwiesen.

Dengler setzte sich an den Schreibtisch und dachte nach. Er wusste nun, wo Juniors Vater abgeschossen worden war. Er würde die Stelle suchen. Er würde die Kriminalpolizei in Bruchsal besuchen. Und er freute sich auf einen Spießbraten im Schlosshotel.

***

Am Abend lud er Olga und Martin Klein zu einer Flasche Wein ein. Er legte die Live-CD von Junior Wells auf.

»Ich habe mich entschieden. Ich werde einen Krimi über die Fußballmafia schreiben«, sagte Klein, »deine Fälle taugen allesamt nicht für mein Buch.«

»Du verstehst doch nichts von Fußball«, meinte Olga, »und von der Mafia weiß ich vermutlich mehr als du.«

»Im Fußball verlieren immer die Guten, und die, die man nicht mag, werden Deutscher Meister. Das kann doch kein Zufall sein.«

»Freiburg steigt ab, mal wieder – meinst du, das sei ein Werk der Mafia? Zum Schluss schienen die Spieler das so zu wollen«, sagte Dengler.

»Ich glaube, Fußball ist eine Frage des Geldes«, sagte Olga, »wenn ich die Fußballclubs in der Reihenfolge des verfügbaren Geldes in eine Liste schreibe, dann wird es wahrscheinlich die gleiche Liste ergeben wie der Tabellenstand am Ende der Saison.«

Martin Klein wollte protestieren, aber Georg füllte ihre Gläser nach.

Dann berichtete er von seinem Gespräch mit dem amerikanischen Major.

»Wie willst du das Schicksal von Juniors Vater aufklären,

wenn daran schon die US Army gescheitert ist?«, fragte Olga.

Georg erläuterte seinen Plan: »Die Kripo hat eine Akte. Außerdem muss es Zeugen geben. Stell dir vor: In den letzten Kriegswochen läuft ein schwarzer Soldat durch eine kleine Stadt. Oder hält sich in ihrer Nähe auf. Da muss doch irgendjemand was mitgekriegt haben. Und wenn es nur einer war, der etwas gesehen hat – das hat er bestimmt weitererzählt. Ich werde von Gündlingen über Bruchsal Ort für Ort bis zum Rhein den möglichen Fluchtweg von Steven Blackmore nachgehen und alte Leute befragen. Aus den Nachforschungen für die Geschwister Sternberg kenne ich noch einige Zeugen, die die Zeit um 1945 erlebt haben.«

»Kennst du denn den Fluchtweg Blackmores?«, fragte Martin Klein und hob sein Glas. »Vielleicht hat er den Absturz gar nicht überlebt.«

»Das ist möglich. Dann muss ich seine Leiche finden. Aber wenn er noch gelebt hat … Major Hooker sagt, die abgeschossenen Soldaten verhielten sich alle gleich: Sie würden versuchen, sich auf dem kürzesten Weg zu den eigenen Truppen durchschlagen.«

»Wann wurde Blackmore abgeschossen?«

»Am 1. März 1945.«

»Da kann die Front aber nicht mehr allzu weit gewesen sein. Vielleicht hat er sich irgendwo eingegraben und gewartet, bis die Amerikaner kommen.«

»Und vielleicht wurde er verletzt und ist gestorben«, sagte Olga.

»Dann«, sagte Martin Klein, »liegen die Überreste von ihm, nicht mehr als ein paar Knochen, in seinem Versteck.«

»Vielleicht habt ihr Recht. Ich werde es herausfinden«, sagte Georg Dengler.

»Bei deinen Verhören möchte ich mit dabei sein«, sagte Olga.

Georg Dengler lachte.

»Ich führe keine Verhöre. Bin doch kein Polizist mehr. Ich rede einfach mit den Leuten. Stelle Fragen.«

»Nimmst du mich mit?«

Er sah sie an. Ihr Gesicht glühte vor Begeisterung.

»Georg«, lockte sie, »bitte nimm mich mit!«

»Sie möchte nur den alten Leuten die Brieftaschen leeren«, sagte Martin Klein.

Olga warf ihm einen bösen Blick zu.

»Also gut. Meinetwegen. Ich ernenne dich zu meiner Assistentin«, sagte Georg Dengler, und Olga klatschte vor Begeisterung beide Hände zusammen.

57. Die Kripo war in einem neuen Gebäude untergebracht

Die Bruchsaler Kripo war in dem neuen Gebäude des Polizeipräsidiums untergebracht. Dengler stellte sich als ehemaliger Kollege vor, und der Dienst habende Hauptkommissar zeigte ihm bereitwillig die neuen Räume, auf die er sehr stolz zu sein schien.

Hauptkommissar Langenstein war ein untersetzter Beamter. Hektische rötliche Flecken zeigten sich auf seinen Wangen und dem Hals. Er war fünfzig Jahre alt, wirkte erfahren und gewissenhaft.

»Auch wenn Sie ein ehemaliger Kollege sind, so können wir Ihnen keine Akteneinsicht gewähren«, sagte er, als Dengler ihm seinen Wunsch vorgetragen hatte.

»Der Fall ist so alt, dass Sie wahrscheinlich die Akte gar nicht mehr finden«, sagte Dengler.

Langenstein runzelte die Stirn.

»Sie meinen: Die Bruchsaler Kripo verschludert Akten? Wollen Sie das sagen?«

Dengler beobachtete, wie sich weitere Hautpartien seines Gesichts röteten. Keine Frage, der Mann war empfindlich.

»Das war lange, bevor Sie geboren wurden«, sagte Dengler, »andererseits, der Fall ist wahrscheinlich immer noch ungelöst.«

»Wir lassen hier keine Fallakten verschwinden.«

Langenstein war aufgesprungen. Er rannte zu dem Telefon, das auf dem Sims des Fensters stand, und hackte wütend auf drei Zahlen im Tastenfeld.

»Wir brauchen eine Akte aus 1945 oder kurz danach«, schrie er in den Hörer, »bei den Ungelösten muss sie liegen. Vermisste Personen. Akte: Blackmore.«

Er knallte den Hörer so fest auf die Gabel, dass er noch einmal hochsprang. Langenstein grinste Dengler an.

»Jetzt wollen wir doch mal sehen, wie gut unsere Ablage ist.«

Sie warteten schweigend.

Nach drei Minuten brachte eine Sekretärin in einem langen braunen Baumwollkleid eine staubige Akte und legte sie vor Langenstein auf den Tisch. Er nahm sie und pustete den Staub von dem Deckel. Langsam öffnete er sie und begann zu lesen.

Dengler wartete. Er sah, wie Langenstein hin und wieder die Stirn runzelte, eine Seite vor- und wieder zurückblätterte, den Kopf schüttelte und schließlich die Akte zuschlug.

»Es gab eine Ermittlungsgruppe. 1947, zwei Jahre nach dem Krieg«, sagte er, »aber ich kann Ihnen die Akten nicht geben.«

»Wenn es eine Ermittlungsgruppe gab, dann gab es auch einen verantwortlichen Kollegen.«

Langenstein öffnete den Aktendeckel wieder und blätterte in den Seiten.

»Der Kollege Altmeier. Hans Altmeier. Er führte damals die Ermittlungen.«

»Ich hoffe, er lebt noch.«

Langenstein lachte.

»Er ist der rüstigste Rentner, den ich kenne. Bei jeder Weihnachtsfeier trägt er selbst verfasste Gedichte vor.«

Er schrieb etwas auf ein Stück Papier und gab es Dengler.

»Hier haben Sie seine Adresse und seine Telefonnummer.«

Dengler bedankte sich und ging.

Er nahm den nächsten Zug zurück nach Stuttgart.

58. Früh am Morgen

Früh am Morgen rief er die Nummer an, die Hauptkommissar Langenstein ihm aufgeschrieben hatte. Hans Altmeier nahm sofort ab, als habe er auf diesen Anruf gewartet. Dengler wunderte sich über die kräftige Stimme. Der Mann musste über achtzig sein, sprach aber ins Telefon, als wolle er eine Hundertschaft Bereitschaftspolizei kommandieren. Er war bereit, sie sofort zu empfangen.

Dengler und Olga nahmen den Zug nach Bruchsal. Als sie mit dem Taxi vor Altmeiers Haus in einer kleinen Wohnstraße vorfuhren, stand er wartend an der Haustüre und winkte ihnen zu. Er begrüßte Olga mit einem Handkuss und bat sie dann beide in sein Wohnzimmer.

Hans Altmeier war ein hochgewachsener Mann. Er hielt sich aufrecht, zu aufrecht, fand Dengler, schon fast wie jemand, der sein ganzes Leben im Militär verbracht hat. Er hatte dünnes silbernes Haar, das er sorgfältig nach hinten gekämmt hatte. Er trug eine Brille aus einem modernen silbernen Material, und versteckt im Ohr erkannte Dengler ein modernes, kaum sichtbares Hörgerät.

Dieser Mann muss sehr einsam sein, dachte Dengler. Wahrscheinlich bekommt er selten Besuch.

Altmeiers Wohnzimmer wurde von einer riesigen Schrankwand aus dunklem Holz beherrscht, die drei der vier Wände vom Boden bis zur Decke ausfüllte. Einige Bücher standen in einem Regal. Dengler erkannte eine Reihe mit alten Titeln zur polizeilichen Führungsarbeit, Bücher von Kirst, eines von Ernst Jünger sowie die Memoiren von Henry Kissinger, eine Urkunde für sportliche Leistungen, fünf Anglerbücher und eine Armee von Zinnsoldaten, die sich in zweien der Regale eine Schlacht lieferten. An der freien Wand neben dem Fenster tickte eine Kuckucksuhr. Auf dem Tisch standen auf drei Häkeluntersetzern drei geblümte Tassen und eine Kanne, aus der Kaffeeduft aufstieg.

»Guter alter Filterkaffee«, sagte Altmeier und bat mit einer Handbewegung, Platz zu nehmen. »Ich hoffe, Sie mögen so etwas Altmodisches.«

»Trinke ich für mein Leben gern.« Olga strahlte den alten Mann an und setzte sich. Dengler sah sie irritiert an und setzte sich vorsichtig neben sie auf die Couch.

»Ich suche einen amerikanischen Piloten«, eröffnete Dengler das Gespräch, »der am 1. März 1945 über Bruchsal abgeschossen wurde. Sie leiteten nach dem Krieg die Ermittlungsgruppe, die sich mit dem Fall beschäftigte.«

Dengler sah, wie sich die Stirn Altmeiers zusammenzog.

Er sieht aus, als wäre er enttäuscht, dass ich gerade nach diesem Fall frage.

»Da müssen Sie ja noch sehr jung gewesen sein«, warf Olga ein und lächelte Altmeier an.

Das Gesicht des alten Mannes entspannte sich wieder. Er schenkte ihnen Kaffee ein.

»Ja, da war ich noch sehr jung. Darf ich fragen, was Sie an dieser Sache interessiert?«

»Ich suche den Piloten im Auftrage seines Sohnes.«

Altmeier setzte sich. Er rieb sich mit der rechten Hand sein Kinn. Er blickte zu Olga.

»Ja, ich war sehr jung. Froh, den Krieg … alles lebend überstanden zu haben.«

»Ihr erster Fall?«, fragte Olga.

»Ja, junge Frau, mein erster Fall.«

»Und? Haben Sie ihn gelöst?«

»Leider nein. Wir haben nichts erfahren, was das Schicksal des Kerls aufklären konnte. In den Abschlussbericht schrieben wir, dass möglicherweise sein Fallschirm Feuer gefangen hat und er über dem brennenden Bruchsal abgestürzt ist.«

»Gab es dafür Indizien? Reste des abgebrannten Schirms?«, fragte Dengler. »Hat jemand ein Gutachten angefertigt?«

Der alte Mann lachte.

»Junger Mann, was glauben Sie, wie wir 1947 gearbeitet haben? Wer hätte damals ein Gutachten schreiben sollen?«

»Aber es musste doch geklärt werden, ob Ihre These haltbar ist.«

Altmeier stellte mit einem harten Geräusch die Kaffeetasse auf den Unterteller zurück. Sein Gesicht war plötzlich sehr kalt.

»Junger Mann. Die Amerikaner haben Bruchsal ausgebrannt. Wir hatten über 1000 Tote hier. Und uns muteten die Amerikaner zu, dass wir einen ihrer … Neger suchten.«

Plötzlich war Ruhe in dem kleinen Wohnzimmer. Nur die Kuckucksuhr tickte weiter.

Olga starrte den alten Mann entgeistert an.

»Und – warum haben Sie überhaupt einen Bericht geschrieben?«, fragte sie ihn.

»Damit die Amerikaner Ruhe gaben. Damit sie nicht noch mehr Deutsche verdächtigten.«

Olga und Dengler sahen Altmeier an. Der schien erst langsam ihre Blicke zu bemerken.

»Sie wissen ja nicht, was nach dem Krieg los war. Als die Franzosen kamen, wurden wir alle verhaftet und ins Gefängnis gesteckt. Alle Polizisten. Stellen Sie sich das einmal vor. Die Häftlinge wurden freigelassen, und die passten auf uns auf. So war das mit Recht und Ordnung in dieser Zeit. Alles wurde auf den Kopf gestellt. Wir haben unsere Uniformen ausgezogen, aber wir wurden trotzdem verhaftet.«

Er atmete schwer.

»Und wie haben die Franzosen Sie ohne Uniformen erkannt?«, fragte Olga.

Der alte Mann schien sich nicht schlüssig zu sein, ob er die Frage beantworten sollte.

Dann sagte er leise: »Wir hatten ja keine anderen Schuhe. An den Stiefeln haben die Franzosen uns erkannt. Über eine Woche haben wir gesessen. Dann haben sie gemerkt, dass sie uns brauchten. Glauben Sie, das könnte jemand vergessen, der das mal erlebt hat? Und dann sollten wir ihre Leute suchen.«

»Ich glaube, wir müssen gehen«, sagte Olga plötzlich und stand auf. Dengler verabschiedete sich von dem alten Mann und folgte ihr. Den Kaffee hatten sie nicht angerührt.

»Tut mir Leid, Georg«, sagte sie, als sie draußen waren, »ich konnte den Kerl nicht mehr ertragen.«

Dengler zog sein Handy aus der Tasche und wählte eine Nummer. Als Hauptkommissar Langenstein am anderen Ende abhob, sagte er: »Herr Hauptkommissar, als Sie die alte Akte lasen, sah ich, wie Sie den Kopf schüttelten. Wir haben gerade mit dem pensionierten Kollegen Altmeier gesprochen. Ich frage Sie direkt: Kann es sein, dass die Arbeit damals nicht gerade eine Meisterleistung polizeilicher Ermittlungsarbeit war?«

»Bingo«, sagte Langenstein und legte ohne weiteren Kommentar auf.

»Was machen wir nun?«, fragte ihn Olga.

»Wir werden einen Spießbraten essen«, sagte Dengler und wählte die Nummer der Bruchsaler Taxizentrale.

59. Der Wagen brachte sie bis zum Schlosshotel

Der Wagen brachte sie bis zum Schlosshotel. Olga stieg aus und streckte sich in der Sonne. Georg bezahlte den Fahrer. Es war ein warmer Frühlingstag. Die Bäume trugen das erste sanfte Grün. Auf dem kleinen Parkplatz standen nun keine Autos mehr, sondern die Familie Roth hatte Tische und Stühle im Freien aufgestellt. Olga lehnte sich leicht gegen Georgs Schultern.

»Das ist aber ein schöner Ort zum Mittagessen«, sagte sie, »aber bestimmt ist das nicht der einzige Grund, weshalb du mich hierher führst.«

Dengler lachte: »Hier wohnt ein alter Mann, der mir vielleicht etwas über Juniors Vater sagen kann. Außerdem – der Spießbraten ist wirklich klasse.«

Sie betraten das Lokal.

Es war schon fast ein vertrautes Bild. Über dem offenen Feuer drehten sich drei große Fleischportionen. Hinter der Theke stand Kurt Roth und zapfte Bier. An dem runden Tisch davor saß sein Vater mit der karierten Schiebermütze. Vor ihm stand eine Flasche Bier, die in einem Wasserbad warm gehalten wurde. Maria Roth, seine Enkelin, lief mit zwei vollen Tellern an einen Tisch und servierte zwei Portionen Spießbraten. Alle drei Generationen der Familie Roth waren anwesend.

Dengler nickte ihnen zu und setzte sich mit Olga an den Tisch neben der Tür.

Ist ja schon fast mein Stammplatz.

Maria Roth kam zu ihnen und reichte ihnen zwei Speisekarten.

»Ihr Wunsch wurde erfüllt«, sagte Georg Dengler zu ihr, »ich lasse Sie in Ruhe. Ich arbeite nicht mehr für die Sternbergs.«

»Ich weiß«, sagte sie, »Robert hat es mir erzählt.«

Robert? Sind die beiden ein Paar geworden?

Sie lächelte ihn an.

Sie würden gut zusammenpassen. So gut wie Olga und ich.

Olga blätterte in der Karte.

»Was soll ich essen? Bestell du mir etwas«, sagte sie.

»Die Spezialität des Hauses: Wir nehmen zwei Portionen Spießbraten mit Rettichsalat, Wasser und eine Karaffe Weißwein aus der Gegend.«

Maria Roth notierte sich die Bestellung.

Dengler sah, wie sie zögerte.

Sie will mir etwas sagen.

Maria Roth setzte sich.

»Roberts Schwester hat einen neuen Detektiv angestellt. Robert war dagegen. Sie hat es trotzdem gemacht.«

Sie wies mit dem Daumen hinter sich auf einen Tisch, der im Schatten nahe am Fenster stand.

»Dort sitzt er«, sagte Maria Roth.

Dengler fühlte, wie sich seine Muskeln versteiften.

In der Ecke saß das Wiesel vor einer Portion Spießbraten. Er kaute mit vollen Backen und winkte zu Georg Dengler hinüber.

»Dem Widerling wollte ich nie mehr begegnen«, sagte Dengler.

»Jetzt schnüffelt der in unseren Angelegenheiten herum«, sagte Maria Roth und stand auf.

»Wer ist das?«, flüsterte Olga.

»Das ist der Privatdetektiv, der mich mitgeschleppt hat, um die ledigen Mütter zu kontrollieren. Er heißt Gerd Rümmlin, ist auch Privatdetektiv. Ich nenne ihn das Wiesel.«

Sie kicherte leise.

»Der Name passt.«

Rümmlin wischte sich mit der Serviette den Mund ab und stand auf. Eilig lief er durch das Lokal und stand dann vor Dengler.

»Hallo, Georg«, sagte er, »ich hab schon die ganze Zeit versucht, dich zu erreichen. Weißt du schon das Neueste?«
»Du wirst es mir sicher sagen«, sagte Dengler betont gelangweilt und blickte nach draußen.
Das Wiesel setzte sich unaufgefordert.
Dengler registrierte, wie sich der alte Albert Roth umdrehte und unter der Schiebermütze zu ihnen herüberstarrte. Auch Kurt Roth hinter der Bar sah zu ihnen. Er stand mit einem Glas in der Hand und einem Abtrockentuch hinter der Theke, aber er trocknete das Glas nicht ab.
Das Wiesel drehte sich um, winkte Maria Roth zu und bestellte ein Bier. Sie tat so, als habe sie es nicht bemerkt.
Rümmlin beugte sich über den Tisch.
»Ich bearbeite jetzt deinen Fall.«
Dengler verzog keine Miene: »Erzähl mir doch mal was richtig Neues …«
Das Wiesel flüsterte enttäuscht: »Du weißt schon …? Ist ja auch egal. Ich versuche rauszufinden, was mit diesem Vertrag los ist. Aber in diesem gottverdammten Kaff hält jeder die Klappe. Was hast du rausgefunden?«
In diesem Augenblick servierte Maria Roth ihnen den Spießbraten, den Rettichsalat, das Wasser und den Wein.
»Was hast du rausgefunden? Wir sind doch Kollegen …«, fragte Rümmlin erneut.
»Nichts«, sagte Dengler, »nichts und nochmal nichts. Und jetzt möchte ich in Ruhe und nur in Begleitung dieser Dame zu Mittag essen.«
Rümmlin zog den Kopf zurück. »Es wäre besser für dich, du arbeitest mit mir zusammen«, stieß er hervor, stand auf und stolzierte beleidigt zurück an seinen Platz.

★★★

Olga schmeckte der Spießbraten sichtlich.
»So satt war ich lange nicht mehr«, sagte sie und klopfte sich mit der flachen Hand auf den Bauch.

»Ich werde jetzt zu dem alten Mann dort an dem Tisch gehen und ihn fragen, ob er etwas von Juniors Vater weiß. Vielleicht war er zu dieser Zeit in Gündlingen.«

Olga nickte.

»Ich gehe mit dir«, flüsterte sie ihm zu.

Dann erhoben sie sich und gingen zu dem runden Tisch hinüber.

Dengler fragte, ob sie sich zu ihm setzen dürften. Albert Roth antwortete mit einer einladenden Handbewegung.

Der alte Mann schaute ihn unter dem Rand seiner Schiebermütze hinweg an.

»Jagen Sie uns nun schon im Rudel?« Er wies mit der Hand auf das Wiesel, das von seinem Platz aus zu ihnen herüberstarrte.

»Ich arbeite nicht mehr für die Sternbergs«, sagte Dengler.

Der alte Mann wog leise den Kopf hin und her, als prüfe er, ob er Dengler glauben solle oder nicht.

In diesem Augenblick ging die Tür auf, und Robert Sternberg kam herein. Er winkte Dengler kurz zu, ignorierte das Wiesel und setzte sich an einen Fensterplatz.

Maria Roth war sofort bei ihm und brachte ihm die Speisekarte.

Sie geht auf einmal so leicht. Sie schwebt. Die beiden sind ein Paar!

Dengler erinnerte sich an die kleine tänzerische Bewegung, die Maria damals angedeutet hatte, als er sie nach ihrer Zukunft im Schlosshotel gefragt hatte. Tatsächlich ging von beiden ein Strahlen aus. Die Art und Weise, wie sie sich ansahen, als Maria die Bestellung notierte, ließ daran keinen Zweifel.

»Wir sind ein öffentliches Lokal«, knurrte Albert Roth unter der Schiebermütze, »wie Sie sehen, kann jeder zu uns kommen, solange er zahlt.«

Dengler lachte.

»Machen Sie sich um mich keine Sorgen. Ich arbeite an einem anderen Fall. Und vielleicht können Sie mir dabei behilflich sein. Es ist eine Angelegenheit, die schon lange zurückliegt.«

»Bitte. Wenn ich kann.«

»Waren Sie in den beiden letzten Kriegsmonaten in Gündlingen?«

Roth nickte vorsichtig.

»Ich war Soldat, aber auf Heimaturlaub wegen einer Verwundung.«

Seine rechte Hand schlug auf sein Knie.

»Durchschuss. Mitten durch die Wade«, sagte er.

»Es geht um einen amerikanischen Piloten«, sagte Dengler, »der am 1. März 1945 bei der Bombardierung Bruchsals abgeschossen wurde und dessen Maschine im Gündlinger Forst abstürzte. Der Pilot kam mit dem Fallschirm herunter. Hier irgendwo.«

Plötzlich fing Albert Roths Hand an zu zittern. Sein Gesicht färbte sich knallrot. Er rang nach Luft. Olga sprang auf. Sie drückte den Oberkörper von Albert Roth zurück, damit er besser atmen konnte. Der alte Mann bekam einen heftigen Hustenanfall.

Kurt Roth kam hinter der Theke hervorgeschossen und schob einen Arm um die Schulter seines Vaters.

»Ich bringe dich nach oben, Vater«, sagte er.

Doch der alte Mann schob seine Hand weg.

Zitternd stand er vor dem Tisch und starrte Dengler an.

»Verlassen Sie unser Haus, verstehen Sie, *unser* Haus, sofort – und lassen Sie sich nie wieder hier blicken.«

Kurt Roth lief zur Tür und hielt sie weit auf.

Georg Dengler und Olga gingen hinaus.

»Verstehst du das?«, fragte er Olga, als sie vor dem Schlosshotel standen.

»Nein«, sagte sie, »aber so wie ich das sehe, gefährdest du mit deinen Fragen jedes Mal ernstlich die Gesundheit der männlichen Roths. Du hast Martin und mir doch erzählt, dass

Kurt Roth fast einen Herzinfarkt bekommen hat, als du ihm damals den Vertrag, diese Urkunde vom Schlosshotel unter die Nase gehalten hast. Und jetzt kriegt sein Vater, Albert Roth, einen Anfall, weil du dich nach einem abgeschossenen Amerikaner erkundigst. Weshalb?«

60. Was machen wir nun?

»Was machen wir nun?«, fragte Olga, als sie im Taxi saßen, das sie in den Ort zurückfuhr.

»Einen kleinen Ausflug. Ich muss nachdenken.«

Aus der Innentasche zog Dengler die Kopien von Major Hookers Unterlagen.

»Dies ist die Absturzstelle.« Er reichte ihr die Fotos von der Mustang, deren Nase sich den Waldboden gerammt hatte. Dann studierte er die Karte und gab dem Taxifahrer die nötigen Anweisungen.

Sie stiegen am Ende einer kleinen Straße aus und marschierten auf einem Feldweg unter einer Brücke hindurch zum Rand eines Waldes, der sich einen kleinen Berg hinaufzog.

Die Sonne strahlte. Dengler zog sein Jackett aus und hängte es über die Schulter. Olga knotete ihre Jacke um die Hüfte.

»Warum hat sich Albert Roth bloß derart über deine Frage aufgeregt? Das ist etwas, was ich nicht verstehe.«

»Es bedeutet wohl, dass er etwas über den Verbleib von Juniors Vater weiß.«

Dengler lehnte sich an einen Baumstumpf und griff nach seinem Handy.

»Fragen wir doch den pensionierten Polizisten.«

Dengler wählte die Nummer von Hans Altmeier. Erneut wurde nach dem ersten Läuten abgenommen. Der Hauptkommissar a. D. musste offenbar neben dem Telefon Wache halten.

»Dengler hier. Wir – meine Kollegin und ich – waren heute Morgen bei Ihnen. Eine Frage noch, Herr Kollege. Bei Ihren Ermittlungen im Falle Blackmore – haben Sie damals auch Albert Roth vernommen? Seine Familie betreibt das Schlosshotel seit ...«, er überlegte, »seit 1947.«

Olga lehnte sich an Dengler und drückte ihr Ohr an seines, sodass sie die Antwort Altmeiers mithören konnte.

»Hören Sie«, schnarrte die Stimme des pensionierten Polizisten aus dem Handy, »lassen Sie doch endlich diese alten Geschichten auf sich beruhen. Das ist doch alles vorbei. Vorbei.«

»Nicht für den Sohn von Steven Blackmore, Herr Altmeier, sein Sohn möchte gerne wissen, was aus seinem Vater geworden ist.«

Doch Altmeier hatte bereits aufgelegt.

Dengler schüttelte den Kopf.

»Das ist das wer weiß wievielte Mal, dass man mir in Gündlingen sagt, ich solle die alten Sachen ruhen lassen, die seien doch vorbei.«

Er erzählte Olga von seiner Begegnung mit dem Notar Dillmann.

Sie sagte: »Vielleicht gibt es einen Zusammenhang zwischen deiner Erbschaftssache und dem Abschuss der amerikanischen Maschine.«

Dengler schüttelte den Kopf.

»Ich kann mir keinen Zusammenhang vorstellen.«

»Aber warum hat dann der alte Roth so merkwürdig auf deine Frage reagiert?«

Dengler dachte darüber nach.

Langsam stiegen sie durch den Wald den Berg hinauf.

***

»Hier müsste es sein«, sagte Dengler, blickte sich um und studierte noch einmal die Karte. Olga entdeckte den kleinen Tümpel zuerst. Sie deutete auf die überwucherte Umrandung: Noch immer war deutlich die Kraterform zu erkennen. Das Loch war über zwei Meter breit und mit Wasser gefüllt. An zwei Seiten war der Kraterrand eingeebnet, sodass ein Zugang zu der Wasserstelle entstanden war. Dengler fand einen kleinen Zweig, kniete nieder und hielt den

Zweig in die Brühe. Das Wasser stand dreißig Zentimeter tief.

»Wildschweine«, sagte er. »Wildschweine haben den Krater zu einer Suhle umfunktioniert.«

Er deutete auf die zahlreichen Hufabdrücke ringsum auf dem Waldboden.

»Würdest du, wenn du mit einem Fallschirm landest, noch einmal zu deiner abgestürzten Maschine zurückgehen?«, fragte er Olga.

Sie überlegte.

»Nur, wenn ich wichtige Sachen zum Überleben in der Maschine hätte, Geld, Lebensmittel, Waffen, meine Schminktasche.«

»Ja. Andererseits ist das Risiko hoch. Auch die Deutschen sind bestimmt sofort zu der abgestürzten Maschine gerannt.«

»Hast du nicht gesagt, die Amerikaner hätten am gleichen Tag Bruchsal bombardiert?«

»Ja, das war ihr Einsatz an diesem Tag.«

»Da werden die Deutschen mit dem Löschen und dem Bergen der Toten und Verwundeten genug zu tun gehabt haben. Blackmore hätte in aller Ruhe zu den Resten seiner Maschine gehen können.«

»Dann lass uns mal den Tatort absuchen. Spurensicherung.«

»Spinnst du? Jetzt, nach mehr als sechzig Jahren?«

Doch Dengler hatte bereits die Ärmel aufgekrempelt und fischte mit den Fingern durch die trübe Brühe.

»Wonach suchst du überhaupt?«, fragte Olga, »nach Kaulquappen? Die haben doch damals alles mitgenommen, als sie hier die Reste der Maschine irgendwann weggebracht haben. Und den Piloten haben sie hier ja nicht gefunden.«

***

Olga schüttelte sich vor Lachen. Sie saßen zusammen mit Martin Klein und Leopold Harder im *Basta*.

»Stellt euch vor, Georg mit hochgekrempeltem Hemdsärmel, fährt mit den Fingern wie mit einer Gabel durch diesen unbeschreiblichen Matsch. Und plötzlich schreit er: Ich hab was. Ich renne zu ihm hin. Er zieht etwas Dunkles, Schlammiges aus der Brühe. Als wir es mit einem Taschentuch abwischen, war es das ...«

Sie hielt den Hauer eines Wildschweins hoch.

»Das arme Tier hatte sicher Zahnweh«, sagte Harder.

Dann schaute er Olga und Dengler an.

»Ihr seid ein hübsches Paar, ihr beiden.«

Dengler spürte, wie ihm das Blut ins Gesicht schoss.

Jetzt werde ich rot wie ein Pennäler.

Er überlegte einen Augenblick, ob er sich bücken sollte, als ob ihm etwas unter den Tisch gefallen sei, damit niemand sein Erröten bemerkt. Aber dann beschloss er, nichts zu tun. Soll Olga es doch merken. Er sah zu ihr hinüber. Sie hatte den Kopf gesenkt und saß ganz still da. Auch ihr Gesicht kam Georg leicht gerötet vor.

Als sie aus dem *Basta* traten, verabschiedete sich Harder. Martin Klein schloss die Haustür auf, und die drei gingen hinein. Im Flur wünschten sie sich gute Nacht.

Den dunklen Renault vor dem Haus hatte keiner von ihnen bemerkt.

61. Olga und Dengler frühstückten

Olga und Dengler frühstückten zusammen in *Brenners Bistro*. Es würde ein schöner Tag werden. Die Wirtsleute vom *Brenner* hatten Stühle und Tische ins Freie gestellt, an denen bereits einige Kaffee trinkende und zeitungslesende Gäste saßen.

»Im Grunde haben wir keinerlei Anhaltspunkt dafür, dass der schwarze Soldat je in Gündlingen war«, sagte Olga.

»Mit Ausnahme der merkwürdigen Reaktion des alten Roth auf meine Frage.«

»Ja, das ist wirklich merkwürdig.«

»Wir befragen heute die alten Leute, die ich schon für den Fall Sternberg befragt habe.«

»O ja, klasse – ich finde Detektivspielen aufregend.«

»Leider wird es schlecht bezahlt.«

»Wenn wir Geld brauchen – du weißt doch –, ich gehe einfach einmal durch das Foyer des Maritim, und dann haben wir genug für einen ganzen Monat.«

Dengler lachte, und Olga fiel ein. Sie bestellten Weißwürste.

★★★

Gegen elf Uhr stiegen sie in Gündlingen aus dem Regionalexpress aus. Mit einem Taxi fuhren sie zu dem alten Mann, der kettenrauchend in der Küche seiner Tochter saß und seine restliche Lebenszeit damit verbrachte, dem Gut im Osten nachzutrauern.

Dengler blieb bei seiner Legende.

»Sie wissen, ich bin von der Zeitung. Wir machen eine Reportage über die letzten Kriegstage. Sie waren damals doch hier in Gündlingen?«

Der Mann nickte, hustete und steckte sich eine neue Ernte 23 an.

»Wir wollen über den abgeschossenen amerikanischen Flieger berichten, der damals mit dem Fallschirm gelandet ist.«

Der Alte sah sie erschrocken an.

»Davon weiß ich nichts. Gar nichts.«

»Aber wir haben gehört, dass Sie den amerikanischen Flieger gesehen haben«, sagte Olga plötzlich.

Was macht sie jetzt? Sie blufft.

Der alte Mann bekam einen Hustenanfall. Dengler nahm ihm die Zigarette aus der Hand und drückte sie aus. Olga sprang auf und klopfte dem Alten auf den Rücken.

»Ich weiß nichts. Ich ... ich habe nichts damit zu tun«, sagte er schließlich.

»Womit zu tun?«, fragten Dengler und Olga wie aus einem Mund.

Gehetzt blickte der Mann abwechselnd Dengler und Olga an.

»Lassen Sie die Finger von den alten Sachen. Da ist kein Segen drauf«, sagte er und erhob sich schwer.

»Da ist kein Segen drauf«, wiederholte er und humpelte ins Treppenhaus.

Dengler und Olga blieben allein zurück in der verrauchten Küche.

»Jetzt glaube ich es: Der Vater deines Freundes war in diesem Ort«, sagte Olga, als sie später wieder auf der Straße standen.

»Ja.«

Sie gingen die Straße entlang, die von kleinen Einfamilienhäusern gesäumt war.

Ein dunkler Renault folgte ihnen.

***

»Da sind Sie ja wieder«, begrüßte sie Hedwig Weisskopf. Sie saß auf einer Bank im Garten des Altersheimes und las in Illuminati von Dan Brown. Auch heute hatte sich die alte

Dame sorgsam angezogen, als wolle sie ausgehen. Sie trug ein beiges Kostüm, eine braune, steif gebügelte Bluse, auf die sie sich wieder die große Gemme gesteckt hatte.

Vielleicht wäre es nicht schlecht, die alte Lady in die Stadt einzuladen.

»Trinken Sie doch im Ort einen Kaffee mit uns. Wir möchten Sie gerne einladen«, sagte Olga, die ihm mit der gleichen Idee zuvorkam.

Hedwig Weisskopf strahlte. Sie wolle sich nur noch schnell einen Mantel holen.

»Kommen Sie doch mit und warten Sie im Aufenthaltsraum«, sagte sie aufgeregt. Sie knickte ein Eselsohr in die Buchseite, nahm das Buch unter den Arm und tippelte hinüber zum großen Portal des Gündlinger Seniorenstifts. Georg und Olga folgten ihr.

Im Inneren des Hauses bog sie nach rechts und führte sie in einen Aufenthaltsraum. Der Fernseher zeigte die Wiederholung eines Formel-1-Rennens vom letzten Wochenende. Der Ton war sehr laut eingestellt, doch von den sechs Alten, die um den Tisch saßen, verfolgte kaum einer das Geschehen um Schumacher & Co., die ihre Runden auf einer der Rennstrecken dieser Welt zogen.

»Kinder, ich gehe mit meinem Besuch in die Stadt. Wir gehen in ein Café«, rief Hedwig Weisskopf der Truppe zu.

Sie gibt mit uns an.

Ein paar missgünstige Blicke trafen Dengler und Olga, zwei der Alten starrten trotzig in Richtung der rasenden Ferraris auf dem Fernsehschirm.

Eine halbe Stunde später saßen sie zu dritt an einem runden Tisch am Fenster des Marktcafés. Den dunklen Renault, der in einer Parkbucht dem Café gegenüber stand, beachtete niemand von ihnen.

Hedwig Weisskopf beugte sich verschwörerisch zu Dengler hinüber und sagte: »Früher hieß das Marktcafé hier ›Cafe Vaterland‹.«

Eine junge Bedienung brachte ihnen Kaffee und drei Stücke Käsekuchen. Hedwig Weisskopf aß mit großem Appetit.

Sie erzählte von früher. Von ihrer Kindheit und Jugend in Gündlingen, von den Bombennächten im Luftschutzkeller in der alten Volksschule.

Sie glaubt noch immer, ich schreibe einen Artikel über die letzten Kriegswochen in Gündlingen.

Sie ließen die alte Frau erzählen. Ihre Wangen bekamen Farbe, ihre Augen strahlten, und je mehr sie erzählte, desto jünger schien sie zu werden.

»Das ist eine wunderschöne Gemme, die Sie da tragen. Ein Erbstück?«, fragte sie Olga unvermittelt.

»Ach nein, die hat mir der Albert gemacht, Albert Roth, als er noch das Geschäft in Bruchsal hatte.«

Sie wurde ganz rot, nestelte verlegen in ihrer Handtasche und wechselte dann schnell das Thema, erzählte von ihrem Mann, den sie in der Nachkriegszeit kennen gelernt habe, und den zwei Kindern, von denen eines in München und eines in Berlin wohne.

»Sie haben doch sicher die Sache mit dem schwarzen amerikanischen Piloten mitbekommen«, sagte Georg Dengler.

Hedwig Weisskopf hielt sofort inne und ließ die Kuchengabel sinken.

»Nein, davon habe ich nichts gehört«, sagte sie spitz und rührte in dem Rest ihres Kaffees.

Olga wollte etwas sagen, aber die alte Frau wiederholte: »Davon weiß ich nichts.«

Dann schaute sie auf die Uhr.

»Ich muss zurück. Zum Abendessen will ich mich noch umziehen. Würden Sie mir bitte einen Wagen rufen.«

Das Gespräch war vorbei. Dengler seufzte und rief über das Handy die Taxizentrale an.

Ich werde in diesem Ort nichts über Juniors Vater erfahren.

Dengler zahlte. Draußen fuhr das Taxi vor.

Sie brachten die alte Dame zum Wagen. Hedwig Weisskopf

ging einige Schritte vor Olga und Georg. Der Chauffeur war ausgestiegen und hielt ihr die hintere Tür auf.

Als Hedwig Weisskopf den Wagen erreicht hatte und sich beugte, um einzusteigen, sagte Olga: »Sie haben Albert wohl sehr geliebt?«

Hedwig Weisskopf hielt inne und blickte zum Himmel hinauf. Ihre Schultern bebten. Als sie sich zu ihnen umdrehte, sahen sie, dass ihr Tränen über das Gesicht liefen.

»Ihr seid zu jung. Ihr wisst das alles nicht. Es war so eine schwere Zeit«, schluchzte sie. Dann stieg sie ein.

Der Fahrer schlug die Türe zu und setzte sich ans Steuer. Das Taxi fuhr an. Dengler schaute dem Wagen nach.

Nichts werde ich hier erfahren.

Nach fünfzehn Metern stoppte der beige Mercedes. Ein dunkler Renault, der dicht hinter dem Mercedes fuhr, musste scharf bremsen, die ruckartige Bewegung des Wagens bei Stillstand ließ erkennen, dass der Fahrer des Renaults infolge des Bremsvorgangs offensichtlich den Motor abgewürgt hatte.

Dengler erwartete, dass der Renaultfahrer, dessen Silhouette er nur unscharf durch die Heckscheibe wahrnehmen konnte, durch Hupen, Schimpfen oder wütende Gesten nun gegen dieses abrupte Bremsmanöver des Taxis protestieren würde. Doch nichts dergleichen geschah. Dann sah Georg, dass das hintere Wagenfenster des Taxis heruntergelassen wurde.

Er lief zu dem Wagen. Hedwig Weisskopf weinte immer noch. Sie hielt ein spitzenbesetztes Taschentuch vor Mund und Nase. Nun aber schaute sie zu Georg Dengler auf, ihre Augen waren völlig klar.

»Gehen Sie in die Wasenstraße«, sagte sie, »dort, wo früher das Spritzenhaus stand. Dort müssen Sie suchen. Graben Sie dort. Sie müssen dort suchen. Graben Sie … Sie müssen nicht tief graben …«

Sie blickte in Denglers fragendes Gesicht.

»Dort werden Sie … Sie müssen dort graben«, sagte sie.
Sie schluchzte heftig auf und ließ das Fenster wieder hoch-
fahren. Das Taxi fuhr los.
Dengler starrte ihm hinterher.
Hinter ihm startete der dunkle Renault den Motor.

62. Was hat sie gesagt?

»Was hat sie gesagt?« Olga stand neben ihm.

»Ich weiß nicht … Sie hat gesagt, ich solle in die Wasenstraße gehen. In der Wasenstraße beim Spritzenhaus sollen wir suchen. Sie hat gesagt: Ich solle dort graben. Ich bin mir aber nicht sicher, ob ich sie richtig verstanden habe …«

Olga legte ihre Jacke um die Schultern, als wäre ihr plötzlich kalt geworden.

Sie gingen zurück in Richtung des Marktcafés. Olga blickte sich um und studierte die Straßenschilder.

»Wasenstraße? Wo soll das sein?«

»Vermutlich irgendwo hier in der Ortsmitte …«, sagte Dengler.

»Die Wasenstraße ist eine Querstraße, die vom Kirchplatz abgeht. An der Ecke dort liegt unser Pfarrbüro.«

Olga und Georg wandten sich um. Hinter ihnen stand ein junger Mann, schwarz gekleidet, mit einem weißen Kragen. In der rechten Hand trug er eine Einkaufstasche mit dem Aufdruck einer Schreibwarenhandlung.

»Kommen Sie, ich muss auch in diese Richtung. Mein Name ist Wilfried Jansen, ich bin der Pfarrer hier. Gündlingen gehört zu unserem Pfarrverband. Mit vielen anderen Orten. Bin erst seit einem halben Jahr hier, kenne längst noch nicht alle Ecken und Straßen, aber die Wasenstraße kann ich Ihnen zeigen.«

Olga und Dengler stellten sich vor.

»Kommen Sie.«

Sie überquerten die Straße und betraten eine kleine Gasse, die leicht anstieg. Am oberen Ende sah Georg im Gegenlicht der Nachmittagssonne die Umrisse eines Kirchturms.

»Das hier ist ein kleiner Schleichweg, der direkt zum Kirchplatz führt. Von dort geht die Wasenstraße ab. Darf ich fragen, wen oder was Sie in der Wasenstraße suchen? Unsere Pizzeria? Da gibt's einen sehr guten Italiener … kann ich nur empfehlen.«

»Ich – wir, wir wollen zum Spritzenhaus.«

Der junge Geistliche blieb stehen. Dann lachte er.

»Zum Spritzenhaus? Sie meinen die Feuerwehr? Die befindet sich ganz woanders; die Freiwillige Feuerwehr Gündlingen hat ihre Gebäude am Sportplatz. Nicht weit vom Vereinsheim. Da müssen Sie wieder zurück zum Marktcafé und dann rechts … genau die Richtung, aus der Sie eben gekommen sind. «

Dengler und Olga sahen sich an. Dann fragte Dengler: »Es gibt kein Spritzenhaus in der Wasenstraße?«

Der junge Mann dachte nach. »Tut mir Leid, ich musste lachen, weil … Spritzenhaus – diesen Begriff hab ich schon lange nicht mehr gehört, erinnert mich an meine Kindheit, die Bücher vom Räuber Hotzenplotz, Sie verstehen … Aber jetzt, wo Sie das sagen: Es gab hier tatsächlich mal ein Gebäude, das Spritzenhaus genannt wurde. Kommen Sie. Ich habe einen alten Ortsplan im Sprechzimmer hängen. Da steht was von Spritzenhaus.«

Sie erreichten den Kirchplatz und umrundeten ihn. Der junge Pfarrer schritt voran und strebte auf ein großes altes Haus zu, neben dessen Eingangstür ein Messingschild hing mit der Aufschrift »Pfarrbüro«. Die Öffnungszeiten waren mit Klebeband abgedeckt worden. Der junge Pfarrer schloss die Tür auf, sie betraten durch einen Flur einen Büroraum.

»Sie müssen entschuldigen. Bin hier ganz allein, und bin ja auch nur sporadisch in Gündlingen. Wir haben hier nur noch ein kleines Büro, als Nebenstelle. Das Pfarrhaus wurde umgebaut, in einzelne Wohnungen, alles vermietet. Früher haben hier mal drei Geistliche gewohnt, die alle nur für Gündlingen verantwortlich waren. Das waren noch Zeiten! Davon können wir heute nur noch träumen. Kommen Sie, hier hängt der Plan.«

Er führte sie in einen Raum mit hohen Wänden, der sich dem Büro anschloss. Ein großer Eichentisch stand dort, mit schweren Stühlen, deren Rückenlehnen hoch geschwungen waren. »Uraltes Mobiliar. Echt antik. Das ist unser Besprechungszimmer, wenn ich hier bin und Sprechstunde halte. Hier hängt der historische Stadtplan. Der Kirchplatz war früher der eigentliche Ortskern. Das hat sich alles etwas verlagert nach dem Bau der Umgehungsstraße.« Er zeigte auf eine bräunlich verfärbte Tafel in einem Glasrahmen, auf dem mit dünnen Linien und in geschwungener Schrift die Topographie von Gündlingen verzeichnet war. Dengler trat näher und entdeckte sofort außerhalb des Ortskerns die Ruine und daneben skizzenhaft die Umrisse eines Gebäudes, das er gut kannte: »Schloßhotel« stand darunter.

»Spritzenhaus. Ich bin sicher, ich habe das hier mal gelesen auf der Karte. Irgendwo. Da. Sehen Sie! Da steht es: Spritzenhaus.«

Der junge Pfarrer deutete auf den Plan. »Tatsächlich, Sie haben Recht: Das ist in der Wasenstraße. Aber ich wüsste nicht, dass dort noch ein derartiges Gebäude …«

Er überlegte.

»Warten Sie. Soweit ich weiß, war das früher alles Gelände, das der Kirche gehörte. Wir haben hier noch die Unterlagen über alle Liegenschaften.«

Er ging zurück in das Büro und kam zurück mit zwei Leitz-Aktenordnern.

Er legte die Ordner auf den Tisch und schlug sie auf. Es dauerte eine Weile. Olga ließ sich erschöpft auf einem der antiken Stühle nieder.

Schließlich sagte der Pfarrer: »Die Grundstücke im Bereich Kirchplatz und Umgebung wurden im Laufe der Jahre teilweise verkauft, nach der Neuordnung der Pfarrgemeinden als Verband wurden viele der verbleibenden Grundstücke in Erbpacht bebaut. Zum Beispiel das, wo jetzt das italienische Restaurant betrieben wird.« Er blätterte weiter.

»Das Spritzenhaus-Grundstück wurde offenbar nie verkauft. Auch nicht verpachtet. Merkwürdig. Ist aber auch nicht besonders groß.«

Er blätterte hin und her. Dengler trat neben ihn und blickte auf die Seiten.

»Das Spritzenhaus selbst wurde Mitte der fünfziger Jahre abgerissen, stand nach dem Krieg wohl nur noch leer und wurde baufällig. Hier ist die Abrissverfügung. Das war wohl nur eine Art Schuppen, ohne großartiges Fundament. Ende der zwanziger Jahre errichtet. Meine Vorgänger haben dann offenbar mehrfach versucht, das Grundstück an den Mann zu bringen.«

Er vertiefte sich in die Akten. Schüttelte wieder den Kopf.

»Interessant ... Die Kirchenvorstände haben immer gegen die Veräußerung oder die Bebauung gestimmt und sich sogar gegen den jeweiligen Pfarrer durchgesetzt. Verkauf stand mehrmals auf der Tagesordnung, wurde aber immer wieder verschoben oder abgelehnt. Verstehe ich nicht. Hier steht, dass es mal einen Interessenten aus Stuttgart gab, Anfang der sechziger Jahre, aber der scheint wieder abgesprungen zu sein. Ohne Begründung. Dann eine Versicherungsgesellschaft. Mitte der siebziger Jahre. Wollten eine Zweigstelle dort bauen. Wurde abgelehnt: zu moderne Architektur im ehemaligen Stadtkern. Einspruch des Kirchenvorstands. Ist aber Unsinn. Die Wasenstraße hat kaum historische Gebäude, soweit ich weiß. Mich wundert das. Sonst kriegen die Leute hier den Mund kaum auf. Sehr verschlossen. Hab selbst noch nie erlebt, dass hier irgendeiner gegen irgendetwas Einspruch erhoben hat.« Er blätterte weiter.

»Dann hat die Kirche der Gemeinde das Grundstück überlassen, steht hier. Zur öffentlichen Nutzung, ohne Gegenleistung, keine Grundbucheintragung, gehört also immer noch der Kirche. Wusste ich gar nicht. Interessant. Überlassung auf Antrag der Gemeinde. Die Gemeinde brauchte einen Parkplatz, für Geschäftsleute und das Restaurant in der Wasenstraße. Damals hieß das noch »Lindenhof«, war eine heruntergekommene Kneipe für die Orts-Alkis. Hier ist der Entwurf vom städtischen Bauamt für den Parkplatz. Ein dünnes Schotterbett, Teerdecke, keine großartige Randbebauung. Hier hat der Kirchenvorstand offenbar sofort zugestimmt. Verstehe einer die Leute …«

Er schlug den Ordner zu.

»Ich kenne die Stelle. Liegt nicht weit von dem Italiener. Ist nicht zu verfehlen. Hilft Ihnen das? Warum interessieren Sie sich für das alte Spritzenhaus?«

Olga war aufgestanden und schob den antiken Stuhl wieder auf gleiche Höhe mit den anderen.

»Eine alte Bekannte hat uns von ihrer Jugend in Gündlingen erzählt. Wir folgen ein wenig den Spuren ihrer Jugendzeit.«

Der junge Pfarrer runzelte die Stirn, sagte aber nichts. Olga und Georg bedankten sich und verabschiedeten sich von dem jungen Geistlichen. Dann verließen sie das Pfarrhaus und bogen in die Wasenstraße ein.

Schließlich standen sie vor dem kleinen Parkplatz.

63. Hier soll ich graben

»Hier soll ich graben. Sagte sie.«
Olga schwieg und setzte sich auf einen der beiden weiß gestrichenen Steine, die rechts und links die Grenzen der As-
phaltfläche des Parkplatzes markierten.
Schließlich griff Georg nach seinem Handy und wählte die
Nummer von Hauptkommissar Langenstein. Er berichtete
ihm von dem Gespräch mit Hedwig Weisskopf. Der Hauptkommissar lehnte es ab, eine Baufirma zu beauftragen, den
Parkplatz aufzugraben.
»Was glauben Sie, was mit mir passiert, wenn ich aufgrund
von irgendwelchen vagen Hinweisen auf Kosten des Steuer-
zahlers ein Loch in Gündlingen aufbuddeln lasse, nur weil
ein ehemaliger Kollege mit seinen privaten Ermittlungen
nicht weiterkommt?«
Er legte auf.
Dengler steckte das Handy ein und stemmte die Hände in
die Hüften.
»Was machen wir jetzt?«, fragte Olga.
»Graben«, sagte Georg Dengler.

★★★

In einer kleinen Baumarktfiliale am Ortseingang kaufte
Dengler zwei Spaten, eine Hacke, zwei große graue Planen,
einen Klappstuhl sowie eine Rolle mit rotweißem Signalband
und ein Bündel Absperrstangen aus Aluminium. Unweit des
italienischen Restaurants im unteren Teil der Wasenstraße
entdeckte Olga eine kleine Ferienpension. Sie klingelte, eine
junge Frau öffnete, hinter ihr lugten die Gesichter zweier
kleiner Kinder neugierig durch die Tür.
Olga fragte, ob Zimmer frei wären.

»Nur noch eins.«

Die Frau bat sie freundlich herein und führte sie in einen hellen Raum im ersten Stock.

»Das Badezimmer ist gleich gegenüber. In diesem Frühjahr sind wir oft ausgebucht. Ostern ist sehr früh dieses Jahr. Gut für unsere Stammgäste, die hier ihre Wandertouren in den Osterferien machen. Wann wollen Sie und Ihr Mann morgen frühstücken?«

Die junge Pensionswirtin staunte nicht schlecht, als Georg statt Koffer oder Reisetaschen seine Arbeitsausrüstung ins Haus schleppte. Er war schweißgebadet, zu müde und gleichzeitig zu nervös, um eine Erklärung abzugeben; Olga sprang ein.

»Wir sind Archäologen aus Stuttgart und betreiben hier Ahnenforschung. Ausgrabungen, Sie verstehen?«

Die junge Frau nickte und verließ das Zimmer.

★★★

»Wann wollen Sie und Ihr Mann frühstücken?«

Olga kicherte und warf sich auf das Bett, auf dem Georg sich bereits hingestreckt hatte.

»Wir betreiben Ahnenforschung. Ausgrabungen, Sie verstehen?«, wiederholte Georg im Gegenzug.

»Ist doch nicht mal gelogen. Wenn ich heute Morgen allerdings gewusst hätte, dass wir hier übernachten, dann hätte ich wenigstens eine Zahnbürste eingepackt.«

»Olga, du musst nicht hier bleiben.« Georg richtete sich auf.
»Fahr zurück nach Stuttgart, du kannst morgen im Laufe des Tages wiederkommen und mir ein paar Sachen mitbringen.«

»Alles, was wir brauchen, bekomme ich hier im Ort. Ich mach das schon. Oder willst du in diesen Sachen da morgen den Parkplatz umgraben?« Sie deutete auf Denglers Anzug und seine Schuhe, die neben dem Bett standen.

»Ich gehe runter in den Ort und besorge alles Nötige. Muss mich beeilen, hier schließen die Geschäfte früh.« Sie stand auf, durchsuchte ihre Handtasche, öffnete ihre Geldbörse und prüfte den Inhalt.

»Noch sind Dengler & Co. durchaus handlungsfähig. Dennoch wäre es nicht schlecht, wenn bald wieder eine Milliardärsparty stattfindet. Welche Schuhgröße hast du?«

★★★

Am Abend saßen sie in dem italienischen Restaurant, das »Il Diavolo« hieß. Immer wieder sah Georg hinüber in Richtung des Parkplatzes, der in der Dunkelheit jedoch längst nicht mehr zu erkennen war.

Er musste lachen. Olga war lange unterwegs gewesen, dann war sie in die Pension zurückgekehrt mit etlichen Einkaufstüten. Sie hatte die Schuhe ausgezogen, sich auf das Bett geworfen und über Fußschmerzen geklagt. Dengler wollte ihre Füße massieren, doch sie bestand darauf, dass er alles anprobierte, was sie eingekauft hatte.

Sie hatte an alles gedacht: eine blaue Arbeitshose, Gummistiefel, Unterwäsche, sogar ein kariertes Flanellhemd, mehrere T-Shirts.

»In den anderen Tüten sind Sachen für mich. Ein paar kleine Dinge für den Eigenbedarf. Zahnbürsten. Und die absolute kosmetische Notausstattung …«, sagte sie und umschlang mit beiden Armen das Kopfkissen.

Schließlich stand er in der Arbeitskleidung vor ihr. Mit Gummistiefeln. Sie kicherte.

»Sieht richtig sexy aus.«

Dengler besah sich im Spiegel des Wandschrankes: »Da fehlt was. Etwas ganz Entscheidendes … sonst käme es hin.«

Olga richtete sich auf: »Was meinst du? Was habe ich vergessen?«

Dengler drehte sich, die Hände in die Hüften gestützt, vor dem Spiegel hin und her. »Ein Helm. Nein, nur ein Scherz.

282

Du hast nichts vergessen. Alles perfekt. Aber wenn ich jetzt noch einen Helm hätte, sähe ich aus wie der Bauarbeiter von den Village People.«

64. Einer der vier Stellplätze

Einer der vier Stellplätze war frei, als Georg und Olga früh morgens bei dem Parkplatz ankamen, wo einst das Spritzenhaus gestanden hatte. Dengler sperrte ihn mit dem Signalband und vier Absperrstangen ab. Kurze Zeit später fuhr ein junger Mann seinen Golf von dem zweiten Parkplatz. Auch diesen Bereich sperrte Dengler mit dem rotweißen Band ab. Dann begann er mit der Hacke den Asphalt von dem Boden zu lösen.

Die Arbeit war schwieriger, als er gedacht hatte. An etlichen Stellen hatten sich Löwenzahn und andere Gewächse ihren Weg durch den Asphaltboden gebahnt, hier war es leicht, einzelne Stücke des Belags aufzubrechen, doch der größte Teil der Fläche war noch fest.

Zunächst hieb er mit der Spitze der Hacke in den Asphalt und lockerte ihn. Mit der breiten Seite brach er einzelne Asphaltstücke von dem Boden. Nach einer halben Stunde schwitzte er in der morgendlichen Frühlingssonne. Eine Stunde später hing das Flanellhemd klatschnass über einer der Absperrstangen, und Dengler hackte im Unterhemd auf den Boden ein.

Olga saß auf dem Klappstuhl und schaute ihm zu. Nach zwei Stunden schüttelte sie den Kopf und sagte, dass es so nicht gehe. Georg Dengler blickte sich um: Tatsächlich hatte er nicht einmal einen halben Quadratmeter vom Asphalt befreit. Wortlos machte er weiter. Olga holte ihr Handy aus ihrer Handtasche, entfernte sich einige Schritte und führte mehrere Telefonate.

Gegen zwölf Uhr fuhren die beiden anderen Wagen vom Parkplatz, und Georg Dengler umsäumte den ganzen Platz mit dem rotweißen Band. Kurze Zeit darauf fuhr ein Polizeiwagen im Schritttempo an ihnen vorbei. Die beiden Beamten besahen sich den Vorgang, aber sie stiegen nicht aus und unternahmen nichts.

Gegen Mittag konnte Dengler nicht mehr. Der Schweiß lief ihm vom Gesicht ins Unterhemd, das völlig nass geschwitzt war. Er sah zu Olga, die auf dem Klappstuhl saß und sich die Zehen lackierte.

»Ich schaff' das nicht«, sagte er.

»Ich weiß«, sagte sie und schaute auf die Uhr. »Lass uns was essen gehen.«

★★★

Die Betreiber des »Il Diavolo« vertrauten dem Frühlingswetter und hatten auf dem Vorplatz des Restaurants schon die Außengastronomie eröffnet. Dengler ließ sich völlig erschöpft in einen der Korbsessel fallen. Schweigend aß er eine Pizza und trank zwei Liter Wasser.

Als sie wieder zurückgingen, hielt vor dem Parkplatz ein Lastwagen mit tief liegendem Anhänger, auf dem ein Minibagger stand. Der Fahrer des Lastwagens, dem Aussehen nach ein Türke, stieg aus, löste Denglers Absperrband, setzte sich wieder ans Steuer und rangierte den Lastwagen so zurück, dass der Anhänger auf dem Parkplatz zu stehen kam. Der Mann stieg wieder aus und hakte zwei Stahlrampen an der Rückseite des Anhängers ein.

»Der wird doch nicht … der will den Bagger hier abladen!«

Dengler wollte zu dem Mann hinrennen, aber Olga hielt ihn am Arm zurück.

»Der Mann hilft uns«, sagte sie, »bis heute Abend ist der Asphalt weg.«

»Olga, bist du verrückt, wer soll den Bagger denn bezahlen?«

Sie stand so dicht vor ihm, dass er ihren Duft riechen konnte.

»Georg«, sagte sie leise, »du weißt doch: Ich bin die Frau, für die Geld keine Rolle spielt. Der Bagger ist bereits bezahlt. Aus dem Rest von der Milliardärsparty. Doch ich bitte dich um einen kleinen, einen klitzekleinen Gefallen.«

»Wir überfallen zusammen eine Bank?«

Sie lächelte: »So etwas Ähnliches. Wir fahren zusammen nach Baden-Baden ins Casino – wenn alles vorbei ist. Ich muss die Kriegskasse dringend wieder auffüllen.«

Er lachte und umarmte sie.

Der Mann in dem dunklen Renault betrachtete die Szene aufmerksam.

★★★

Um fünf Uhr nachmittags schaltete der Türke den Bagger ab und stieg von dem Gerät herunter. Dengler besah sich das Tageswerk: Der Mann hatte nicht nur den Asphalt und den Schotter von allen vier Parkflächen entfernt und auf seinen Laster gekippt, sondern an einer Ecke bereits damit begonnen, vorsichtig Sand und Erde abzutragen. Der Mann versprach, morgen um sieben wiederzukommen, und verabschiedete sich von Dengler und Olga mit einem Handschlag.

65. Am nächsten Mittag

Am nächsten Mittag hatte der Baggerführer einen halben Meter Erde abgetragen. Dengler schickte den Mann nach Hause. Von nun an wollte er Stichproben nehmen. Pro Parkplatz würde er drei Löcher graben, jedes nicht tiefer als anderthalb Meter. Das wären insgesamt zwölf Löcher. Drei bis vier Tage würde er dazu brauchen, schätzte er, aber Genaues würde er wissen, wenn er das erste Loch gegraben hatte. Er begann sofort damit. Olga saß auf ihrem Klappsessel und las derweil in dem Roman »Der Traum der Vernunft« von Michael Schneider.

Am Nachmittag hatte er die Hälfte des zweiten Loches gegraben, als auf der anderen Straßenseite der alte Mann auftauchte, der immer noch dem Gutshof im Osten nachtrauerte. Er stützte sich auf seinen hölzernen Gehstock und bewegte sich mühsam vorwärts; sein Enkel, der zehnjährige Junge, lief ungeduldig vor ihm her und schleppte einen hölzernen Klappstuhl, ähnlich dem, auf dem Olga saß und las. Der Alte verharrte zunächst zehn Minuten lang auf dem Bürgersteig, dann entfaltete er den Stuhl und setzte sich. Als sein Enkel nach wenigen Minuten anfing zu quengeln und zu Dengler hinüber auf die andere Straßenseite laufen wollte, stand er auf, nahm den Jungen bei der Hand und ging die Straße hinauf, den Klappstuhl auf dem Bürgersteig zurücklassend. Er kam ohne den Jungen zurück, als Georg Dengler mit dem dritten Loch begann. Der alte Mann setzte sich auf den Stuhl und sah Georg Dengler über die Straßenseite hinweg bei seiner Arbeit zu.

Hin und wieder kamen Passanten und sahen sich die Szene an, gingen dann aber weiter. Ein zweiter alter Mann gesellte sich zu dem ersten. Beide trugen graue Blousons und hellgraue Hosen. Sie unterhielten sich leise, dann redeten sie nicht mehr, sondern starrten beide zu Dengler hinüber, der mit schweißglänzendem Oberkörper Schaufel für Schaufel das Erdreich aus dem Loch wuchtete. Erst als er gegen 18 Uhr keine Kraft mehr hatte und aufhörte, gingen auch die beiden alten Männer schweigend weg.

***

Am nächsten Morgen saßen drei alte Männer auf der gegenüberliegenden Straßenseite, einer auf dem Klappstuhl, die beiden anderen hatten hölzerne Küchenstühle mitgebracht. Sie sagten kein Wort, sprachen weder miteinander noch mit Georg Dengler oder Olga.

Sie reden nicht, sie glotzen nur, meine persönliche Muppetshow.

Dengler stach die Schaufel in die Erde, stieß mit dem Fuß das Schaufelblech tief ins Erdreich, bog den Stiel nach unten, hob die gefüllte Schaufel an und warf die zunehmend lehmiger werdende Erde auf die Haufen, die sich rings um seine Löcher und auf dem Bürgersteig bereits auftürmten. Seine Hände schmerzten. Auf dem Daumenballen bildete sich eine Blase, die nach einer Stunde platzte. Er versuchte, den Stiel der Schaufel so zu halten, dass er die wunde Stelle nicht berührte. Aber es gelang ihm nicht. Immer wieder berührte das Holz die schmerzende Stelle. Georg Dengler merkte, dass er langsamer schaufelte, und plötzlich wurde ihm klar, dass er es nicht schaffen würde, den ganzen Parkplatz umzugraben. Er blieb stehen und stützte sich auf die Schaufel. Olga kam zu ihm und reichte ihm die Wasserflasche. Er trank in großen Zügen. Dann arbeitete er weiter.

Auf dem gegenüberliegenden Bürgersteig hatte sich mittlerweile eine seltsame Gemeinschaft von sieben alten Männern und zwei ebenso alten Frauen eingefunden.

Seine Hand schmerzte.

I don't want you to be no slave
I don't want you to work all day

but I want you to be true
and I just wanna make love to you

»Was hast du gesagt?«, rief ihm Olga zu.

Dengler sah auf und winkte ihr kurz mit einer abwehrenden Geste zu. Dann fiel sein Blick auf das Publikum auf der anderen Straßenseite. Ein unbändiger Zorn ergriff ihn.

Jetzt reicht's.

Er kletterte aus dem Graben und marschierte mit seinen lehmverklumpten Stiefeln zu den Alten hinüber.

»Erzählen Sie mir, was ich hier finden werde«, schrie er sie an, »reden Sie mit mir.«

Die Gruppe schwieg. Die alten Männer sahen stur geradeaus, eine der beiden Frauen hatte den Blick nach links abgewandt, die andere starrte angestrengt auf den Boden.

Ich bleibe jetzt hier stehen, bis einer etwas sagt.

»Wir wissen nichts«, presste einer von ihnen durch die Lippen, ohne den Blick zu heben.

»Dann eben nicht.«

Wütend ging Dengler zurück, sprang in das Loch, nahm die Schaufel und stieß sie wütend ins Erdreich.

I don't want you to work all day

★★★

Am nächsten Tag regnete es. Es war ein freundlicher, warmer, aber lang andauernder Frühlingsregen. Dengler stand im Unterhemd in seinem vierten Loch und schippte, in kurzer Zeit stand das Wasser bereits bis zu seinen Knöcheln. Am Abend zuvor hatte Olga seine Hand verbunden. Der Schmerz verschwand zwar nicht, aber er war erträglicher geworden.

Der Regen schwemmte den Boden auf, immer wieder lösten sich von den aufgeworfenen Haufen und den lockeren Grubenrändern Erdklumpen und Lehmbrocken und stürzten in die Löcher. Im Laufe des Vormittags verstärkte sich der Regen, und die kleinen Erdrutsche wurden immer häufiger. In kleinen Bächen und ockerfarbenen Wasserfällen strömte das Wasser in die Gruben. Olga stand oberhalb des Erdauswurfes und hielt einen Schirm über ihn. Er bat sie mehrmals, in die Pension zu gehen oder bei dem Italiener auf ihn zu warten, aber sie ließ sich nicht beirren und beschirmte in.

Die Beobachtergruppe auf der anderen Straßenseite war kleiner geworden. Vier alte Männer standen dort, einer von ihnen in einen durchsichtigen Kunststoffregenmantel gehüllt, die anderen schützten sich mit dunklen Schirmen vor dem Regen.

★★★

Gegen Mittag gibt Georg Dengler auf.
Ich kann nicht mehr.
»Hilf mir aus dieser Gruft«, sagt er zu Olga.
Dann wirft er die Schaufel nach oben.
Sie bückt sich und streckt ihm die Hand entgegen. Er ergreift sie, und Olga zieht. Er stützt sich am Rand der Grube ab, damit Olga nicht sein ganzes Gewicht ziehen muss. Hinter ihm ertönt ein dumpfes Platschen, so wie er es den ganzen Morgen gehört hat: Wieder hat die Nässe einen Teil der Grubenwand gelöst, wieder ist Erde und Lehm in die Lache am Grubenboden gefallen.
Plötzlich stößt sie einen Schrei aus und lässt seine Hand los. Dengler ist darauf nicht gefasst und stürzt rückwärts in die Grube zurück, der Grubenrand, auf den er sich gestützt hat, bricht ein. Mit dem Kopf schlägt er hart auf den Rand der gegenüberliegenden Grubenseite und verliert für einige Sekunden das Bewusstsein.
Als er wieder zu sich kommt, sieht er Olga am Rand des Grabens in der Hocke sitzen. Den Schirm hat sie fallen lassen. Ihre Augen sind schreckgeweitet, sie hält beide Hände vor ihren Mund. Sie starrt ihn an und zeigt dann stumm mit der rechten Hand auf Dengler.

Dengler wischt sich das Regenwasser aus den Augen. Nein, sie starrt und deutet nicht auf ihn. Sie deutet auf eine Stelle direkt neben ihn, dort, wo er mit dem Rücken an der Grubenwand noch halb liegt oder steht, so wie er gefallen ist, als sie seine Hand losgelassen hat.

Langsam wendet Dengler den Kopf und sieht in die Richtung, in die Olga zeigt. Aus der lehmigen, tropfenden Grubenwand ragen die Finger einer Hand, nur noch Knochen, aber eindeutig eine menschliche Hand.

66. Das Gewehr lag vor ihm auf dem Tisch

Das Gewehr lag vor ihm auf dem Tisch. Er hatte es am Nachmittag aus dem Versteck genommen, wo es lange Zeit gelegen hatte, eine sehr lange Zeit, in Ölpapier konserviert und in seine Einzelteile zerlegt. Er wunderte sich, wie sicher und routiniert der Zusammenbau der Waffe verlief, wie sicher er noch die Handgriffe beherrschte. Der Lauf und der Verschluss rasteten in ihren Halterungen ein, die Patronen transportierten ohne Schwierigkeiten – die Waffe war schussbereit.

Als er den Schrei der jungen Frau hörte, hatte er gewusst, dass sie die Leiche gefunden hatten. Er hatte hinter dem Steuer seines grauen Renaults gesessen, und in diesem Augenblick wurde ihm klar, dass er handeln musste.

Ohne eine Gefühlsregung hatte er den ersten Gang eingelegt und war an der Ausgrabungsstelle vorbei nach Hause gefahren.

Er hob die Waffe hoch und überdachte noch einmal seinen Plan, aber er fand keinen Fehler.

Würde er schießen können?

Er fühlte die Bilder aus der Vergangenheit in sich aufsteigen und wusste, dass er dazu in der Lage war.

Hoffentlich war es nicht zu spät.

67. Dengler kletterte aus dem Graben

Dengler kletterte aus dem Graben. Er nahm Olga in den Arm. Sie war völlig durchnässt und zitterte. Er hob den Schirm auf und führte Olga an den Straßenrand zu ihrem Klappstuhl. Sie setzte sich schluchzend, er strich ihr über die Wange und drückte ihr den Schirm in die Hand.

»Ich bin gleich wieder da.«

Dann stieg er wieder in die Grube und betrachtete die Fingerknochen, von denen der Regen nun immer mehr Erde abspülte. Er nahm die Schaufel und trug vorsichtig das Erdreich von oben ab. Nach und nach legte er die komplette Hand frei, bis der Ansatz des Ellenbogenknochens sichtbar wurde. Kein Zweifel: Er hatte eine Leiche gefunden.

Dengler versuchte, seine Gedanken zu ordnen.

Waren das die Überreste von Juniors Vater?

Olga hatte sich noch immer nicht beruhigt. Er musste sie nach Hause bringen. Morgen würde er weitergraben. Er nahm das Flanellhemd und deckte es behutsam über die Handknochen. Dann stieg er aus dem Loch.

Ob die Alten mir jetzt erzählen, was hier los ist?

Wütend sah er auf die andere Straßenseite.

Der Bürgersteig war leer.

Langsam entfaltete er die Planen und begann die Grabstelle abzudecken.

68. Als sie die Pension erreichten

Als sie die Pension erreichten, kam ihnen die junge Wirtin aufgelöst entgegen.

»Ich muss rasch weg. Zu meiner Großtante. Mein Mann kommt gleich und holt mich ab. Sie haben sie vor einer halben Stunde gefunden, sofort in die Klinik, wahrscheinlich ein Schlaganfall. Kann sein, dass ich es morgen nicht rechtzeitig mit dem Frühstück schaffe.«

Dann sah sie Olga an. »Geht es Ihnen nicht gut? Kommen Sie rein. Sie müssen sich umziehen, Sie sind ja völlig durchnässt. Und Sie auch.« Sie deutete auf Dengler, der den verschmutzten Schirm zusammenklappte und die Gummistiefel auszog. Sie öffnete die Eingangstür der Pension.

Olga schluchzte auf, lief an ihr vorbei und die Treppe zum ersten Stock hinauf. Die junge Frau sah ihr nach, dann wandte sie sich an Dengler.

»Was hat sie denn?«

»Sie ist – überarbeitet«, sagte Dengler unruhig und blickte ihr nach. Er trat ins Haus, die junge Frau folgte ihm.

»Dabei ging es ihr doch so gut. Meiner Großtante. Ich war heute noch kurz bei ihr. Sie hatte am Nachmittag sogar Besuch. Ganz überraschend. Einige alte Freunde aus dem Ort. Die habe ich alle ewig nicht gesehen. Haben noch über den Krieg und die Nachkriegszeit geredet. Schlimm. Ich habe gehört in der Küche, wie sie laut miteinander sprachen und über irgendwas richtig diskutierten. Ich bin dann gegangen, weil sich für heute neue Gäste angekündigt haben. Wäre ich doch nur dageblieben! War bestimmt alles viel zu anstrengend für sie. Vor einem Jahr ist ihr Mann gestorben.«

»Tut mir wirklich Leid um Ihre Großtante. Ich hoffe, sie schafft es. Ich hatte gerade einen ähnlichen Fall in der Verwandtschaft; die Ärzte können da heute viel tun. Machen

Sie sich keine Sorgen wegen des Frühstücks. Wir kommen schon zurecht.«

Dengler wollte hinaufgehen und hatte schon den ersten Treppenabsatz erreicht, doch die junge Frau redete weiter.

»Vor einem Jahr ist ihr Mann gestorben. Und jetzt das. War eine große Beerdigung hier im Ort. Sogar die Sternbergs waren dabei; sind alle gekommen von der Firma; Ilona Sternberg hat die Trauerrede gehalten.«

»Die Sternbergs?« Dengler blieb stehen.

»Ja, von der Firma Sternberg. Also die Enkel Sternberg, die die Firma heute leiten. Mein Großonkel war dort Buchhalter, viele Jahre lang. War vor dem Krieg in der Gemeindeverwaltung, dann hat ihn der alte Sternberg in seinen Betrieb geholt nach dem Krieg. Wo bleibt denn nur mein Mann?«

★★★

Als Georg ins Zimmer trat, hatte Olga sich bereits umgezogen. Sie trocknete mit einem Handtuch ihre Haare. Er trat zu ihr und legte den Arm um sie. Sie sah ihn an.

»Bitte – bring mich nach Stuttgart. Ich will hier weg.«

Georg nahm sie in den Arm. »Wir fahren gleich los.«

Er suchte in seinen Sachen nach trockenen und sauberen Kleidungsstücken, fand aber nichts außer einem T-Shirt und seiner Anzugsjacke.

»Es tut mir Leid, Georg, dein Hemd, die Unterwäsche und die Anzugshose habe ich heute Morgen der Wirtin gegeben, sie wollte sie in die Reinigung bringen.«

Olga stand bereits in der Tür.

»Egal. Muss eben so gehen.« Dengler blickte an sich herunter. Die einst blaue Arbeitshose war nass und gänzlich verfärbt von Lehm und Erde. Er streifte das T-Shirt über, fischte ein Paar alter Socken unter dem Bett hervor und zog die Schuhe an, dann verließen sie die Pension.

Sie gingen die Wasenstraße hinunter. Der Regen hatte nachgelassen, und als Dengler sich noch einmal umwandte, sah er von weitem das weißrote Absperrband im Wind flattern.

★★★

Der Wind war kühl, und Dengler sah, dass Olga zitterte. Er legte seine Anzugsjacke über Olgas Schultern. Er hatte ein Taxi rufen wollen, das sie zum Gündlinger Bahnhof fahren sollte, doch der Akku seines Handys war leer. Als sie das Marktcafé erreichten und Dengler sich nach einem Taxi umblickte, hielt auf der anderen Straßenseite ein roter Bus mit dem Zielschild »Bruchsal Bahnhof«. Er griff Olga unter den Arm, sie liefen hinüber zur Haltestelle und stiegen ein.

In Bruchsal mussten sie eine halbe Stunde warten, dann nahmen sie den Interregio nach Stuttgart.

Auf der Heimfahrt sprachen sie nicht. Der Zug war voll besetzt, trotzdem blieb der Sitz neben Dengler leer.

Kein Wunder, ich sehe aus wie ein Waldschrat auf Urlaub. Und sicher rieche ich auch so.

Der Schaffner kontrollierte sorgfältig sein Ticket, sagte aber nichts. Olga starrte aus dem Fenster.

Vom Stuttgarter Bahnhof gingen sie zu Fuß die Königstraße hinauf. Am kleinen Schlossplatz bogen sie in die Planie, gingen an dem großen Café vorbei, überquerten den Charlottenplatz, kamen an *Brenners Bistro* vorbei. Dann standen sie vor dem *Basta*. Dengler schloss die Haustüre auf, und schweren Schrittes gingen sie die Treppe hinauf. Vor Denglers Tür gab Olga ihm einen raschen Kuss, dann stieg sie die Treppe hinauf in ihre eigene Wohnung.

Dengler duschte lange. Er überlegte, ob er Langenstein anrufen sollte.

Ich muss ihm sagen, dass wir ein Skelett gefunden haben. Auch Major Hooker muss ich anrufen.

Doch als er in seinen Büroraum gehen wollte, zog es ihn ins Schlafzimmer. In der Absicht, nur ein paar Minuten auszuruhen, legte er sich hin und schlief sofort ein.

69. Albert Roth dachte, er habe sich verhört

Albert Roth dachte, er habe sich verhört.
Unruhe kam auf in der etwa dreißig Mann starken Truppe des Gündlinger Volkssturms. Einige Männer kratzten sich an den Köpfen, blickten besorgt zu Boden, andere gingen instinktiv einen Schritt rückwärts, als wollten sie ausdrücken: Da machen wir nicht mit.
»Ruhe«, schrie der Kompanieführer.
Aus der Ferne hörten sie das Donnern der amerikanischen Artillerie.
»Wir werden die Amerikaner mit einer Panzersperre empfangen«, wiederholte der Kompaniechef mit eisiger Stimme.
Die Kompanie verlor ihre strenge Ordnung. Albert Roth beobachtete voller Sorge seinen Sohn und dessen Freund Fritz, den Sohn des Kompanieführers. Sie starrten den Kompanieführer begeistert an. Sie erwarteten ein neues Abenteuer und tuschelten aufgeregt. Doch die anderen Männer sprachen erregt und kopfschüttelnd miteinander, und einer der beiden Bürohengste aus der Gemeindeverwaltung hob die Hand. Er schien den Kompanieführer zu kennen.
»Volker«, sagte er, aber seine Stimme ging in dem allgemeinen Gemurmel unter.
»Volker«, rief er lauter und schnippste mit den Fingern wie ein übereifriger Schüler.
Albert Roth kannte den Kompanieführer nur flüchtig. Er hieß Volker Sternberg, seine Familie besaß die kleine Fabrik im Gebiet Säulenhalde nördlich der Stadt. Er war u. k. gestellt, unabkömmlich, weil er die Fabrik leitete. Aber zum letzten Aufgebot der Nazis war nun auch er einberufen worden. In Karlsruhe hatte er eine Schnellausbildung zum Kompanieführer durchlaufen. Roth konnte sich nicht vorstellen,

warum Volker Sternberg jetzt noch den Helden spielen wollte.

»Wir bauen eine Panzersperre am Ende der Bruchsaler Straße«, schrie Volker Sternberg zum dritten Mal.

Nun war die Unruhe allgemein.

Plötzlich wurde Roth klar, was Volker Sternberg vorhatte. Seine Fabrik lag im Norden von Gündlingen. Aus der Richtung, aus der die Amerikaner kommen würden. Sternberg fürchtete, dass seine Fabrik unter Beschuss geraten könnte, und er wollte die amerikanischen Panzer mit einer Sperre zur Bruchsaler Straße ablenken, einer Wohnstraße.

Und dafür riskierte er das Leben der Männer, die vor ihm standen.

»Es gibt noch SS in Bruchsal«, schrie Volker Sternberg nun, und die Männer wurden schlagartig still.

»Volker, Volker!« Nur der Gemeindeangestellte schnippte noch immer mit dem Finger.

Da zog Sternberg seine Pistole.

»Tritt vor und gib mir dein Gewehr«, befahl er und deutete auf Albert Roth.

70. Tief und traumlos

Dengler hatte tief und traumlos geschlafen. Wie ein Stein. Gegen Morgen erschien ihm Olga im Traum. Sie beugte sich über ihn.

»Komm, Georg, wir müssen aufbrechen. Es wird Zeit.«

Er drehte sich um.

»Komm, Georg, wir müssen wieder nach Gündlingen.«

Er fuhr hoch. Kein Traum. Olga stand vor ihm, über ihrem Arm ein Mantel, und blickte ihn an. Er richtete sich auf und schaute auf den Wecker: 7.00 Uhr.

»Olga, ich ...«

»Georg, es tut mir Leid. Gestern, da war ich ... – ich konnte einfach nicht mehr. Du hast mir in deiner nassen Arbeitshose so Leid getan. Aber ich – ich wollte nur noch nach Hause.«

Sie wandte sich ab, ging aus dem Schlafzimmer durch sein Büro in die Küche und warf die Espressomaschine an.

»Zieh dich an, wir müssen los, in dieses wunderschöne Gündlingen«, rief sie aus der Küche.

Dann stand sie wieder vor ihm.

»Du hast gefunden, was du gesucht hast. Ich bin deine Assistentin – und ich werde dir auch weiterhin helfen.«

***

Um neun Uhr stiegen Georg Dengler und Olga aus dem Bus in Gündlingen. Sie gingen die kleine Gasse hoch, durch die sie der junge Pfarrer geführt hatte. Als sie oben beim Kirchplatz angekommen waren und in die Wasenstraße einbogen, stieß Olga einen kurzen, überraschten Schrei aus.

Um seinen Graben waren mehrere Stative mit wuchtigen schwarzen Scheinwerfern aufgestellt, die die Szene in ein blendendes Licht hüllten. Die Straße war abgesperrt, mitten auf ihr stand ein Kastenwagen mit rotierendem Blaulicht.

Ein Dutzend Personen in weißen Schutzanzügen lief auf und ab oder stand gebückt in Denglers Gruben, die nun größer waren als gestern Abend.

Dengler hielt Olgas Hand fest.

Als sie sich den Absperrungen näherten, hob ein Polizist die Hand und verwehrte ihnen den Zutritt. Eine Person sprang aus dem Kastenwagen und eilte auf sie zu.

»Schon gut, schon gut. Lass sie durch.«

Er war Langenstein.

Der Hauptkommissar wirkte übernächtigt. Er hatte dicke Tränensäcke unter den Augen und brauchte dringend eine Rasur.

Er drückte Dengler die Hand und begrüßte Olga mit einem Handkuss.

»Wir haben Ihre Leiche in der Nacht ausgegraben«, sagte er.

Dann lief er mit großen Schritten zu dem Kastenwagen zurück. Bevor er einstieg, drehte er sich um und winkte sie zu sich heran.

»Sehen Sie ihn sich an«, sagte er und kletterte in den Wagen.

Olga klammerte sich an Georg.

»Ich gehe da nicht hinein.«

Dengler nickte und ließ sie los. Er folgte Langenstein die schmale Metalltreppe hinauf und betrat den Kastenwagen der Spurensicherung.

Auf einem Tisch lag auf einem weißen Tuch ein komplettes Skelett. An einigen Knochen klebten noch lehmige Erdreste. Über den Schädel beugten sich zwei Männer mit skalpellartigen Instrumenten. Ein dritter Mann saß an einem kleinen Tisch und wandte ihnen den Rücken zu.

»Unsere Schatzgräber sind da«, rief Langenstein.

Der Mann stand von dem Tisch auf und drehte sich um.

Major Hooker.

»Gute Arbeit, Mr Dengler. Sie konnen jetzt meinen Job machen ...«, sagte er.

»Können, Major, es heißt: Sie können jetzt meinen Job machen.«

»Ja, Sie mit Ihrem ö, Ihrem stillen Örtchen, Klöße, Flöße, Größenwahnsinn und Lynchmörde.«

»In diesem Fall heißt es Lynchmorde.«

»Sehen Sie.« Hooker hob eine Metallscheibe hoch. »Das ist die Erkennungsmarke der US Army. Sie identifiziert dieses Skelett als die Überreste von Leutnant Blackmore, Pilot der 332nd Fighter Group, Träger des posthum verliehenen Distinguished Flying Cross.«

Der Major deutete einen militärischen Gruß an.

Langenstein hatte sich hinter die Trage gestellt und zeigte auf den Schädel. Georg Dengler sah ein Einschussloch an der linken Schläfenseite, doppelt so groß wie eine Zwei-Euro-Münze.

Langenstein griff hinter sich und hob einen durchsichtigen Plastikbeutel hoch.

»Wir hatten unglaubliches Glück. Wir haben das Projektil gefunden. Ist hinten wieder raus. Sehen Sie.« Er zeigte auf den Hinterkopf des Schädels. »Mit großer Wahrscheinlichkeit ein Geschoss aus einem Sturmgewehr der Wehrmacht. Haben meine Jungs gefunden. Steckte in einer vergammelten Holzlatte, lag mit anderen Hölzern direkt neben dem Skelett. Geht alles gleich in die Ballistik.«

»Und hier, schauen Sie …«, er deutete auf eine Stelle am Schulterblatt, »außerdem hat der arme Kerl noch einen Streifschuss an der Schulter.«

»Es war Krieg«, sagte Dengler.

»Wir ermitteln wegen Mordes«, sagte Langenstein, »der Kopfschuss ist aufgesetzt. Aus nächster Nähe abgegeben. Zu dem Streifschuss an der Schulter können wir noch nichts sagen.«

»Fragen Sie doch mal all die Zaungäste, die mir beim Ausgraben zugesehen haben.«

»Wir haben jeden befragt, der hier vorbeikam. Sogar in der

Nacht sind hier noch ein paar merkwürdige Gestalten vor-
beigeschlichen. Alles ältere Leute.«

»Und?«

»Rien! Keiner weiß was. Das große Schweigen. Ich könnte
genauso gut in Sizilien ermitteln. Keiner will etwas sagen.«

»Ich habe den Tipp von Hedwig Weisskopf.«

»Ich weiß. Sie hat einen Nervenzusammenbruch bekommen, als wir heute Morgen vor ihrer Tür standen. Sie liegt
im Krankenhaus.«

»Und der verehrte ehemalige Kollege Altmeier?«

»Fehlanzeige. Erinnert sich nicht mehr an das, was er damals
in dem Bericht geschrieben hat.«

»Dann sieht es schlecht aus, dass Sie den Mörder von Steven
Blackmore fassen?«

»Sehr schlecht.«

Dengler sah ihn an und verließ den Kastenwagen.

Olga stand mit dem Rücken an den Wagen gelehnt, die Hände um den Körper gelegt. Sie war blass.

»Sah es schlimm aus?«

»Der Mann ist Juniors Vater. Er wurde durch einen Schuss
in den Kopf getötet. Außerdem hat er noch einen Streifschuss.«

»Georg, mir ist kalt.«

Er legte den Arm um sie.

»Lass uns zurückfahren. Hier können wir nichts mehr tun.«

Sie nahm seine Hand.

In diesem Augenblick klingelte sein Handy – mehrmals hintereinander.

Eine SMS.

Dengler klaubte das Gerät aus der Hosentasche und schaute
auf das Display.

Wollen Sie wissen, wer den Neger erschossen hat?

Die Nachricht kam von einer merkwürdigen Nummer: 7306.
Dengler wählte sie und hörte die Ansage der Telekom: *Kein
Anschluss unter dieser Nummer.*

»Olga«, sagte er, »ich habe eine Nachricht erhalten – von einer Nummer, die es gar nicht gibt: 7306. Kannst du dir das erklären?«

»Jemand hat dir von einer Website aus eine Nachricht geschickt. Von GMX oder Web.de – von solch einer Site.«

»Kann ich die SMS zurückverfolgen?«

Sie schüttelte den Kopf, blickte ihn an und sagte: »Lass uns gehen. Mir ist schrecklich kalt.«

Sein Handy schrillte erneut.

Er sah auf das Display.

»Kommen Sie alleine zum Gündlinger Kreuz. Wenn Sie zu zweit kommen, erfahren Sie nichts.«

Er sah Olga an: »Kannst du eine halbe Stunde warten? Ich bringe dich zur Pension. Oder warte bei dem Italiener. Wenn ich zurück bin, fahren wir sofort.«

Sie nickte.

Obwohl sie ihren Mantel angezogen hatte, fror sie noch immer. Sie gingen hinüber zum »Il Diavolo«. Dengler winkte dem Kellner und versicherte Olga, dass er gleich wieder da sein werde. Dann rief er über das Handy ein Taxi.

71. Kennen Sie das Gündlinger Kreuz?

»Kennen Sie das Gündlinger Kreuz?«, fragte er den Taxifahrer.

»Klar.« Der Fahrer wandte sich um: »Sie wollen bestimmt zu der kleinen Kapelle.«

»Genau.«

Er schwieg und war froh, dass auch der Fahrer nichts mehr sagte. Er machte sich Sorgen um Olga.

Ich weiß viel zu wenig von ihr.

Olga erzählte niemals aus ihrer Vergangenheit. Er wusste, dass sie als Kind zur Diebin abgerichtet wurde. Der Zeigefinger ihrer rechten Hand war so gestreckt worden, dass Mittel- und Zeigefinger gleich lang wurden und sie leichter in fremde Taschen greifen konnte. Die Gelenke des gestreckten Fingers hatten sich entzündet, und sie hatte sich auf Computereinbrüche verlegt. Seinen ersten Fall hatte er nur mit Olgas Hilfe lösen können. Er dachte daran, wie er neben ihr gesessen hatte, als sie ihm den Zugang zu einem Rechner der Kreditkartenorganisation des Mannes verschafft hatte, den alle für tot hielten. Damals war er bis über beide Ohren in Olga verliebt gewesen. Und heute?

»So, da wären wir«, sagte der Taxifahrer.

Er hatte am Waldrand des Gündlinger Forstes gehalten. Hier hörten die Felder auf, und ein breiter Weg führte in den Wald hinein. Daneben stand eine kleine Kapelle. Sie hatte ein Holzdach, das von schweren braunen Außenbalken abgestützt wurde. Die Wände waren weiß. Zwei Treppenstufen führten zum zweiflügeligen Eingangstor, das offen stand. Innen erkannte Dengler einen Altar mit einer Marienstatue. Neben dem Eingang stand in kunstvoller Schrift:

Sieh, Maria ist unsere Hoffnung. Zu ihr nehmen wir unsere Zuflucht, und sie hilft uns.

Dengler bezahlte den Fahrer.

»Bitte warten Sie fünf Minuten auf mich. Wenn ich in fünf Minuten nicht wieder zurück bin, dann dauert es länger, und ich werde nicht mit Ihnen zurückfahren.«

Der Fahrer nickte, und er stieg aus.

Dengler betrat die Kapelle. Innen brannten drei Kerzen, aber es war niemand zu sehen. Er untersuchte den Raum. Es gab keine weitere Tür, hinter der sich jemand verstecken konnte. Er trat wieder vor die Tür und wartete.

Kurz danach erhielt er eine neue SMS:

Gehen Sie um die Kapelle und folgen Sie dem schmalen Weg.

Dengler ging um das Kirchlein herum. Auf der Rückseite ging tatsächlich ein Pfad ab. Dengler bog die unteren Äste einer Buche beiseite und folgte dem Weg.

Der Wald war licht. Die Sonne schien durch die Kronen und wärmte ihn. Er sah den blühenden Löwenzahn, hörte das Klopfen des Spechtes. Er dachte an Jakob, seinen Sohn, und stellte sich vor, wie sie gemeinsam einen Waldspaziergang unternehmen würden.

Nach etwa fünfzig Metern blieb Dengler stehen und wartete.

Ich rufe Olga an und sage ihr, dass es noch etwas dauert.

Er wählte die Nummer ihres Handys und sah gleichzeitig, wie sich die Blätter eines Busches oberhalb des Pfades bewegten.

»Hallo?«

Er wiederholte den Ruf: »Hallo, ist dort jemand?«

Er hörte Olgas Stimme aus dem Handy: »Georg? Ich bin's. Verstehst du mich?«

Im gleichen Augenblick sah er aus dem Busch das Mündungsfeuer aufblitzen. Ein Schlag von ungeheurer Wucht traf ihn an der Brust und wirbelte ihn herum. Mit dem Kopf schlug er gegen einen Baumstamm. Dann fiel er, und im Fallen presste er die Hände zusammen. Er fiel auf den Waldboden und wunderte sich, wie weich dieser war.

Zweimal drehte er sich um die eigene Achse und blieb dann liegen.

Er fühlte sich leicht, spürte keine Schmerzen. Olga rief seinen Namen. Von weit her. Ihre Stimme klang weich und süß. Wie Musik. Und er sah sie, wie er sie das erste Mal gesehen hatte. Sie sagte: Ich trinke nicht mit der Polizei. Wie schön sie war: ihre Figur, ihre Schlankheit, die hochmütigen Brauen, den Pulli, der ihren Bauch, und die Jeans, die einen Teil der Hüften freigab. Obwohl er nur ihre Haut vom unteren Rand des oliven Pullis bis zum Gürtel ihrer Jeans sah, bestürzte ihn diese Nacktheit. Damals und jetzt. Und er sah sie auf seiner Couch sitzen, während er Mundharmonika spielte. Alle Begegnungen mit ihr sah er noch einmal. Mein Lebensfilm rollt ab, dachte er. Ich sehe die Szenen meines Lebens, aber nur jene, in denen Olga vorkommt. Er empfand ein großes Bedauern, dass er ihr nie gesagt hatte, dass er sie liebe. Sie weiß es nicht, dachte er, und er fühlte, wie alles in ihm verschwamm.

Noch einmal rafft er alle seine Kräfte zusammen, und er sagt es ihr. Drückt das Handy fest an seinen Mund. Nach jedem Wort muss er innehalten, doch er bringt alle Worte heraus, auch wenn das Sprechen mit jeder Silbe schwerer fällt. Er hört Olgas Stimme antworten, aber er versteht nicht mehr, was sie sagt.

Dann hört er nichts mehr.

72. Die Fesseln sind fast durchgescheuert

Die Fesseln sind fast durchgescheuert. Steven Blackmore bewegt die zusammengebundenen Hände, so schnell er kann. Die Geräusche, die von außerhalb des Spritzenhauses zu ihm dringen, beunruhigen ihn. Zunächst hört er einige Kommandos, Befehle, scharf und vernehmlich. Dann das Murmeln von Männerstimmen. Den Männern schmecken die Befehle nicht, das hört er heraus. Die Kommandostimme wird höher und überschlägt sich. Der Kommandierende verliert seine Autorität.

Blackmore weiß nicht, ob dies gut oder schlecht für ihn ist.

Schließlich diskutieren die Männer draußen laut.

Plötzlich fällt draußen ein Schuss.

Dann herrscht Totenstille.

Blackmore lauscht und bewegt seine gefesselten Hände nicht mehr.

Wieder die Kommandostimme.

Kein Widerspruch.

Die Tür zum Spritzenhaus fliegt auf, und das plötzlich eindringende Licht blendet ihn.

73. Der Engel hatte Olgas Augen

Der Engel, der sich über ihn beugte, hatte Olgas Augen. Dies beruhigte ihn, und er schlief wieder ein.

***

Als er das nächste Mal wach wurde, war es Nacht. Er versuchte sich zu orientieren, aber es gelang ihm nicht. Er hörte, dass zwei Männer im Raum schnarchten.

So viel ist sicher: Ich bin nicht im Himmel.

Das Schnarchen war laut. Vielleicht die Hölle, dachte er. Aber dann griff eine weiche Hand nach der seinen. Erneut schlief er ein.

***

Als er das dritte Mal erwachte, war ihm sofort klar, dass er in einem Krankenhaus lag. Drei Ärzte und zwei Schwestern standen am Fuße seines Bettes und starrten in seine Krankenakte.

»Er könnte langsam aufwachen«, sagte der Arzt in der Mitte.

»Sollen wir ihm noch eine Spritze verpassen?«, fragte eine weibliche Stimme.

»Ja, machen Sie das, Schwester«, sagte der Arzt.

Dengler versuchte zu lächeln, aber er hatte keine Ahnung, ob es ihm gelang.

»Was wollen Sie ihm nun wieder spritzen?«, fragte Olga.

»Gnädige Frau, wir sind die Ärz...«

»Olga«, murmelte er.

»Georg.«

»Aha, der Patient weilt wieder unter uns.«

»Ist er endlich wach?«, hörte er Langensteins Stimme. Stuhlbeine kratzten auf Linoleum.

Drei Gesichter waren über ihm, die Nasen absurd vergrößert. Langenstein unrasiert, ein Mann in einem weißen Kittel und eine der Schwestern. Dann schob eine unsichtbare Hand sie beiseite, und er sah Olgas besorgtes Gesicht.

»Olga«, murmelte er erneut.

Sie beugte sich über ihn und küsste ihn sanft.

»Kann man ihn endlich vernehmen?«, hörte er Langenstein genervt fragen, dann schlief er wieder ein.

***

Als er zum vierten Mal erwachte, war er völlig klar.

Olga saß an seinem Bett, sie hielt seine Hand und schaute gedankenverloren aus dem Fenster. Dunkle Ringe unter ihren Augen. Hinten in der Ecke des Zimmers saß mit übereinander geschlagenen Beinen ein blasser, übernächtigter Martin Klein auf dem Besucherstuhl, gähnte und blätterte in einer Zeitung.

»Langenstein kann mich jetzt vernehmen«, ächzte Georg Dengler leise.

»Resurrexit tertia die ...«, jubelte Martin Klein, ließ die Zeitung fallen, stand auf und lief zu Georgs Bett. »Junge, du machst ja Sachen ...!«

Olga konnte ihn gerade noch daran hindern, Dengler zu umarmen. Doch beide strahlten um die Wette.

Es dauerte über eine Stunde, bis Langenstein an Georg Denglers Krankenbett saß. Er hatte einen jüngeren Kollegen mitgebracht, dieser baute ein Tonbandgerät auf Denglers Betttisch auf.

In der Zwischenzeit hatte ihm Olga berichtet, was passiert war. Der Taxifahrer hatte einen Schuss gehört, war Dengler auf dem schmalen Weg gefolgt und hatte ihn gefunden.

»Du lagst auf dem Boden, verlorst viel Blut. In der rechten Hand hieltest du dein Handy, und aus diesem schrie ich. Der Taxifahrer wollte dir das Ding aus der Hand nehmen, aber du hast es zu fest umklammert, sodass er sich auf deinen blutverschmierten Bauch legen musste, um ins Mikro sprechen zu können. Und er sagte mir, ich solle sofort den Krankenwagen an das Gündlinger Kreuz schicken. Es war das schlimmste Telefonat meines Lebens.«

Sie hielt inne, sah ihn an und lächelte.

»Vielleicht aber auch das schönste Telefonat. Ich glaube nicht, dass viele Frauen eine solche Liebeserklärung bekommen.«

Dengler fühlte, dass er rot bis zu den Haarspitzen wurde.

Martin Klein tat so, als sei er taub, und faltete seine Zeitungen zusammen: »Ich gehe und hole dir frisches Mineralwasser. In Stuttgart habe ich schon eine Champagnerflasche kalt gestellt – für deine Rückkehr.«

★★★

Dengler berichtete, was geschehen war, nachdem er den Kastenwagen der Spurensicherung verlassen hatte. Der Hauptkommissar schaute Dengler lange an.

Dann sagte er: »Sagen Sie mir jetzt mal, was wirklich los ist.«

Dengler versuchte sich aufzurichten, ein jäher Schmerz in der Brust ließ ihn sofort wieder zurücksinken. »Was meinen Sie?«

Langensteins Gesicht signalisierte Ungeduld. Er zog ein durchsichtiges Plastiktütchen aus der Tasche und hielt es in die Luft. Es enthielt ein Stück Metall.

»Wissen Sie, was das ist?«, fragte er.

Dengler wartete ab.

»Das ist das Geschoss, das Sie fast ins Jenseits befördert hat. Die Ärzte haben es Ihnen aus der Brust geschnitten. Knapp an irgendeiner Aorta vorbei. Das werden Ihnen die Mediziner hier genauer erklären können. Ein paar Zentimeter oder Millimeter weiter …«, seine freie Hand zeichnete ein Kreuz in die Luft, »und dann wär's das gewesen.«

Er zog ein zweites Tütchen aus der Tasche und hielt es mit der anderen Hand hoch.

»Und das hier – das ist das Geschoss, mit dem vor sechzig Jahren der schwarze Soldat Steven Blackmore durch einen Kopfschuss hingerichtet wurde. Und wissen Sie, was das Interessante dabei ist?«

Er fuhr fort: »Ich werde es Ihnen sagen: Beide Geschosse wurden aus der gleichen Waffe abgefeuert. Aus einem Gewehr, das die Deutsche Wehrmacht im Zweiten Weltkrieg benutzt hat. Können Sie mir das erklären?«

Dengler konnte es nicht.

74. Drei Wochen lang fühlte er sich schwach

Drei Wochen lang fühlte er sich schwach. Jede noch so kleine Bewegung verursachte höllische Schmerzstiche im Brustkorb. Tagsüber lag er meist auf seiner Couch und hörte die frühen Platten von Junior Wells und Buddy Guy.

Als nach etwa zehn Tagen die Schmerzen ein wenig nachließen, legte er die großen Jazzpianisten auf. Er hörte Oskar Petterson, Chick Korea, Wolfgang Dauner.

Martin Klein brachte ihm die Romane von Chandler und Simenon.

»Achte bei Chandler auf die Dialoge«, sagte er, »jede Figur steht in Konflikt mit jeder anderen. Deshalb sprühen seine Dialoge Funken.«

Dabei schnalzte er mit der Zunge.

»Auch wenn der Plot oft zusammengehauen wirkt«, fügte er hinzu und überließ Georg seiner Lektüre.

Die Zeitungen hatten seinen Fall bereits zu den Akten gelegt. Die Polizei suchte den Täter unter alten und den immer zahlreicher auftretenden neuen Nazis. Sie fanden ihn nicht.

Dann las Dengler über einen möglichen fanatischen Waffensammler, der mit einer Wehrmachtswaffe Krieg spielen wollte. Verhaftet wurde niemand.

Noch immer träumt er nachts von Erdhügeln und Sandbergen, unendlich vergrößert, er sieht sich in tiefen Löchern stehen, die Fledermaus umkreist ihn, und Hedwig Weisskopfs Stimme ruft: »Graben Sie, graben Sie«, er müht sich ab und kommt keinen Deut weiter, abwechselnd erscheinen der Notar Dillmann und der Ernte-23-Mann am Grubenrand und murmeln: »Da ist kein Segen drauf.«

★★★

Olga und er hatten sich zum ersten Mal geliebt, als er zwei Wochen aus dem Krankenhaus zurück war. Sie hatte ihm aus Simenons »Die Verlobung des Monsieur Hire« vorgelesen und war nach oben gegangen, als er eingeschlafen war. Doch kurze Zeit später hörte er, wie die Tür seines Schlafzimmers erneut aufging. Nackt schlüpfte sie unter seine Decke.

»Wir beginnen nun eine neue Therapie«, flüsterte sie ihm ins Ohr und knöpfte seine Schlafanzugjacke auf. »Überlass alles mir.«

Sie streichelte behutsam über seinen Verband. »Ich werde vorsichtig sein.«

***

Er dachte zurück an die Tage in Gündlingen, an die Pension, wo sie abends todmüde ins Bett gefallen waren, wie Geschwister nebeneinander gelegen hatten.

Und jetzt lag sie eng an ihn geschmiegt neben ihm und schlief, er spürte ihre Wärme, roch den Duft ihres Haares und lauschte ihren Atemzügen. Ihre Hand lag auf seiner Brust. Dann schlief auch er wieder ein.

Als er erwachte, hatte sie sich aufgerichtet und blickte ihn mit gespieltem Ernst an.

»Du bist mir ein schöner Frauenheld.«

Dengler stützte sich auf seine Ellenbogen auf:

»Was meinst du?«

Dann sagte sie: »Ich wollte es dir schon früher sagen, aber dann … Nun, um ehrlich zu sein, ich wollte dich nicht auf eine neue Fährte setzen.«

»Fährte? Was für eine Fährte?«

»Du hast eine Verehrerin.«

»Ich? Dich hoffentlich.«

»Mach dich nicht lustig über mich. Diese Frau liebt dich ebenso sehr wie ich. Und sie ausgesprochen hübsch. Blond. Blauäugig. Das liebt ihr deutschen Männer doch.«

»Olga, was redest du da. Wer soll das sein? Wie du weißt, war mein Bewegungsradius in der letzten Zeit relativ eingeschränkt. Welche Frau auch immer das sein soll – ich habe ein Alibi.« Er deutete auf seinen Verband.

»Sie saß die gesamte Zeit in dem Flur des Krankenhauses. Und sie heulte Rotz und Wasser.«

»Olga – ich hab keine Ahnung, wer das sein könnte.«

»Als der Arzt mir erklärte, du seiest außer Lebensgefahr, ging ich in den Flur und sagte es ihr.«

»Olga, wer ist diese Frau?«

»Und dann heulte sie vor Erleichterung. Sie freute sich nicht weniger als ich. Wir lagen uns in den Armen und weinten um dich. Keine von uns beiden, ich schwör's, war weniger froh als die andere.«

»Olga, um Gottes willen, wer soll das denn gewesen sein?«

Sie sah ihn nachdenklich an und überlegte.

»Maria«, sagte sie, »die Bedienung vom Schlosshotel. Die uns den Spießbraten brachte.«

»Maria Roth? Ich bitte dich. Das ist unmöglich. Sie liebt jemanden anderen. Mich jedenfalls bestimmt nicht.«

»Eine Frau spürt so etwas«, lachte sie. »Was hat sie, was ich nicht habe? Sag schon … Sag schon, du Weiberheld!«

Dann beugte sie sich über ihn und küsste ihn.

★★★

Drei Tage später rief er unter falschem Namen im Schlosshotel an und fragte nach Maria Roth. Ihr Vater war am Apparat.

»Sie ist nicht da«, sagte er.

»Und wann kann ich Frau Maria Roth sprechen?«

»Sie arbeitet nicht mehr hier«, sagte ihr Vater.

»Wo kann ich sie erreichen?«

»Nirgends«, sagte Kurt Roth und legte auf.

Dengler wählte die Nummer von *Sternberg Befestigungssysteme*.

Er sagte zu der Telefonistin: »Bitte verbinden Sie mich mit Robert Sternberg.«

Es dauerte eine Weile, bis am anderen Ende der Leitung abgenommen wurde.

»Ilona Sternberg.«

»Guten Tag, Frau Sternberg. Hier spricht Georg Dengler. Ich würde gerne mit Ihrem Bruder sprechen.«

Sie zögerte ein Augenblick.

Dann sagte sie: »Mein Bruder ist nicht mehr in der Firma. Er ist ausgestiegen.«

Ihre Stimme klang bitter.

»Haben Sie eine Telefonnummer, unter der ich ihn erreichen kann?«

Sie gab ihm eine Ludwigsburger Nummer und legte auf.

★★★

Robert Sternberg meldete sich nach dem dritten Klingeln.

»Georg Dengler hier«, sagte er. »Sorry, dass ich Sie störe. Ich suche eigentlich Maria Roth. Ich vermute, ich finde sie bei Ihnen.«

»Da haben Sie Recht.«

»Frau Roth«, sagte er, als Maria am Apparat war, »ich denke, es wird Zeit, dass wir uns unterhalten.«

»Ja«, sagte sie leise.

»Ich lade Sie zum Essen ein.«

Sie zögerte einen Augenblick.

»Ich werde kommen«, sagte sie.

»Treffen wir uns heute Mittag im Stuttgarter *Vinum*? Um eins?«

»Ich werde kommen«, wiederholte sie mit erstickter Stimme.

Dengler dachte, es sei keine schlechte Idee, den Fall dort abzuschließen, wo er begonnen hatte.

★★★

Das *Vinum* war gut besucht. Der große Holztisch am Fenster, an dem er bei seinem letzten Besuch mit Robert Sternberg gesessen hatte, war von einem etwa fünfunddreißigjährigen Mann in einem hellbraunen Anzug besetzt, der einen auffälligen Lockenkopf hatte und der mit einem nervösen Blick Maria Roth nachsah, als sie das Lokal betrat.

Dengler saß an der Bar und trank einen doppelten Espresso mit einem Schluck Milch. Er winkte ihr.

Sie setzten sich an einen kleineren Tisch am Fenster.

»Sieh, Maria ist unsere Hoffnung. Zu ihr nehmen wir unsere Zuflucht, und sie hilft uns. Sie kennen diesen Spruch.«

Maria Roth senkte den Kopf. Dann nickte sie.

»Er steht an der Waldkapelle, und ich las ihn, kurz bevor auf mich geschossen wurde.«

Sie hielt den Kopf immer noch gesenkt.

»Sie haben mir die SMS geschickt, nicht wahr?«

Sie nickte.

»Dann war Ihnen also klar, dass Sie mich damit in einen Hinterhalt lockten.«

Maria Roth hob rasch den Kopf und blickte ihn empört an.

»Um Gottes willen, nein, das wusste ich nicht. Ich habe nicht geahnt, dass ...«

Sie schluchzte auf und schlug die Hände vors Gesicht.

»Ich wusste nicht, dass ... Sie müssen mir glauben ...«

»Ich glaube Ihnen sogar. Olga erzählte mir, dass Sie täglich im Krankenhaus waren und sehr erleichtert waren, als klar war, dass ich überleben werde.«

Sie nickte. Tränen rannen aus ihren Augen.

»Es wäre schrecklich, wenn ich schuld wäre an ...«

Eine attraktive junge Frau mit schwarzen, streng zurückgebundenen Haaren kam an ihren Tisch und fragte nach ihren Wünschen. Maria Roth schüttelte den Kopf und blickte zur Seite. Dengler bestellte zwei Gläser Champagner.

»Lassen Sie uns darauf anstoßen, dass ich noch lebe«, sagte er, als die beiden Kelche vor ihnen standen.

Maria Roth lächelte und nahm ein Glas.

»Darauf trinke ich gerne«, sagte sie.

Sie stießen an.

»Aber ich will wissen, wer auf mich geschossen hat. Und warum.«

Sie senkte erneut den Kopf.

»Ich … ich kann es nicht sagen.«

»Eine schlechte Angewohnheit von mir: Ich gebe keine Ruhe, bis ich eine Sache wirklich begriffen habe. Und mir ist immer noch nicht klar, warum auf mich geschossen wurde. Wissen Sie es?«

Sie schüttelte den Kopf.

Er sagte: »Es muss einen Zusammenhang geben mit meinem ersten Auftrag. Ihr Vater oder Ihr Großvater dachte, ich arbeite immer noch für die Sternberg-Geschwister. Obwohl ich versuchte, das Schicksal des schwarzen Piloten aufzuklären. Stimmt das?«

Sie nickte.

Er sagte: »Sie sind mir einen Gefallen schuldig.«

Dengler reichte Maria Roth ein Taschentuch, und sie trocknete ihre Tränen.

»Mehr als einen«, sagte sie.

»Es gibt eine Zusatzvereinbarung zum Vertrag, der das Schlosshotel auf Ihren Vater überschreibt. Wo könnte sich dieses Dokument befinden?«

Sie schnäuzte sich in Denglers Taschentuch.

»Bestimmt bei Großvaters Unterlagen.«

»Und die sind?«

»In seinem Schlafzimmer.«

»Ich nehme nicht an, dass er sie mir freiwillig gibt.«

Sie schüttelte den Kopf.

»Sehen Sie, deshalb werden wir beide eine kleine Aktion durchführen.«

»Nur, wenn weder Vater noch Großvater ins Gefängnis müssen.«

Dengler dachte eine Weile nach, dann reichte er ihr seine Hand und erläuterte ihr den Plan. Maria ergänzte ihn in den noch offenen Punkten.

75. Dengler wartete, bis es dunkel wurde

Dengler wartete, bis es dunkel wurde. Er blickte auf die Uhr.

Maria hatte wie verabredet vor einer halben Stunde den Schankraum des Schlosshotels betreten. Dengler hatte sich hinter einem grauen Renault versteckt und beobachtete durch dessen Scheiben das Geschehen im Restaurant.

Als er sah, dass die letzten Gäste aufbrachen und Maria ihren Vater zu dem Tisch rief, an dem sie und ihr Großvater saßen, entfernte Dengler sich von seinem Beobachtungsposten, lief in Richtung Straße und dann von dort in einem großen Bogen zurück zur rechten Hausecke, wobei er darauf achtete, dass ihn weder der Lichtschein aus den Fenstern des Lokals noch das trübe Lampenlicht der Schlosshotellaternen streifte. Gebückt rannte er zu der schmalen Gartenpforte an der Seite des Hauses. Sie stand offen. Maria hatte Wort gehalten. Er huschte hinein.

Eng an die Wand gepresst, schritt er vorsichtig bis zu der hölzernen Veranda. Er sah nach oben. Kein Licht.

Tatsächlich. Maria hatte Wort gehalten.

An der Wand lehnte eine Aluminiumleiter. Er lehnte sie gegen den Holzpfeiler und nahm die ersten Stufen.

Zu seiner Überraschung fiel das Klettern schwer. Der Pfosten war kaum höher als drei Meter, aber bereits in der Mitte verließen ihn seine Kräfte, und stechende Schmerzen jagten durch seine Brust. Er legte eine Pause ein.

Dann stieg er die restliche Höhe hinauf, erreichte den Balkon und schwang sich vorsichtig über die Brüstung.

Er lauschte. In dem Zimmer rührte sich nichts. Aus seiner Tasche zog er zwei große Wärmepflaster und klebte sie an die Fenstertür, genau in der Höhe des Türgriffs auf dem anderen Flügel der Balkontür.

Er lauschte noch einmal. Dann schlug er mit einem präzisen Hieb auf die Pflaster das Glas ein. Mit einem dumpfen Knirschen brach das Glas, die Splitter blieben an den beiden Pflastern kleben. Behutsam zog er die Pflaster ab und legte sie auf den Boden. Dann griff er vorsichtig durch die Öffnung, fand den Türgriff und öffnete die Tür.

Langsam trat er ein und orientierte sich. Albert Roths Schlafzimmer war von spartanischer Einfachheit. In der Mitte stand die Hälfte eines Ehebettes. Rechts ein Kleiderschrank und links der Schreibtisch, von dem Maria erzählte hatte.

Er schlich zur Tür und legte sein Ohr an das Holz. Draußen auf dem Flur hörte er kein Geräusch. Er drückte die Klinke herunter. Die Tür war nicht abgeschlossen. Langsam zog er von innen den Riegel vor.

Vorsichtig ging er zum Schreibtisch und untersuchte ihn. Unter der Tischplatte ertastete er eine Schublade und auf der rechten Seite eine Tür. Dengler zog die Schublade auf. Eine Dose mit Schnupftabak lag darin und zwei Kugelschreiber. Langsam schloss er die Schublade wieder. Die Tür war abgeschlossen. Er nahm den mittleren der Schraubenzieher aus der Außentasche seiner Hose und brach das Schloss auf.

Hinter der Tür befanden sich drei Schubfächer. In jeder lagen aufeinander gestapelte Mappen. Dengler nahm die oberste heraus. Sie enthielt Steuerformulare und Bescheide des Finanzamtes. Er legte sie wieder zurück.

Nun nahm er aus der anderen Tasche eine Lampe, die an einem Band befestigt war. Er schob sich das Band um den Kopf, sodass die Lampe auf seiner Stirn saß. Noch einmal lauschte er, dann schaltete er das Licht seiner Lampe an.

Er setzte sich auf den Schreibtischstuhl. Nun arbeitete er sich von Mappe zu Mappe, fand aber nur weitere Steuerbescheide, Zeitungsausschnitte aus der Gündlinger Ortsgeschichte, Dokumente aus dem Leben des Albert Roth, sein Gesellenbrief, dann das Familienbuch, Geburtsurkunden von Fritz

Roth, die Sterbeurkunde von Edith Roth, geborene Bender, und das Testament des alten Mannes.

Erst in der untersten Schublade, in einer bereits brüchigen Ledermappe, entdeckte er die Seiten mit dem Vertrag zwischen Volker Sternberg und Kurt Roth, unterzeichnet von Albert Roth. Dahinter lag in einer Klarsichthülle ein weiteres bereits vergilbtes Papier.

Dengler griff an seine Stirn und justierte den Lichtkegel der kleinen Lampe.

»Zusatzvereinbarung« stand da, von Hand geschrieben.

Langsam erhob sich Dengler und las den Text.

Nun verstand er, warum auf ihn geschossen worden war.

76. Dengler stieß die Tür zum Schankraum auf

Dengler stieß die Tür zum Schankraum auf. An dem runden Tisch vor der Theke saßen Maria Roth, ihr Vater und Albert Roth, ihr Großvater. Ihre Mutter stand hinter der Theke.

Albert Roths Schiebermütze lag auf dem Tisch. Die wenigen Haare standen wirr von seinem Kopf ab. Vor ihm stand ein halb leeres Glas und der Wärmebehälter für sein Bier. Er wirkte übernächtigt und krank.

Kurt Roth war leichenblass. Er hatte den Kopf gesenkt und schüttelte ihn fortwährend, als könne er nicht glauben, was seine Tochter und sein Vater ihm soeben erzählt hatten.

Maria Roth weinte.

Albert Roth sah Dengler mit müden Augen an.

»Sie …«, sagte er.

»Wie sind Sie hier… wo kommen Sie her?«, fragte Kurt Roth und blickte auf die immer noch offen stehende Tür zu den Wohnräumen.

»Ich habe mich etwas mit der Geschichte dieses Hotels befasst«, sagte Dengler und trat zu dem Tisch.

»Woher haben Sie das?«, fragte Albert Roth und wies auf das Schriftstück, das Dengler immer noch in der rechten Hand hielt.

»Na, aus Ihrem Schreibtisch«, sagte Dengler, »lag bei dem Vertrag, den Sie mit Robert Sternberg 1947 abgeschlossen haben.«

»Dann wissen Sie ja jetzt Bescheid«, sagte der alte Mann.

»Nicht ganz. Sie haben noch einiges zu erklären.«

Dengler fuhr fort: »Sie haben Ihre Enkelin gebeten, mir SMS-Nachrichten zu schicken, die Sie ihr wahrscheinlich über ein Funktelefon durchgaben. Maria saß …«

»In einem Bruchsaler Internetcafé«, sagte Maria.

»Und woher hatten Sie meine Handynummer?«

»Von Ihrem Kollegen, dem kleinen Kerl.«

Dem Wiesel.

»Wie viel haben Sie ihm bezahlt?«

»Hundert Euro.«

Dengler nickte.

»Nachdem Sie mich in den Wald hinter der Kapelle gelockt hatten, schossen Sie oder Ihr Sohn mit dem alten Wehrmachtsgewehr auf mich.«

»Ich war's«, sagte Kurt Roth, »lassen Sie meinen Vater zufrieden.«

»Nein, Kurt war's nicht«, sagte der alte Mann, »ich wollte Sie auch nicht verletzten. Ich zitterte. Ich wollte Sie wirklich nicht treffen. Ich wollte nur, dass Sie endlich aufhören und …«

»… die Suche nach dem amerikanischen Flieger aufgeben«, sagte Dengler.

Albert Roth nickte.

»Denn«, fuhr Dengler fort, »in diesem Zusatzvertrag steht, dass Sie das Hotel an Volker Sternberg oder seine Erben zurückgeben müssen, wenn die Sache mit dem Piloten öffentlich wird.«

Albert Roth nickte.

»Und als ich Sie nach dem schwarzen Piloten fragte, glaubten Sie, ich handele immer noch im Auftrag von Ilona und Robert Sternberg. Und stände kurz davor, das Rätsel zu lösen – und Sie müssten das Hotel zurückgeben.«

Der alte Mann nickte.

Dengler sagte: »Tatsächlich ist es so, dass ich den Sohn des Fliegers vertrete. Er will wissen, wie sein Vater gestorben ist.«

»Erzähle es ihm, Vater«, sagte Kurt Roth, »erzähle es ihm, sonst tu ich es.«

Der alte Mann seufzte und trank einen Schluck seines warmen Bieres.

Dann sah er Dengler an.

»In den letzten Tagen des Krieges hatte ich Heimaturlaub. Ich war verletzt worden. Wollte nicht mehr zurück an die Front. Deshalb ging ich zum Gündlinger Volkssturm. Es war eine lächerliche Truppe, ohne Ausbildung, keine Bewaffnung. Ein Nichts. Ich nahm Kurt mit, wollte ihn unter Kontrolle haben. Die Buben machten immer Unsinn. Sie hatten die abgestürzte Maschine des Piloten entdeckt und das Cockpit durchsucht. Dann haben sie den schwarzen Piloten gesehen, sind getürmt. Der Pilot wurde gefangen genommen und ins Spritzenhaus gesteckt. Vor dem Spritzenhaus trat der Volkssturm an – an jenem Tag.«

Albert Roth hustete. Sein Sohn trat besorgt hinter ihn und klopfte ihm auf die Schulter. Als der Hustenfall vorbei war, fiel ihm das Atmen schwer.

»Wir waren damals Kinder«, sagte nun Kurt Roth, »mein Freund Fritz und ich beobachteten die feindlichen Flugzeuge, die täglich über uns hinwegflogen, wir glaubten mit kindlicher Inbrunst an den Führer.«

»Ihr ward dumme Jungen«, sagte Albert Roth, »dumme kleine Jungen, die das Unglück hatten, im Krieg aufzuwachsen.«

Kurt Roth legte seine Hand auf die des Vaters.

Albert Roth fuhr fort: »Volker Sternberg war der Kompaniechef des Volkssturms. Ein Nazi. Er wollte Panzersperren bauen gegen die amerikanischen Panzer, die von Heidelberg her nach Bruchsal durchstießen. Es gab auch noch deutsche Panzer in der Nähe. Die Kampfgruppe Kullmann, im Norden von Bruchsal. Wenn es zu Kämpfen kommen würde, dann im Norden, in der Nähe der Fabrik von Sternbergs Familie. Deshalb wollte er, dass wir im Osten eine Panzersperre aufbauen. Um die Amerikaner abzulenken. Von seiner Fabrik. Verstehen sie?«

Dengler nickte.

»Niemand von uns wollte dafür sein Leben riskieren. Es gab Diskussionen. Sternberg schrie, drohte mit der SS.«

»Er schoss in die Luft. Befahl dann meinem Vater, sein Gewehr herzugeben«, sagte Kurt Roth.

Einen Augenblick herrschte Stille.

»Er wollte seine Autorität wiederherstellen«, sagte Albert Roth. »Wenn ich gewusst hätte, was er vorhatte, hätte ich ihm die Waffe nie gegeben.«

»Er nahm das Gewehr«, sagte Kurt Roth und sah seinen Vater an, »dann befahl er Fritz, seinen Sohn und meinen besten Freund, und mich zu sich. Mitkommen, befahl er. Dann gingen wir zu der Tür des Spritzenhauses, er schloss sie auf. Fritz und ich gingen mit ihm in das dunkle Spritzenhaus.«

Albert Roths Augen wurden feucht.

Er sagte: »Ich begriff zu spät, was er vorhatte. Ich verstand es einfach nicht, konnte es mir nicht vorstellen. Mein Leben lang mache ich mir diesen Vorwurf: zu spät. Ich kam zu spät. Als ich begriff, was er vorhatte, rannte ich zur Tür. Er hatte sie von innen abgeschlossen. Ich hämmerte mit beiden Fäusten dagegen und schrie: Lass meinen Bub raus.«

Jetzt liefen Albert Roth die Tränen über das Gesicht und hinterließen dunkle Spuren auf seinen Wangen.

77. Inmitten des gleißenden Lichtes steht ein Mann

Inmitten des gleißenden Lichtes steht ein Mann.
Er schlägt die Tür des Spritzenhauses zu und verriegelt sie.
Jetzt erst erkennt Steven Blackmore die beiden Buben. Es sind die gleichen Jungs, die er am Cockpit der Maschine überrascht hat.
Der Mann trägt ein Gewehr.
Er kommt auf ihn zu.
Blackmores Gehirn arbeitet auf Hochtouren. Die beiden Buben sind ein gutes Zeichen.
Er wird mich nicht vor den Kindern erschießen.
Aber der Mann mit dem Gewehr hat einen bösen Blick.
Direkt vor ihm lädt der Mann die Waffe durch. Die Patrone fährt mit einem ratschenden Geräusch ins Schloss.
Mit halb geschlossenen Augenlidern fixiert Blackmore ihn.
Der Mann befiehlt den Jungen, näher zu kommen.
Unsicher gehen sie einige Schritte vor. Der Jüngere weint.
Der Mann schreit ihn an.
Er reicht die Waffe dem Größeren.
Draußen hämmert jemand gegen die Tür und schreit: »Lass meinen Buben raus!«
Der Junge mit dem Gewehr blickt zur Tür.
Der Mann schreit ihn an.
Blackmore kann kein Deutsch, aber den Befehl versteht er.
»Schieß, Kurt, schieß! Schieß endlich.«
Blackmore zerrt an seinen Fesseln.
»Schieß endlich! Schieß!«
Der Bub heult.
Die Mündung der Waffe beschreibt einen Kreis.
Vielleicht trifft er mich nicht!
Draußen hämmert es weiter gegen die Tür.
»Lass meinen Buben raus, du Schwein!«

»Schieß jetzt.«

Der Mann greift nach dem Lauf und hält ihn direkt an Blackmores Schläfe.

»Schieß jetzt, schieß, verdammt nochmal.«

Blackmore sieht dem Jungen in die Augen.

Der Bub reißt die Waffe zur Seite.

Der Mann lässt den Lauf los.

Der Junge drückt ab, und Blackmore fühlt den sengenden Schmerz an seiner Schulter.

Grenzenlose Erleichterung.

Vorbeigeschossen. Der Junge hat vorbeigeschossen.

Den Schmerz in der Schulter spürt er kaum.

Vielleicht schaffe ich es. Komme noch einmal davon.

Blackmore reißt an den Fesseln. Er spürt, wie sie sich lockern.

Der Mann lädt die Waffe durch und drückt sie dem kleineren Jungen in die Hand.

Brüllt ihn an.

»Schieß du jetzt.«

Der Junge wimmert. Er pinkelt in die Hose. Blackmore sieht die Pisse aus den kurzen Hosen das Bein herunterlaufen.

»Schieß, Fritz, verdammt, schieß endlich.«

Wieder hält der Mann die Mündung direkt an Blackmores Schläfe.

»Schieß jetzt, oder ich schlag dich tot.«

Blackmore sucht den Blick des kleinen Jungen. Aber der Bub hat die Augen geschlossen.

»Schieß endlich!«

Entsetzt sieht er, wie der rechte Zeigefinger des Buben sich zum Abzugbügel tastet.

Blackmore schreit, reißt an seinen Fesseln. Sie geben nach.

Er hat es geschafft. Die Hände sind frei.

Er denkt an seinen Sohn in Chicago.

Dann fällt der Schuss.

78. Es war still im Schankraum des Schlosshotels

Es war still im Schankraum des Schlosshotels.

Nach einer Weile sagte Albert Roth mit brüchiger Stimme: »Ich hämmerte gegen die Tür wie von Sinnen. Dann rannte ich zurück und wollte einem der Volkssturmmänner das Gewehr aus der Hand reißen. In diesem Moment knallte ein Schuss. Aus dem Spritzenhaus. Und nach einer schrecklichen Pause ein zweiter.«

Er sah Dengler an: »Die Tür sprang wieder auf. Sternberg stürmt heraus, seinen Sohn an der Hand. Und Kurt stößt er vor sich her. Er wirft mir das Gewehr zu. Vergrabt den Neger, sofort, gleich hier. Und kein Wort zu irgendwem, sagte er noch den Männern. Dann war er weg. Mit seinem Sohn.« Der alte Mann wischte sich mit einem Taschentuch die Tränen aus den Augen.

Nach einer Pause sagte er: »Dann kamen die Amerikaner und suchten ihren Kameraden. Ich wollte Sternberg anzeigen. Aber dann hatte ich eine andere Idee.«

»Sie zwangen ihn, das Schlosshotel auf den Namen Ihres Sohnes zu überschreiben«, sagte Dengler.

»Ja. Für das, was er meinem Sohn angetan hat. Als Sicherheit für Sternberg gab es die Zusatzvereinbarung: Wenn ich auspacke, sind wir das Hotel wieder los.«

Dengler stand auf.

Er legte die Zusatzvereinbarung auf den Tisch und ging langsam zur Tür.

»Halt, nehmen Sie mich mit«, rief Maria Roth. Zusammen verließen sie das Schlosshotel.

Epilog

In dieser Nacht schlief Dengler nicht. Er erzählt Olga die Geschichte einmal, zweimal, dreimal – und später wusste er nicht mehr wie oft. Sie hatte ihn in den Arm genommen und ihm zuhört.

Zwei Tage später schrieb er eine lange E-Mail an Junior Wells.

***

Im Spätjahr 2005 lag schon Schnee, als im Stuttgarter Gustav-Siegle-Haus ein neuer Jazz-Club eröffnete. Dengler wurde Mitglied, Olga auch, und Martin Klein wurde sogar in den Vorstand des Vereins gewählt.

Beim Eröffnungskonzert stand Junior Wells auf der Bühne. Er widmete das Konzert seinem Vater. Langenstein war im Publikum, und auch Major Hooker saß mit einigen Kameraden an einem Tisch. Dengler sah ihn zum ersten Mal in Zivil. Jakob war gekommen, Mario war da und Leopold Harder, und alle saßen zusammen mit Olga und Georg an einem Tisch direkt vor der Bühne.

Nach seinem Auftritt kam Junior aus der Garderobe und umarmte Georg Dengler lange.

»Ich danke dir für alles.«

Dann trat der kleine Mann einen Schritt zurück und sah Dengler augenzwinkernd an.

»Sag mal«, fragte er, »gibt es hier Jim Beam?«

Dengler lachte, und untergehakt gingen sie zur Bar.

Finden und erfinden – ein Nachwort

Mehr als fünf Jahre ist es nun her, dass ich in der *Stuttgarter Zeitung* einen Artikel las, der mich sofort gefangen nahm. »Über den Toten haben alle geschwiegen – *Mordermittlungen nach Skelettfund* – Ist ein *US-Bomberpilot von Bauern gelyncht worden?*«, lauteten die Schlagzeilen. Der Journalist *Wieland Schmidt* schrieb über den Fund eines Skeletts, bei dem es sich um die Überreste eines amerikanischen Bomberpiloten handeln könne, der hartnäckigen Gerüchten zufolge im März 1945 von einheimischen Bauern erschlagen wurde. Seit Jahrzehnten würden in Bruchsal hinter vorgehaltener Hand über diesen Mord Gerüchte verbreitet, aber alle Zeugen und Mitwisser schwiegen bis zum heutigen Tag.

Mich erfasste eine gewisse fiebrige Neugier, die mich jedes Mal packt, wenn ich glaube, einer spannenden Geschichte auf die Spur zu kommen.

Die Quellen dazu waren dünn und sind es heute immer noch. Über 44 000 US-Soldaten werden in ganz Europa immer noch vermisst. Ich schätze, dass die Zahl der gelynchten alliierten Soldaten bei über 1000 liegt. Es ist ein bisher wenig untersuchter Komplex des 2. Weltkrieges. Soweit ich weiß, gibt es bis heute dazu keine überregionale Studie. Mittlerweile ist jedoch die Website http://www.flieger-lynchmorde.de/ entstanden, die die bekannt gewordenen Fälle sammelt.

Die Behandlung von Kriegsgefangenen ist in der Genfer Konvention eindeutig geregelt. Deutschland hat sie 1934 (!) ratifiziert. Artikel 2 lautet:

»Die Kriegsgefangenen unterstehen der Gewalt der feindlichen Macht, aber nicht der Gewalt der Personen oder Truppenteile, die sie gefangen genommen haben. Sie müssen jederzeit mit Menschlichkeit behandelt werden und insbesondere gegen Gewalttätigkeiten, Beleidigungen und öffentliche Neugier geschützt werden. Vergeltungsmaßnahmen an ihnen auszuüben, ist verboten.«

Die Nazis haben Lynchmorde an alliierten Soldaten nicht nur geduldet, sondern gefördert. Heinrich Himmler, der berüchtigte Reichsführer SS und seit 1943 Innenminister und damit Chef der

Polizei, gab Anweisung, dass die deutsche Polizei sich nicht in die Auseinandersetzungen zwischen »deutschen Volksgenossen« und abgeschossenen alliierten Fliegern einzumischen hat. Zuvor hatte schon der mecklenburgische Gauleiter Hildebrandt verlangt, alle britischen Bomberpiloten summarisch hinzurichten. In einem Artikel im »Völkischen Beobachter« vom Mai 1944 schreibt Josef Goebbels, die Reichsregierung sehe sich nicht imstande, die »feindlichen Terrorflieger« vor den Angriffen der Bevölkerung zu schützen, was einem Aufruf zum Lynchmord gleichkommt und von Amtsträgern des Regimes auch so verstanden wird. Zwei Tage später befiehlt Reichsleiter Bormann in einer geheimen Order an alle NS-Gau- und Kreisleiter, dass bei Lynchjustiz an alliierten Fliegern von »polizeilicher und strafrechtlicher Verfolgung der dabei beteiligten Personen« abzusehen sei. Entsprechend reagierte das Oberkommando der Wehrmacht: Generalfeldmarschall Keitel untersagte in einem geheimen Befehl den Schutz von alliiertem Flugpersonal, wenn diese angegriffen wurden. Am 26. 2. 1945 schreibt Albert Hoffmann, der Gauleiter Reichsverteidigungskommissar des Gaues Westfalen-Süd, an alle Landräte, Oberbürgermeister, Polizeiverwalter, NS-Kreisleiter und an die Kreisstabsführer des Deutschen Volkssturms, abgeschossene Piloten seien »grundsätzlich der Volksempörung nicht zu entziehen. Ich erwarte von allen Dienststellen der Partei, dass sie sich nicht als Beschützer dieser Gangstertypen zur Verfügung stellen. Behördliche Dienststellen, die dem gesunden Volksempfinden zuwiderhandeln, werden von mir zur Rechenschaft gezogen«. Der Volkszorn stellt sich bei näherer Betrachtung als ein staatlich geschürtes Massaker heraus.

***

Bereits im März 2000 war mir ein Artikel in der *Frankfurter Rundschau* über die *Tuskegee Airmen* aufgefallen, den ich so interessant fand, dass ich ihn aufhob. *Jörg Michael Dettmer* hatte ihn geschrieben und die eingängige Überschrift »Helden in der Luft, Nigger auf der Erde« gefiel mir so gut, dass ich sie an einer Stelle auch Steven Blackmore in den Mund legte. Diesen Artikel zog ich wieder hervor, als ich bereits ein Skizzenbuch unter dem Thema »Absturz« angelegt hatte, in das ich u. a. auch die ersten Entwürfe über den Charakter des Piloten notierte. Hilfreich bei der Recherche war auch der Film »*Die Ehre zu fliegen*«, in dem Laurence Fishburne (Matrix 1–3) seine erste große Rolle spielt.

★★★

Von großer Hilfe für die Recherchen zu diesem Buch war *Peter Huber*, der mir wichtige Hinweise gab. Er überließ mir freundlicherweise auch ein Exemplar seines Buches *Als der Himmel Feuer spie,* eine materialreiche Untersuchung über den Luftkrieg im Kraichgau, Hardt und Buhrain, das er 1996 herausgab. In diesem Buch ist der bemerkenswerte Bericht des englischen Bordschützen Richard Dyson abgedruckt, der mir als Material für die Abschussszene von Steven Blackmore diente.

★★★

Bei den Kapiteln und Passagen, die in Bruchsal spielen, stützte ich mich neben Hubers Buch auf folgende Untersuchungen: *Hubert Bläsi, Stadt im Inferno, Bruchsal im Luftkrieg 1939/45*, eine Veröffentlichung der Historischen Kommission der Stadt Bruchsal, Verlag Regionalkultur 1995, *Diesen Augenblick werde ich nicht vergessen … Die Zerstörung Bruchsals am 1. März 1945 in Augenzeugenberichten,* eine Veröffentlichung der Historischen Kommission der Stadt Bruchsal, Verlag Regionalkultur 1995. Bruchsal 1945; *Stolzenberg, Stecher, Bläsi, Ende und Anfang,* Heimatgeschichtliche Veröffentlichungen des Archivs der Stadt Bruchsal, Bruchsal 1971. Für mich war die Arbeit der Historischen Kommission der Stadt Bruchsal eine unschätzbare Quelle. Um keine alten Wunden aufzureißen, verlegte ich jedoch die Geschichte in den fiktiven Ort Gündlingen.

★★★

Wenn der Autor schon »Gott spielen« darf und Figuren und Schauplätze mit Leben füllt, dann darf er auch Tote wieder zum Leben erwecken. *Junior Wells* starb am 15. Januar 1998 nach einem viermonatigen Kampf gegen den Krebs in einem Krankenhaus in Chicago. Falls er vom Blueshimmel hinab mir bei der Arbeit zugesehen hat: Ich hoffe, der Vater, den ich ihm gegeben habe, gefällt ihm. *Theresa's Lounge* ist für immer geschlossen. Wer einen Ort in Chicago sucht, der dieser berühmten Bar ähnlich ist, möge *Rosa's Lounge* aufsuchen, die sich als Nachfolgerin von *Theresa's Lounge* versteht.

★★★

Edgar Mais und der Stadtbücherei Idar-Oberstein danke ich für die Überlassung von Unterlagen zur Geschichte der Stadt und der Rizinus-Affäre in Idar-Oberstein.

Ich danke *Andrea Lareida* vom Flieger-Flab-Museum des Flughafens Zürich. Das Museum besitzt noch eine Mustang, in die ich klettern durfte. *Andrea Lareida* nahm sich viel Zeit, mir die Maschine zu erläutern sowie mir einige fliegerische Grundkenntnisse und auch noch einiges über den Luftkampf beizubringen.

Für juristische Beratung rund um den Vertrag von 1947 samt der Zusatzvereinbarung bedanke ich mich bei den Rechtsanwälten *Bettina Kox* und *Stefan Lieberum*.

Zu danken habe ich *Chris Lier*, die mit den Familien Roth und Sternberg eine familientherapeutische Sitzung durchführte, nach der mir diese Charaktere klarer wurden.

Bei einzelnen Fragen gaben mir *Thomas Adam*, *Dirk Boll*, *Thomas Nennstil*, *Gabriele Röthemeyer* und *Detlef Schorlau* wertvolle Hinweise. Ich danke ihnen herzlich. Für die Durchsicht des Manuskripts bedanke ich mich bei *Uli Geis*, *Ursula Sobek* und *David Streit*.

Ohne die Arbeit meines Lektors *Nikolaus Wolters* wäre dieses Buch nicht erschienen. Es ist ein großes Privileg, mit ihm zu arbeiten.

Stuttgart, August 2005

Wolfgang Schorlau
Die blaue Liste

Denglers erster Fall
KiWi 870

Georg Dengler ist im Unfrieden vom BKA geschieden. »Private Ermittlungen« steht jetzt auf seiner Visitenkarte, und sein erster Fall verspricht leicht verdientes Geld zu werden. »Es geht um meine Freundin«, sagt der Anrufer. »Ihr Vater kam vor zwölf Jahren bei einem Flugzeugabsturz ums Leben. Merkwürdig ist nur, er rief sie vorher an und sagte, er habe die Maschine verpasst. Forschen Sie ein bisschen nach und schreiben Sie einen Bericht, damit sie wieder ruhig schlafen kann.« Der Vermisste ist Mitarbeiter der Treuhand und Verfasser der »Blauen Liste« – des Dokuments, das der Deutschen Vereinigung einen völlig anderen Weg wies ...

»Schorlau konstruiert aus realen Ereignissen einen spannenden, klugen Roman, der nicht nur Verschwörungs-Theoretiker faszinieren wird.« *Frankfurter Rundschau*

»Ein provokanter Verschwörungskrimi.«
Stuttgarter Zeitung

»Spannende Polit-Lektüre.« *Facts*

Paperbacks bei Kiepenheuer & Witsch  www.kiwi-koeln.de